RAMSÈS

★ ★ ★ ★

La Dame d'Abou Simbel

DU MÊME AUTEUR

Romans

Le Moine et le Vénérable, Robert Laffont.
Champollion l'Égyptien, Éditions du Rocher et Pocket.
La Reine Soleil, Julliard (prix Jeand'heurs 1989) et Pocket.
Maître Hiram et le Roi Salomon, Éditions du Rocher et Pocket.
Pour l'amour de Philae, Grasset et Pocket.
L'Affaire Toutankhamon, Grasset (prix des Maisons de la Presse 1992) et Pocket.
Le Juge d'Égypte, Plon et Pocket.
    * *La Pyramide assassinée.*
    ** *La Loi du désert.*
    *** *La Justice du vizir.*
Barrage sur le Nil, Robert Laffont.
La Prodigieuse Aventure du lama Dancing (épuisé).
L'Empire du pape blanc (épuisé).

Roman pour la jeunesse

La Fiancée du Nil, Magnard (prix Saint-Affrique 1993).

Essais sur l'Égypte ancienne

L'Égypte des grands pharaons (couronné par l'Académie française), Perrin.
Pouvoir et Sagesse selon l'Égypte ancienne, Éditions du Rocher.
Le Monde magique de l'Égypte ancienne, Éditions du Rocher.
Les Grands Monuments de l'Égypte ancienne, Perrin.
L'Égypte ancienne au jour le jour, Perrin.
Le Voyage dans l'autre monde selon l'Égypte ancienne, Éditions du Rocher.
Néfertiti et Akhénaton, le couple solaire, Perrin.
La Vallée des Rois. Histoire et découverte d'une demeure d'éternité, Perrin.
L'Enseignement du sage égyptien Ptahhotep. Le plus ancien livre du monde, Éditions de la Maison de Vie.
Initiation à l'égyptologie, Éditions de la Maison de Vie.
Rubrique « Archéologie égyptienne », dans le *Grand Dictionnaire encyclopédique*, Larousse.
Le Petit Champollion illustré, Les hiéroglyphes à la portée de tous ou Comment devenir scribe amateur tout en s'amusant, Robert Laffont.
Les Égyptiennes. Portraits de femmes de l'Égypte pharaonique, Perrin.

Autres essais

Le Message des bâtisseurs de cathédrales (épuisé).
Le Message des constructeurs de cathédrales, Éditions du Rocher.
Saint-Bertrand-de-Comminges (épuisé).
Saint-Just-de-Valcabrère (épuisé).
Le Livre des Deux Chemins, symbolique du Puy-en-Velay (épuisé).
Le Voyage initiatique, ou les Trente-Trois Degrés de la sagesse, Pocket.
Le Message initiatique des cathédrales, Éditions de la Maison de Vie.

Albums

Le Voyage sur le Nil, Perrin.
Sur les pas de Champollion, l'Égypte des hiéroglyphes, Trinckvel.
Le Voyage aux Pyramides, Perrin.
Karnak et Louxor, Pygmalion.
La Vallée des Rois. Images et mystères, Perrin.

CHRISTIAN JACQ

RAMSÈS

★★★★

La Dame d'Abou Simbel

Roman

ROBERT LAFFONT

RAMSÈS

* *Le Fils de la lumière*
** *Le Temple des millions d'années*
*** *La Bataille de Kadesh*

À PARAÎTRE :

Sous l'acacia d'Occident : janvier 1997.

ISBN 2-221-08156-0

CARTE DE L'ÉGYPTE

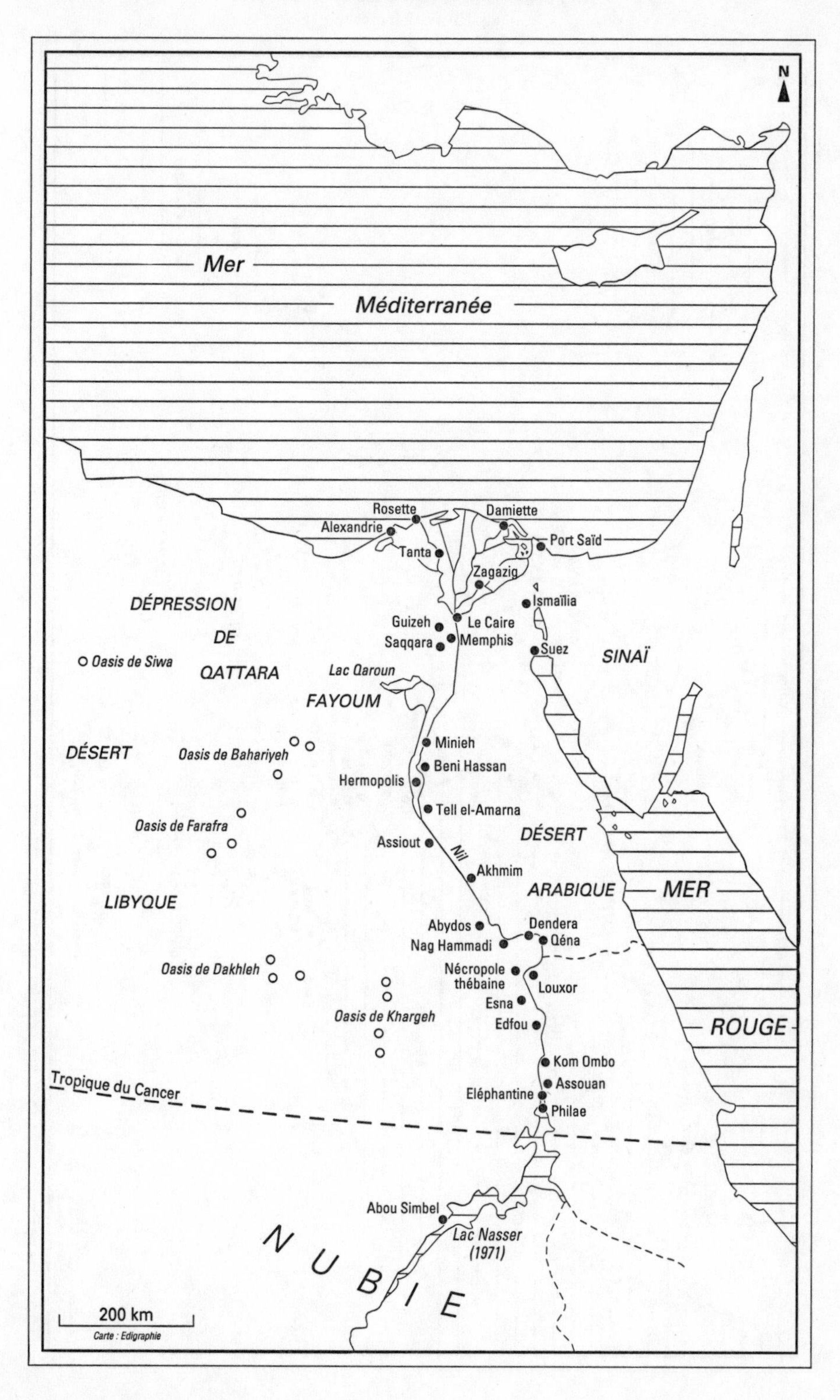

CARTE DE L'ANCIEN PROCHE-ORIENT
au Nouvel Empire

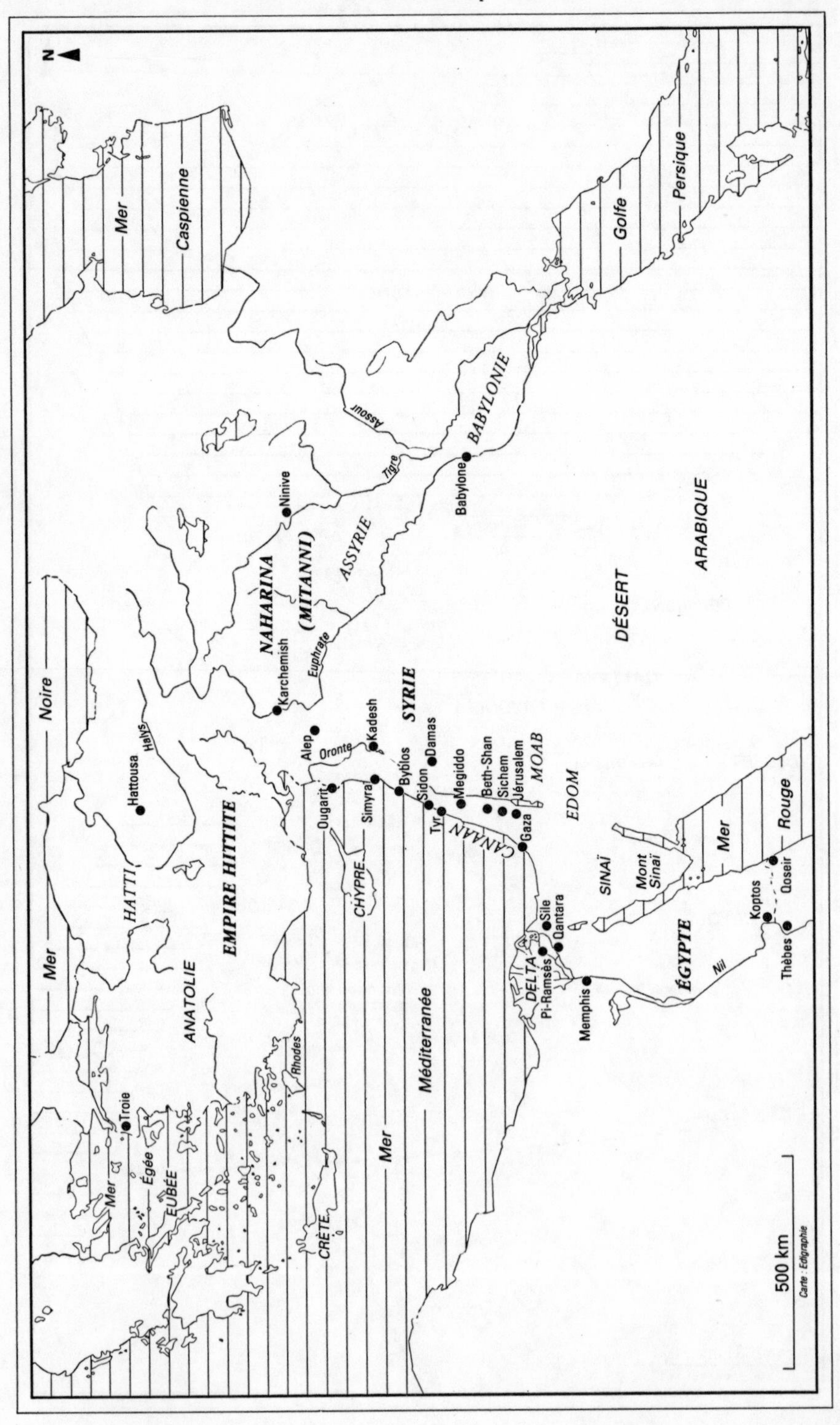

1

Massacreur, le lion de Ramsès, poussa un rugissement qui figea d'effroi les Égyptiens comme les révoltés. L'énorme fauve, décoré par le pharaon d'un fin collier d'or pour bons et loyaux services rendus lors de la bataille de Kadesh contre les Hittites *, pesait plus de trois cents kilos. Il mesurait quatre mètres et se parait d'une crinière à la fois fournie et flamboyante, si luxuriante qu'elle couvrait le dessus de sa tête, ses joues, son cou, une partie de ses épaules et de son poitrail. Le pelage, ras et court, était d'un brun clair et lumineux.

À plus de vingt kilomètres à la ronde, on perçut la colère de Massacreur, et chacun comprit qu'elle était aussi celle de Ramsès qui, depuis la victoire de Kadesh, était devenu Ramsès le grand.

Était-elle bien réelle, cette grandeur, alors que le pharaon d'Égypte ne parvenait pas, malgré son prestige et sa vaillance, à dicter sa loi aux barbares d'Anatolie ?

L'armée égyptienne s'était révélée bien décevante lors de l'affrontement. Les généraux, lâches ou incompétents, avaient abandonné Ramsès, le laissant seul face à des millions d'adversaires, certains de leur victoire. Mais le dieu Amon, caché dans la lumière, avait entendu la prière de son fils et donné au bras du pharaon une force surnaturelle.

---

* Les lointains ancêtres des Turcs.

Après cinq années d'un règne tumultueux, Ramsès avait cru que sa victoire, à Kadesh, empêcherait les Hittites de redresser la tête avant longtemps et que le Proche-Orient entrerait dans une ère de paix relative.

Il s'était lourdement trompé, lui, le taureau puissant, l'aimé de la Règle divine, celui qui protégeait l'Égypte, le Fils de la Lumière. Méritait-il ces noms de couronnement, face à la sédition qui grondait dans ses protectorats traditionnels, Canaan et la Syrie du Sud ? Non seulement les Hittites ne renonçaient pas au combat, mais encore avaient-ils lancé une vaste offensive, alliés aux bédouins, des pillards et des assassins qui convoitaient depuis toujours les riches terres du Delta.

Le général de l'armée de Râ s'approcha du roi.

– Majesté... La situation est plus critique que prévue. Ce n'est pas une révolte ordinaire ; d'après nos éclaireurs, tout le pays de Canaan se dresse contre nous. Ce premier obstacle franchi, il y en aura un deuxième, puis un troisième, puis...

– Et tu désespères d'arriver à bon port ?

– Nos pertes risquent d'être lourdes, Majesté, et les hommes n'ont pas envie de se faire tuer pour rien.

– La survie de l'Égypte est-elle un motif suffisant ?

– Je ne voulais pas dire...

– C'est pourtant ce que tu as pensé, général ! La leçon de Kadesh fut donc inutile. Suis-je condamné à être entouré de lâches, qui perdent leur vie parce qu'ils veulent la sauver ?

– Mon obéissance et celle des autres généraux sont sans faille, Majesté, mais nous voulions simplement vous mettre en garde.

– Notre service d'espionnage a-t-il obtenu des informations au sujet d'Âcha ?

– Malheureusement non, Majesté.

Âcha, ami d'enfance et ministre des Affaires étrangères de Ramsès, était tombé dans un traquenard alors qu'il rendait visite au prince d'Amourrou *. Avait-il été torturé, était-il encore vivant, ses geôliers considéraient-ils que le diplomate avait une valeur d'échange ?

Dès qu'il avait appris la nouvelle, Ramsès avait mobilisé ses troupes, à peine remises du choc de Kadesh. Pour sauver Âcha, il lui fallait traverser des régions devenues hostiles. Une fois de plus, les princes locaux n'avaient pas respecté leur serment d'allégeance à l'Égypte et s'étaient vendus aux Hittites en échange d'un peu de métal précieux et de promesses fallacieuses. Qui ne rêvait d'envahir la terre des pharaons et de jouir de ses richesses réputées inépuisables ?

Ramsès le grand avait tant d'œuvres à poursuivre, son temple des millions d'années à Thèbes, le Ramesseum, Karnak, Louxor, Abydos, sa demeure d'éternité de la Vallée des Rois, et Abou Simbel, le rêve de pierre qu'il voulait offrir à son épouse adorée, Néfertari... Et voici qu'il se retrouvait ici, à l'orée du pays de Canaan, au sommet d'une colline, observant une forteresse ennemie.

– Majesté, si j'osais...

– Sois courageux, général !

– Votre démonstration de force est très impressionnante... Je suis persuadé que l'empereur Mouwattali aura compris le message et qu'il fera libérer Âcha.

Mouwattali, l'empereur hittite, était un homme acharné et rusé, conscient que sa tyrannie ne reposait que sur la force. À la tête d'une vaste coalition, il avait pourtant échoué dans son entreprise de conquête de l'Égypte, mais il lançait un nouvel assaut, par bédouins et révoltés interposés.

Seule la mort de Mouwattali ou celle de Ramsès mettrait fin à un conflit dont l'issue serait décisive pour l'avenir de nombreux peuples. Si l'Égypte était vaincue, la puissance militaire hittite imposerait une cruelle dictature qui détruirait une civilisation millénaire, élaborée depuis le règne de Ménès, le premier des pharaons.

---

* Le Liban.

Un instant, Ramsès songea à Moïse. Où se cachait-il, cet autre ami d'enfance qui avait fui l'Égypte après avoir commis un assassinat ? Les recherches avaient été vaines. D'aucuns prétendaient que l'Hébreu, qui avait collaboré avec tant d'efficacité à la construction de Pi-Ramsès, la nouvelle capitale édifiée dans le Delta, avait été avalé par les sables du désert. Moïse s'était-il joint aux révoltés ? Non, il ne deviendrait jamais un ennemi.

– Majesté... Majesté, vous m'écoutez ?

En regardant le visage bien nourri et apeuré de ce gradé qui ne songeait qu'à son confort, Ramsès vit celui de l'homme qui le détestait le plus au monde, Chénar, son frère aîné. Le misérable s'était allié aux Hittites, avec l'espoir de s'emparer du trône d'Égypte. Chénar avait disparu lors de son transfert de la grande prison de Memphis au bagne des oasis, à la faveur d'une tempête de sable. Et Ramsès était persuadé qu'il vivait encore, avec la ferme intention de lui nuire.

– Prépare les troupes à combattre, général.

Penaud, l'officier supérieur s'éclipsa.

Comme Ramsès eût aimé goûter la douceur d'un jardin auprès de Néfertari, de son fils et de sa fille, comme il eût savouré le bonheur de chaque jour, loin du fracas des armes ! Mais il lui fallait sauver son pays du déferlement de hordes sanguinaires qui n'hésiteraient pas à détruire les temples et à piétiner les lois. L'enjeu dépassait sa personne. Il n'avait pas le droit de songer à sa propre quiétude, à sa famille, mais devait conjurer le mal, fût-ce au prix de sa vie.

Ramsès contempla la forteresse qui barrait la route donnant accès au cœur du protectorat de Canaan. Hauts de six mètres, les murs à double pente abritaient une garnison importante. Aux créneaux, des archers. Les fossés étaient remplis de débris de poterie coupants qui blesseraient aux pieds les fantassins chargés de dresser les échelles.

Un vent marin rafraîchissait les soldats égyptiens, massés entre deux collines écrasées de soleil. Ils étaient arrivés là à marche forcée, ne bénéficiant que de courtes haltes et de campements de fortune. Seuls les mercenaires bien payés se résignaient à en découdre ; les jeunes recrues, déjà navrées à l'idée de quitter leur pays pour une période indéterminée, redoutaient de périr dans d'horribles combats. Chacun espérait que Pharaon se contenterait de renforcer la frontière nord-est au lieu de se lancer dans une aventure qui risquait de se terminer en désastre.

Naguère, le gouverneur de Gaza, la capitale de Canaan, avait offert un splendide banquet à l'état-major égyptien, jurant qu'il ne serait jamais l'allié des Hittites, ces barbares d'Asie à la cruauté légendaire. Son hypocrisie, trop voyante, avait déjà soulevé le cœur de Ramsès ; aujourd'hui, sa trahison ne surprenait pas le jeune monarque de vingt-sept ans qui commençait à savoir percer le secret des êtres.

Impatient, le lion rugit de nouveau.

Massacreur avait bien changé, depuis le jour où Ramsès l'avait découvert, mourant, dans la savane nubienne. Mordu par un serpent, le lionceau n'avait aucune chance de survivre. Entre le fauve et l'homme, une sympathie profonde et mystérieuse s'était aussitôt établie. Par bonheur, Sétaou, le guérisseur, lui aussi ami d'enfance et camarade d'université de Ramsès, avait su trouver les bons remèdes. La formidable résistance de la bête lui avait permis de surmonter l'épreuve et de devenir un adulte à la puissance terrifiante. Le roi ne pouvait rêver meilleur garde du corps.

Ramsès passa la main dans la crinière de Massacreur. La caresse ne calma pas le fauve.

Vêtu d'une tunique de peau d'antilope aux multiples poches remplies de drogues, de pilules et de fioles, Sétaou grimpait la pente de la colline. Trapu, de taille moyenne, la tête carrée, les cheveux noirs, mal rasé, il éprouvait une passion pour les serpents et les scorpions. Grâce à leur venin, il préparait des médicaments efficaces et, en compagnie de sa femme Lotus, une ravissante Nubienne dont la simple vue réjouissait les soldats, il poursuivait inlassablement ses recherches.

Ramsès avait confié au couple la direction du service de santé de l'armée. Sétaou et Lotus avaient participé à toutes les campagnes du roi, non par amour de la guerre, mais pour capturer de nouveaux reptiles et soigner les blessés. Et Sétaou estimait que nul n'était mieux placé que lui pour venir en aide à son ami Ramsès, en cas de malheur.

– Le moral des troupes n'est pas fameux, constata-t-il.

– Les généraux souhaitent la retraite, reconnut Ramsès.

– Étant donné le comportement de tes soldats à Kadesh, que peux-tu espérer ? Dans la fuite et la débandade, ils sont inégalables. Tu prendras ta décision seul, comme d'habitude.

– Non, Sétaou, pas seul. Avec le conseil du soleil, des vents, de l'âme de mon lion, de l'esprit de cette terre... Ils ne mentent pas. À moi de percevoir leur message.

– Il n'existe pas de meilleur conseil de guerre.

– As-tu parlé avec tes serpents ?

– Ils sont, eux aussi, des messagers de l'invisible. Oui, je les ai questionnés, et ils m'ont répondu sans détour : ne recule pas. Pourquoi Massacreur est-il si nerveux ?

– À cause du bois de chênes, sur la gauche de la forteresse, à mi-chemin entre elle et nous.

Sétaou regarda dans cette direction, en mâchant une tige de roseau.

– Ça ne sent pas bon, tu as raison. Un piège, comme à Kadesh ?

– Il avait si bien fonctionné que les stratèges hittites en ont imaginé un autre, qu'ils espèrent aussi efficace. Lorsque nous attaquerons, nous serons brisés dans notre élan, pendant que les archers de la place forte nous décimeront à leur aise.

Menna, l'écuyer de Ramsès, s'inclina devant le roi.

– Votre char est prêt, Majesté.

Le monarque cajola longuement ses deux chevaux qui portaient les noms de « Victoire dans Thèbes » et « La déesse Mout est satisfaite » ; avec le lion, ils avaient été les seuls à ne pas le trahir, à Kadesh, lorsque la bataille semblait perdue.

Ramsès s'empara des rênes, sous l'œil incrédule de son écuyer, des généraux et du régiment d'élite des charriers.

– Majesté, s'inquiéta Menna, vous n'allez pas...

– Passons au large de la forteresse, ordonna le roi, et fonçons droit sur le bois de chênes.

– Majesté... Vous oubliez votre cotte de mailles ! Majesté !

Brandissant un corselet couvert de petites plaques de métal, l'écuyer courut en vain derrière le char de Ramsès qui s'était élancé, seul, vers l'ennemi.

2

Debout sur son char lancé à pleine vitesse, Ramsès le grand ressemblait davantage à un dieu qu'à un homme. Grand, le front large et dégagé, coiffé d'une couronne bleue qui épousait la forme de son crâne, les arcades sourcilières saillantes, les sourcils fournis, le regard perçant comme celui d'un faucon, le nez long, mince et busqué, les oreilles rondes et finement ourlées, la mâchoire forte, les lèvres charnues, il était l'incarnation de la puissance.

À son approche, les bédouins cachés dans le bois de chênes sortirent de leur cachette. Les uns bandèrent leurs arcs, les autres brandirent leurs javelots.

Comme à Kadesh, le roi fut plus rapide qu'un vent violent, plus vif qu'un chacal parcourant d'immenses étendues en un instant ; tel un taureau aux cornes acérées qui renverse ses ennemis, il écrasa les premiers agresseurs venus à sa rencontre et décocha flèche sur flèche, transperçant les poitrines des révoltés.

Le chef du commando bédouin parvint à éviter la charge furieuse du monarque et, un genou en terre, s'apprêta à lancer un long poignard qui l'atteindrait dans le dos.

Le bond de Massacreur figea de stupeur les séditieux. Malgré son poids et sa taille, le lion sembla voler. Toutes griffes dehors, il s'abattit sur le chef des bédouins, planta ses crocs dans sa tête et referma ses mâchoires.

L'horreur de la scène fut telle que nombre de guerriers lâchèrent leurs armes et s'enfuirent pour échapper au fauve qui labourait déjà les chairs de deux autres bédouins, accourus en vain à la rescousse.

Les chars égyptiens, suivis par plusieurs centaines de fantassins, rejoignirent Ramsès et n'eurent aucune peine à détruire le dernier îlot de résistance.

Calmé, Massacreur lécha ses pattes ensanglantées et regarda son maître avec des yeux doux. La reconnaissance qu'il découvrit dans ceux de Ramsès provoqua un grognement d'aise. Le lion se coucha près de la roue droite du char, l'œil vigilant.

– C'est une grande victoire, Majesté ! déclara le général de l'armée de Râ.

– Nous venons d'éviter un désastre ; pourquoi aucun éclaireur n'a-t-il été capable de signaler un rassemblement d'ennemis dans le bois ?

– Nous... nous avons négligé cet endroit qui nous semblait sans importance.

– Faut-il qu'un lion apprenne à mes généraux le métier des armes ?

– Votre Majesté souhaite sans doute réunir son conseil de guerre pour préparer l'assaut de la forteresse...

– Attaque immédiate.

Au ton de voix du pharaon, Massacreur sut que la trêve était terminée. Ramsès flatta la croupe de ses deux chevaux qui se regardèrent l'un l'autre, comme pour s'encourager.

– Majesté, Majesté... Je vous en prie !

Essoufflé, l'écuyer Menna tendit au roi le corselet couvert de petites plaques de métal. Ramsès accepta de revêtir cette cotte de mailles, qui ne déparait pas trop sa robe de lin aux larges manches. Aux poignets du souverain, deux bracelets d'or et de lapis-lazuli dont le sujet central était formé de deux têtes de canards sauvages, symbole du couple royal semblable à deux oiseaux migrateurs prenant leur envol vers les régions mystérieuses du ciel. Ramsès reverrait-il Néfertari avant d'entreprendre le grand voyage vers l'autre côté de la vie ?

« Victoire dans Thèbes » et « La déesse Mout est satisfaite » piaffaient d'impatience. La tête ornée d'un panache de plumes rouges à l'extrémité bleue, le dos protégé par un caparaçon rouge et bleu, ils avaient hâte de s'élancer vers la forteresse.

De la poitrine des fantassins montait un chant composé d'instinct après la victoire de Kadesh et dont les paroles rassuraient les poltrons : « Le bras de Ramsès est puissant, son cœur vaillant, il est un archer sans pareil, une muraille pour ses soldats, une flamme qui brûle ses ennemis. »

Nerveux, l'écuyer Menna remplit de flèches les deux carquois du roi.

– Les as-tu vérifiées ?

– Oui, Majesté ; elles sont légères et robustes. Vous seul pourrez atteindre les archers ennemis.

– Ignores-tu que la flatterie est une faute grave ?

– Non, mais j'ai si peur ! Sans vous, ces barbares ne nous auraient-ils pas exterminés ?

– Prépare une solide ration pour mes chevaux ; quand nous reviendrons, ils auront faim.

Dès que les charriers égyptiens approchèrent de la place forte, les archers cananéens et leurs alliés bédouins tirèrent plusieurs volées de flèches qui vinrent mourir au pied des attelages. Les chevaux hennirent, certains se cabrèrent, mais le calme du roi empêcha sa troupe d'élite de céder à la panique.

– Bandez vos grands arcs, ordonna-t-il, et attendez mon signal.

La manufacture d'armes de Pi-Ramsès avait fabriqué plusieurs arcs en bois d'acacia, dont la corde de tension était un tendon de bœuf. Étudiée avec soin, la courbure de l'arme permettait de lancer une flèche, avec précision, à plus de deux cents mètres en tir parabolique. Cette technique rendait illusoire la protection des créneaux derrière lesquels s'abritaient les assiégés.

– Ensemble ! hurla Ramsès d'une voix si tonitruante qu'elle libéra les énergies.

La plupart des projectiles atteignirent leurs cibles. Touchés à la tête, l'œil crevé, la gorge transpercée de part en part, de nombreux archers ennemis tombèrent, morts ou gravement blessés.

Ceux qui prirent la relève subirent le même sort.

Assuré que ses fantassins ne périraient pas sous les flèches des révoltés, Ramsès leur donna l'ordre de se ruer vers la porte en bois de la forteresse et de la démolir à coups de hache. Les chars égyptiens se rapprochèrent, les archers de Pharaon ajustèrent encore mieux leur tir, empêchant toute résistance. Les tessons coupants qui remplissaient les fossés furent inopérants ; contrairement à l'habitude, Ramsès ne ferait pas dresser d'échelles, mais passerait par l'accès principal.

Les Cananéens se massèrent derrière la porte, mais ne parvinrent pas à contenir la poussée des Égyptiens. La mêlée fut d'une violence effroyable ; les fantassins de Pharaon grimpèrent sur un monceau de cadavres et, tel un flot dévastateur, s'engouffrèrent à l'intérieur de la forteresse.

Les assiégés cédaient peu à peu du terrain ; leurs grandes écharpes et leurs robes à franges tachées de sang, ils s'effondraient les uns sur les autres.

Les épées égyptiennes percèrent les casques, brisèrent les os, tailladèrent les flancs et les épaules, coupèrent les tendons, fouillèrent les entrailles.

Puis un silence brutal s'abattit sur la place forte. Des femmes supplièrent les vainqueurs d'épargner les survivants, regroupés sur un côté de la cour centrale.

Le char de Ramsès fit son entrée dans la citadelle reconquise.

– Qui commande, ici ? demanda le roi.

Un quinquagénaire, amputé du bras gauche, sortit de la troupe misérable des vaincus.

– Je suis le soldat le plus âgé... Tous mes chefs sont morts. J'implore la clémence du maître des Deux Terres.

– Quel pardon accorder à qui ne respecte pas sa parole ?

– Que Pharaon nous offre au moins une mort rapide.

– Voici mes décisions, Cananéen : les arbres de ta province seront coupés, et le bois transporté en Égypte ; les prisonniers, hommes, femmes et enfants, seront convoyés jusqu'au Delta et affectés à des travaux d'utilité publique ; troupeaux et chevaux de Canaan deviennent notre propriété. Quant aux soldats rescapés, ils seront engagés dans mon armée et combattront désormais sous mes ordres.

Les vaincus se prosternèrent, heureux d'avoir la vie sauve.

Sétaou n'était pas mécontent. Le nombre de blessés graves se révélait peu important, et le guérisseur disposait d'assez de viande fraîche et de pansements au miel pour stopper les hémorragies. De ses mains vives et précises, Lotus rapprochait les lèvres des plaies avec des bandes adhésives disposées en croix. Le sourire de la belle Nubienne atténuait les douleurs. Des brancardiers emmenaient les patients à l'infirmerie de campagne où ils étaient traités avec onguents, pommades et potions avant d'être rapatriés en Égypte.

Ramsès s'adressa aux hommes qui avaient souffert dans leur chair pour défendre leur pays, puis il convoqua ses officiers supérieurs auxquels il révéla son intention de continuer vers le nord afin de reprendre une à une les forteresses de Canaan passées sous contrôle hittite, avec le concours des bédouins.

L'enthousiasme du pharaon fut communicatif. La peur

disparut des cœurs, et l'on se réjouit de la nuit et de la journée de repos qu'il accordait. Ramsès, lui, dîna avec Sétaou et Lotus.

– Jusqu'où comptes-tu aller ? demanda le guérisseur.

– Au moins jusqu'en Syrie du Nord.

– Jusqu'à... Kadesh ?

– Nous verrons bien.

– Si l'expédition dure trop longtemps, remarqua Lotus, nous manquerons de remèdes.

– La réaction des Hittites fut rapide, la nôtre doit l'être plus encore.

– Cette guerre se terminera-t-elle un jour ?

– Oui, Lotus, le jour de la défaite totale de l'ennemi.

– J'ai horreur de parler politique, commenta Sétaou, bougon. Viens, chérie ; allons faire l'amour avant de partir à la recherche de quelques serpents. Je sens que cette nuit sera propice à la cueillette.

Ramsès célébra les rites de l'aube dans la petite chapelle dressée près de sa tente, au centre du camp. Un sanctuaire bien modeste, à côté des temples de Pi-Ramsès ; mais la ferveur du Fils de la Lumière demeurait identique. Jamais son père Amon ne révélerait sa véritable nature aux humains, jamais il ne serait enfermé dans une forme quelconque ; pourtant, la présence de l'invisible était sensible à tous.

Quand le souverain sortit de la chapelle, il aperçut un soldat qui tenait un oryx en laisse et matait le quadrupède avec difficulté.

Étrange soldat, en vérité, avec ses cheveux longs, sa tunique colorée, sa barbiche et son regard fuyant. Et pourquoi cette bête sauvage avait-elle été introduite dans le camp, si près de la tente royale ?

Le roi n'eut pas le loisir de s'interroger davantage. Le bédouin lâcha l'oryx qui fonça vers Ramsès, cornes pointées vers le ventre du souverain désarmé.

Massacreur percuta l'antilope sur le flanc gauche et planta les griffes dans sa nuque ; tué sur le coup, l'oryx s'effondra sous le lion.

Médusé, le bédouin sortit un poignard de sa tunique, mais n'eut pas le temps de l'utiliser ; une violente douleur dans le dos, suivie aussitôt d'un brouillard glacé qui l'aveugla et le contraignit à lâcher son arme. Mourant, il s'effondra la tête en avant, une lance plantée entre les omoplates.

Calme et souriante, Lotus avait fait preuve d'une surprenante habileté. La jolie Nubienne ne semblait même pas émue.

– Merci, Lotus.

Sétaou sortit de sa tente, imité par de nombreux soldats qui regardèrent le lion dévorer sa proie et découvrirent le cadavre du bédouin. Catastrophé, l'écuyer Menna se prosterna aux pieds de Ramsès.

– Je suis désolé, Majesté ! Je vous promets d'identifier les sentinelles qui ont laissé entrer ce criminel dans le camp et de les châtier sévèrement.

– Rassemble les porteurs de trompette et ordonne-leur de sonner le départ.

3

De plus en plus irrité, surtout contre lui-même, Âcha passait ses journées à regarder la mer par la fenêtre du premier étage du palais où il était prisonnier. Comment lui, chef du réseau d'espionnage égyptien et ministre des Affaires étrangères de Ramsès le grand, avait-il pu tomber dans le piège tendu par les Libanais de la province d'Amourrou ?

Fils unique d'une famille noble et riche, Âcha, qui avait suivi de manière brillante les mêmes études que Ramsès à l'université de Memphis, était un homme élégant et raffiné, aussi épris des femmes qu'elles l'étaient de lui. Le visage allongé, les extrémités déliées et fines, les yeux pétillant d'intelligence, la voix envoûtante, il aimait lancer des modes. Mais derrière l'arbitre des élégances se cachaient un homme d'action et un diplomate de haute volée, parlant plusieurs langues étrangères, spécialiste des protectorats égyptiens et de l'empire hittite.

Après la victoire de Kadesh, qui semblait avoir définitivement freiné l'expansion hittite, Âcha avait jugé bon de se rendre au plus vite dans la province d'Amourrou, ce Liban langoureux qui s'étalait le long de la Méditerranée, à l'est du mont Hermon et de la cité commerçante de Damas. Le diplomate souhaitait faire de cette province une base fortifiée d'où partiraient des commandos d'élite pour contrer toute tentative d'avancée hittite vers la Palestine et les marches du Delta.

En pénétrant dans le port de Beyrouth, à bord d'un vaisseau chargé de cadeaux pour le prince d'Amourrou, le vénal Benteshina, le ministre égyptien des Affaires étrangères ne se doutait pas qu'il serait accueilli par Hattousil, le frère de l'empereur hittite, qui venait de s'emparer de la contrée.

Âcha avait jaugé son adversaire. Petit, d'apparence malingre, mais intelligent et rusé, Hattousil était un ennemi redoutable. Il avait obligé son prisonnier à rédiger une lettre officielle à Ramsès, afin d'attirer l'armée de Pharaon dans un traquenard ; mais Âcha, grâce à l'utilisation d'un code, espérait avoir éveillé la méfiance du pharaon.

Comment Ramsès réagirait-il ? La raison d'État lui commandait d'abandonner son ami aux mains de l'adversaire et de se ruer vers le nord. Connaissant Pharaon, Âcha était persuadé qu'il n'hésiterait pas à frapper les Hittites avec la dernière violence, quels que fussent les risques encourus. Mais le chef de la diplomatie égyptienne ne représentait-il pas une excellente monnaie d'échange ? Benteshina désirait vendre Âcha à l'Égypte contre un bon poids de métal précieux.

Mince chance de survie, en vérité, mais Âcha n'avait plus d'autre espoir. Cette passivité forcée le rendait irritable ; depuis son adolescence, il n'avait jamais cessé de prendre l'initiative et il lui était insupportable d'avoir ainsi à subir les événements. D'une manière ou d'une autre, il lui fallait agir. Peut-être Ramsès pensait-il qu'Âcha était mort, peut-être avait-il tenté de lancer une offensive de grande envergure après avoir équipé ses troupes avec des armes récentes.

Plus Âcha réfléchissait, plus il était persuadé de n'avoir pas d'autre solution que de se libérer lui-même.

Un serviteur lui apporta un copieux déjeuner, comme chaque jour ; l'Égyptien ne pouvait se plaindre de l'intendance du palais qui le traitait en hôte de marque. Âcha dégustait une pièce de bœuf grillée lorsque retentit le pas lourd du maître des lieux.

– Comment se porte notre grand ami égyptien ? demanda Benteshina, prince d'Amourrou et quinquagénaire adipeux à l'épaisse moustache noire.

– Ta visite m'honore.

– J'avais envie de boire du vin avec le chef de la diplomatie de Ramsès.

– Pourquoi Hattousil ne t'accompagne-t-il pas ?

– Notre grand ami hittite est occupé ailleurs.

– Comme il est bon de n'avoir que de grands amis... Quand reverrai-je Hattousil ?

– Je l'ignore.

– Le Liban est donc devenu une base hittite ?

– Les temps changent, mon cher Âcha.

– Ne crains-tu pas la colère de Ramsès ?

– Entre Pharaon et ma principauté se dressent désormais des remparts infranchissables.

– Canaan tout entier serait-il sous contrôle hittite ?

– Ne m'en demande pas trop... Sache que j'ai bien l'intention de négocier ta précieuse existence contre quelques richesses. J'espère qu'il ne t'arrivera rien de fâcheux au cours de l'échange, mais...

Avec un mauvais sourire, Benteshina annonçait à Âcha qu'il serait éliminé avant de pouvoir raconter ce qu'il avait vu et entendu en Amourrou.

– Es-tu certain d'avoir choisi le bon camp ?

– Certes, ami Âcha ! À dire vrai, les Hittites ont imposé la loi du plus fort. Et puis l'on parle des nombreux soucis qui empêchent Ramsès de gouverner avec sérénité... Soit un complot, soit la défaite militaire, soit les deux réunis aboutiront à sa mort ou à son remplacement par un monarque plus conciliant.

– Tu connais mal l'Égypte, Benteshina, et plus mal encore Ramsès lui-même.

– Je sais juger les hommes. Malgré le revers de Kadesh, c'est l'empereur hittite Mouwattali qui triomphera.

– Pari risqué.

– J'aime le vin, les femmes et l'or, mais je ne suis pas joueur. Les Hittites ont la guerre dans le sang, pas les Égyptiens.

Benteshina se frotta doucement les mains.

– Si tu souhaites éviter un accident regrettable lors de l'échange, mon cher Âcha, tu devrais sérieusement songer à changer de camp. Suppose que tu donnes de fausses informations à Ramsès... Après notre victoire, tu seras récompensé.

– À moi, le chef de la diplomatie égyptienne, tu me demandes de trahir !

– Tout n'est-il pas affaire de circonstances ? J'avais bien juré fidélité à Pharaon...

– La solitude nuit à ma réflexion.

– Désirerais-tu... une femme ?

– Une femme raffinée et cultivée, très compréhensive...

Benteshina vida sa coupe de vin et passa le dos de sa main droite sur ses lèvres humides.

– Pour améliorer ta réflexion, à quel sacrifice ne consentirais-je pas ?

La nuit était tombée, deux lampes à huile éclairaient faiblement la chambre d'Âcha, allongé sur son lit et vêtu d'un pagne court.

Une pensée l'obsédait : Hattousil avait quitté l'Amourrou. Ce départ ne coïncidait pas avec une expansion hittite dans les protectorats de Palestine et de Phénicie. Si la poussée des guerriers anatoliens avait été spectaculaire, pourquoi Hattousil avait-il abandonné sa base libanaise, d'où il pouvait contrôler la situation ? Le frère de Mouwattali ne pouvait pas avoir pris le risque d'aller plus au sud ; il était probablement retourné dans son pays, mais pour quelle raison ?

– Seigneur...

La petite voix tremblante troubla Âcha. Il se redressa et, dans la pénombre, vit une jeune femme vêtue d'une tunique courte, les cheveux défaits et les pieds nus.

– C'est le prince Benteshina qui m'envoie... Il m'a ordonné... il exige...

– Assieds-toi à côté de moi.

Elle obéit, hésitante.

Elle avait une vingtaine d'années, était blonde et bien en chair, très appétissante. Âcha lui caressa l'épaule.

– Es-tu mariée ?

– Oui, seigneur, mais le prince m'a promis que mon mari ne saurait rien.

– Son métier ?

– Douanier.

– As-tu une occupation ?

– Je classe des dépêches, à la poste centrale.

Âcha fit glisser les bretelles de la tunique, embrassa la blonde dans le cou, puis la renversa sur le lit.

– Reçois-tu des nouvelles de la capitale de Canaan ?

– Quelques-unes... Mais je n'ai pas le droit d'en parler.

– Les guerriers hittites sont nombreux, ici ?

– Cela non plus, je n'ai pas le droit d'en parler.

– Aimes-tu ton mari ?

– Oui, seigneur, oui...

– Faire l'amour avec moi te dégoûte ?

Elle tourna la tête de côté.

– Réponds à mes questions, et je ne te touche pas.

Les yeux pleins d'espoir, elle contempla l'Égyptien.

– J'ai votre parole ?

– Par tous les dieux de la province d'Amourrou, tu l'as.

– Les Hittites ne sont pas encore très nombreux ; quelques dizaines d'instructeurs entraînent nos soldats.

– Hattousil est-il parti ?

– Oui, seigneur.

– Pour quelle destination ?

– Je l'ignore.

– La situation en Canaan ?

– Incertaine.

– La province n'est-elle pas sous contrôle hittite ?

– Des bruits contradictoires circulent. Certains prétendent que Pharaon se serait emparé de Gaza, la capitale de Canaan, et que le gouverneur de la province aurait été tué lors de l'assaut.

Âcha sentit un souffle nouveau envahir sa poitrine, comme s'il renaissait à la vie. Non seulement Ramsès avait décrypté son message, mais encore avait-il contre-attaqué, empêchant les Hittites de se déployer. Voilà pourquoi Hattousil était parti prévenir l'empereur.

– Désolé, ma belle.

– Vous... vous n'allez pas tenir votre promesse !

– Si, mais je dois prendre certaines précautions.

Âcha la ligota et la bâillonna ; il avait besoin de quelques heures avant qu'elle ne donnât l'alerte. En découvrant son manteau qu'elle avait abandonné sur le seuil de la chambre, le diplomate entrevit une solution pour sortir du palais : il mit le vêtement, rabattit le capuchon et s'élança dans l'escalier.

Au rez-de-chaussée, un banquet.

Certains invités, ivres, somnolaient ; d'autres se livraient à des ébats enfiévrés. Âcha enjamba deux corps nus.

– Où vas-tu, toi ?

Âcha ne pouvait pas courir. Plusieurs hommes armés gardaient la porte du palais.

– Tu as déjà fini, avec l'Égyptien ? Viens ici, ma fille...

À quelques pas, la liberté.

La main poisseuse de Benteshina abaissa le capuchon.

– Pas de chance, mon cher Âcha.

4

On surnommait Pi-Ramsès, la capitale édifiée par Ramsès dans le Delta, « la cité de turquoise » à cause des tuiles vernissées bleu qui ornaient la façade des maisons. Dans les rues de Pi-Ramsès, le promeneur s'émerveillait devant les temples, le palais royal, les lacs de plaisance, le port ; il s'extasiait à la vue des vergers, des canaux poissonneux, des villas des nobles et de leurs jardins, des allées bordées de fleurs ; on goûtait les pommes, les grenades, les olives et les figues, on appréciait le fruité des grands crus, et l'on chantait la chanson populaire : « Quelle joie de résider à Pi-Ramsès, le petit y est considéré comme le grand, l'acacia et le sycomore dispensent leurs ombres, les édifices resplendissent d'or et de turquoise, le vent est doux, les oiseaux jouent autour des étangs. »

Mais Améni, le secrétaire particulier du roi, camarade d'université et serviteur indéfectible du monarque, ne partageait pas cette joie de vivre. Il sentait, comme tant d'autres habitants de la ville, que la gaieté habituelle n'y régnait plus parce que Ramsès en était absent.

Absent et en danger.

N'écoutant aucun conseil de prudence, ne supportant aucun atermoiement, Ramsès s'était élancé vers le nord afin de reconquérir Canaan et la Syrie, entraînant à sa suite ses troupes dans une aventure à l'issue incertaine.

Officiellement porte-sandales de Pharaon, Améni était petit, fluet, maigre et presque chauve ; les os fragiles, le teint pâle, les mains longues et fines capables de tracer de beaux hiéroglyphes, ce fils de plâtrier avait des liens invisibles avec Ramsès. Il était, selon l'antique expression, « les yeux et les oreilles du roi », et demeurait dans l'ombre, à la tête d'un service d'une vingtaine de fonctionnaires dévoués et compétents. Travailleur infatigable, dormant peu et mangeant beaucoup sans parvenir à grossir, Améni sortait rarement de son bureau où trônait un porte-pinceaux en bois doré que lui avait offert Ramsès. Dès qu'il touchait l'objet, en forme de colonne surmontée d'un lys, son énergie renaissait et il repartait à l'assaut d'une quantité de dossiers qui eussent découragé n'importe quel scribe. Dans son bureau, où lui seul faisait le ménage, les papyrus étaient rangés avec soin dans des coffres en bois et dans des jarres, ou serrés dans des étuis de cuir posés sur des étagères.

– Un courrier de l'armée, annonça l'un de ses assistants.

– Fais-le entrer.

Couvert de poussière, le soldat semblait à bout de forces.

– Je suis porteur d'un message de Pharaon.

– Montre-le-moi.

Améni identifia le sceau de Ramsès. Malgré son manque de souffle, il courut jusqu'au palais.

La reine Néfertari recevait le vizir, le grand intendant de la Maison du roi, le scribe des comptes, le scribe de la table, le supérieur des ritualistes, le chef des secrets, le supérieur de la Maison de Vie, le chambellan, le directeur du Trésor, celui des greniers et quantité d'autres hauts fonctionnaires désireux de recueillir des directives précises afin de ne prendre aucune initiative qui n'eût l'approbation de la grande épouse royale, chargée de gouverner le pays en l'absence de Ramsès. Par bonheur, Améni la secondait sans relâche, et Touya, la mère du roi, l'assistait de ses précieux conseils.

Plus belle que les plus belles, les cheveux noirs et brillants, les yeux vert-bleu, le visage lumineux comme celui d'une déesse, Néfertari affrontait l'épreuve du pouvoir et de la solitude. Musicienne vouée au temple, éprise des écrits des sages, elle avait souhaité une existence méditative ; mais l'amour de Ramsès avait transformé la timide jeune fille en une reine d'Égypte, décidée à remplir ses fonctions sans faiblir.

L'administration de la Maison de la reine réclamait à elle seule un lourd travail : cette institution millénaire comprenait un pensionnat où l'on éduquait Égyptiennes et étrangères, ainsi qu'une école de tissage, des ateliers où l'on fabriquait bijoux, miroirs, vases, éventails, sandales et objets rituels. Néfertari régnait sur un personnel nombreux composé de prêtresses, de scribes, de gestionnaires des revenus fonciers, d'ouvriers et de paysans, et avait tenu à connaître personnellement les principaux responsables de chaque secteur d'activité. Éviter injustices et erreurs, telle était son obsession.

En ces journées angoissantes, pendant lesquelles Ramsès risquait sa vie pour défendre l'Égypte contre une invasion hittite, la grande épouse royale devait redoubler d'efforts et gouverner le pays, quelle que fût sa fatigue.

– Améni, enfin ! As-tu des nouvelles ?

– Oui, Majesté : un papyrus apporté par un courrier de l'armée.

La reine ne s'était pas installée dans le bureau de Ramsès qui demeurerait vide jusqu'à son retour, mais dans une vaste pièce décorée de faïences bleu clair et donnant sur le jardin où Veilleur, le chien jaune or du roi, dormait au pied d'un acacia.

Néfertari décacheta le papyrus et lut le texte rédigé en écriture cursive et signé de Ramsès lui-même.

Nul sourire n'éclaira le visage grave de la reine.

– Il tente de me réconforter, avoua-t-elle.

– Le roi a-t-il progressé ?
– Canaan est soumis, le gouverneur félon a été tué.
– C'est une belle victoire ! s'enflamma Améni.
– Le roi continue vers le nord.
– Pourquoi êtes-vous si triste ?
– Parce qu'il ira jusqu'à Kadesh, quels que soient les risques. Auparavant, il tentera de délivrer Âcha et n'hésitera pas à mettre son existence en jeu. Et si la chance l'abandonnait ?
– Sa magie ne le délaissera pas.
– Comment l'Égypte survivrait-elle, sans lui ?
– D'abord, Majesté, vous êtes la grande épouse royale, et vous gouvernez à merveille ; ensuite, Ramsès reviendra, j'en suis sûr.

Dans le couloir, un bruit de pas précipités. On frappa à la porte, Améni ouvrit.

Apparut une sage-femme, en proie à une grande excitation.

– Majesté... Iset est sur le point d'accoucher, et elle vous demande !

Iset la belle avait les yeux d'un vert piquant, le nez petit et les lèvres fines ; d'ordinaire, son visage était d'une séduction infinie. En ces heures de souffrance, elle gardait le charme de la jeunesse, celui qui lui avait permis de séduire Ramsès et d'être son premier amour. Souvent, elle songeait à la hutte de roseaux, au bord d'un champ de blé, où le prince Ramsès et elle s'étaient donnés l'un à l'autre.

Mais Ramsès s'était épris de Néfertari, et Néfertari était reine dans l'âme. Iset la belle s'était effacée, parce qu'elle ignorait l'ambition et la jalousie ; ni elle, ni personne d'autre ne pouvaient rivaliser avec Néfertari. Le pouvoir effrayait Iset, un seul sentiment perdurait dans son cœur : l'amour qu'elle portait à Ramsès.

Dans un moment de folie, elle avait failli comploter contre lui, par dépit, mais, incapable de lui nuire, elle s'était vite écartée des forces du mal. Son plus beau titre de gloire n'était-il pas d'avoir donné naissance à Khâ, un garçon d'une intelligence exceptionnelle ?

Après avoir mis au monde une fille, Méritamon, Néfertari ne pouvait plus avoir d'enfant. La reine avait exigé qu'Iset la belle donnât au monarque un second fils et d'autres descendants. Mais le roi avait créé l'institution des « enfants royaux » qui lui permettrait de choisir, dans les différentes couches de la société, des filles ou des garçons qui seraient élevés au palais. Leur nombre serait une preuve de l'inépuisable fécondité du couple royal et empêcherait toute difficulté de succession.

Mais Iset la belle allait vivre sa passion pour Ramsès en lui offrant un nouvel enfant ; grâce aux tests traditionnels *, elle savait déjà qu'elle mettrait au monde un garçon.

Elle accouchait debout, assistée par quatre sages-femmes que l'on appelait les « douces » et « celles aux pouces fermes ». Les formules rituelles avaient été prononcées, afin d'écarter les génies des ténèbres qui tentaient d'empêcher la naissance. Grâce à des fumigations et à des potions, la douleur était atténuée.

Iset la belle sentit le petit être sortir du lac bienfaisant où, pendant neuf mois, il avait grandi.

Le contact d'une main tendre et un parfum de lys et de jasmin firent croire à Iset la belle qu'elle venait d'entrer au cœur d'un jardin paradisiaque où la souffrance n'existait plus. Tournant la tête de côté, elle s'aperçut que Néfertari venait de prendre la place d'une des sages-femmes. Avec un linge humide, la reine essuya le front de la parturiente.

– Majesté... je ne croyais pas que vous viendriez.

---

* Par exemple, si l'urine de la femme fait germer de l'orge, elle mettra au monde un garçon ; si elle fait germer du blé, une fille. Si ni l'un ni l'autre ne germent, elle n'enfantera pas.

– Tu m'as appelée, me voilà.

– Avez-vous des nouvelles du roi ?

– Elles sont excellentes. Ramsès a reconquis Canaan et il ne tardera pas à soumettre les autres insurgés. C'est lui qui prend les Hittites de vitesse.

– Quand reviendra-t-il ?

– N'aura-t-il pas hâte de voir son enfant ?

– Cet enfant... vous l'aimerez ?

– Je l'aimerai comme ma propre fille, comme ton fils Khâ.

– J'avais peur que...

Néfertari serra fort les mains d'Iset la belle.

– Nous ne sommes pas des ennemies, Iset ; le combat que tu mènes, il faut le gagner.

Soudain, la douleur s'amplifia ; la parturiente poussa un cri. La sage-femme principale s'activa.

Iset voulait oublier le feu qui déchirait ses entrailles, sombrer dans un profond sommeil, cesser de lutter en rêvant de Ramsès... Mais Néfertari avait raison ; il lui fallait achever l'œuvre mystérieuse qui avait débuté en son sein.

Néfertari recueillit dans ses mains l'enfant d'Iset la belle, pendant qu'une sage-femme coupait le cordon ombilical. L'accouchée ferma les yeux.

– C'est bien un garçon ?

– Oui, Iset. Un garçon beau et fort.

5

Khâ, le fils de Ramsès et d'Iset la belle, recopiait sur un papyrus vierge les maximes du vieux sage Ptah-hotep qui, à l'âge de cent dix ans, avait jugé bon de mettre par écrit quelques conseils destinés aux générations futures. Khâ n'avait que dix ans, mais il détestait les jeux enfantins et passait son temps à étudier, malgré les douces réprimandes de Nedjem, le ministre de l'Agriculture, soucieux de l'éducation du garçonnet. Nedjem aurait aimé qu'il prît davantage de distractions, mais les aptitudes intellectuelles de Khâ le fascinaient. Il apprenait vite, retenait tout et écrivait déjà comme un scribe expérimenté.

Non loin de lui, la jolie Méritamon, la fille de Ramsès et de Néfertari, jouait de la harpe. À six ans, elle faisait preuve d'un don remarquable pour la musique, doublé d'une coquetterie de bon aloi. Pendant qu'il traçait des hiéroglyphes, Khâ aimait entendre sa sœur égrener des mélodies et chanter des chansons tendres. Le chien du roi, Veilleur, soupirait d'aise, la tête posée sur les pieds de la fillette, dont la ressemblance avec Néfertari était éblouissante.

Quand la reine entra dans le jardin, Khâ cessa d'écrire et Méritamon de jouer de la harpe. Inquiets et impatients, les deux enfants coururent vers elle.

Néfertari les embrassa.

– Tout s'est bien passé, Iset a donné naissance à un garçon.

– Mon père et toi avez dû prévoir son nom.

La reine sourit.

– Crois-tu que nous pouvons tout prévoir ?

– Oui, parce que vous êtes le couple royal.

– Ton frère cadet s'appelle Mérenptah, « L'aimé du dieu Ptah », le patron des artisans et le maître du Verbe créateur.

Dolente, la sœur aînée de Ramsès, était une grande femme brune, perpétuellement lasse ; sa peau grasse la contraignait à utiliser beaucoup d'onguents. Longtemps oisive, en proie à l'ennui d'une jeune noble fortunée, elle avait trouvé un idéal lorsque le mage libyen Ofir lui avait parlé de la croyance du roi hérétique, Akhénaton, partisan du dieu unique. Certes, le mage avait été obligé de tuer pour sauvegarder sa liberté, mais Dolente avait approuvé son geste et accepté de l'aider, quoi qu'il arrivât.

Sur le conseil du mage, qui avait trouvé refuge en Égypte même, Dolente était revenue au palais et avait menti à Ramsès pour se faire pardonner. Le mage ne l'avait-il pas kidnappée, ne s'était-il pas servi d'elle pour sortir du pays ? Dolente avait clamé sa joie d'avoir échappé au pire et de retrouver sa famille.

Ramsès avait-il cru à cette version des faits ? Sur son ordre, Dolente devait rester à la cour de Pi-Ramsès. C'était ce qu'elle espérait, afin de pouvoir renseigner Ofir, dès que l'occasion se présenterait. Le roi parti guerroyer dans les protectorats du Nord, elle n'avait pas eu la possibilité de le revoir pour mieux gagner sa confiance.

Dolente n'économisait aucun effort pour séduire Néfertari dont elle connaissait l'influence sur son époux. Dès que la reine sortit de la salle du conseil où elle venait de s'entretenir avec les responsables des canaux, Dolente s'inclina devant la souveraine.

– Majesté, permettez-moi de m'occuper d'Iset.

– Que souhaites-tu précisément, Dolente ?

– Veiller sur sa domesticité, purifier sa chambre chaque jour, utiliser un savon tiré de l'écorce et de la chair du balanite * pour laver la mère et l'enfant, nettoyer chaque objet avec un mélange de cendre et de soude... Et j'ai préparé pour elle un coffret de toilette contenant des pots à fard, des godets remplis d'essences délicates, du kohol et des stylets applicateurs ! Iset ne doit-elle pas rester belle ?

– Elle sera sensible à ton affection.

– Si elle accepte, je la maquillerai moi-même.

Néfertari et Dolente firent quelques pas dans un couloir décoré de peintures représentant des lys, des bleuets et des mandragores.

– Il paraît que le bébé est splendide.

– Mérenptah sera un homme très robuste.

– Hier, j'ai voulu jouer avec Khâ et Méritamon, mais on me l'a interdit. J'en ai ressenti une peine profonde, Majesté.

– Ce sont les ordres de Ramsès et les miens, Dolente.

– Combien de temps encore va-t-on se méfier de moi ?

– Faut-il t'en étonner ? Ton escapade avec ce mage, ton soutien à Chénar...

– N'ai-je pas eu mon lot de malheur, Majesté ? Mon mari a été tué par Moïse, ce maudit mage a failli s'emparer de mon esprit, Chénar m'a toujours détestée et humiliée, et c'est encore moi que l'on accuse ! Je n'aspire plus qu'au repos et j'aimerais tant retrouver l'affection et la confiance des miens... J'ai commis des fautes graves, je l'admets, mais me jugera-t-on toujours comme une criminelle ?

– N'as-tu pas comploté contre Pharaon ?

Dolente s'agenouilla devant la reine.

---

* Arbre riche en saponine.

– J'ai été l'esclave d'hommes mauvais et j'ai subi leur influence. À présent, c'est terminé. Je souhaite vivre seule, au palais, comme l'exige Ramsès, et oublier le passé... Me pardonnera-t-on ?

Néfertari fut ébranlée.

– Prends soin d'Iset, Dolente ; aide-la à préserver sa beauté.

Méba, l'adjoint du ministre des Affaires étrangères, entra dans le bureau d'Améni. Diplomate de carrière, héritier d'une riche famille d'ambassadeurs, Méba était naturellement hautain et condescendant. N'appartenait-il pas à une caste supérieure qui possédait pouvoir et richesse, et lui interdisait de se compromettre avec des gens de peu ? Pourtant, Méba avait subi une rude épreuve lorsque Chénar, le frère aîné du roi, l'avait évincé de son poste de chef de la diplomatie égyptienne. Humilié, mis à l'écart, il avait cru qu'il ne reviendrait plus sur le devant de la scène, jusqu'au jour où le réseau d'espionnage hittite implanté en Égypte l'avait contacté.

Trahir... Méba n'avait pas eu le temps d'y songer. Retrouvant le goût de l'intrigue, ayant le sens des méandres, il avait gagné la confiance des autorités et obtenu de nouvelles fonctions. Ancien supérieur d'Âcha, il était devenu, en apparence, son fidèle subordonné. Malgré son esprit aiguisé, le jeune ministre s'était laissé abuser par l'humilité feinte de Méba ; avoir un homme d'expérience comme collaborateur, et qui plus est un ancien souffre-douleur de Chénar, avait incité Âcha à baisser la garde.

Depuis la disparition du mage Ofir, chef du réseau d'espionnage hittite, Méba attendait des consignes qui ne venaient pas. Il se réjouissait de ce silence et en profitait pour consolider son réseau d'amitiés au ministère et dans la haute société, sans oublier de répandre son fiel. N'avait-il pas été victime d'injustices ? Âcha n'était-il pas un intellectuel brillant, mais dangereux et inefficace ? Méba finissait par oublier les Hittites et sa trahison.

Tout en mastiquant une figue sèche, Améni rédigeait une lettre de remontrances à l'intention des directeurs des greniers et lisait la plainte d'un chef de province à propos de la pénurie de bois de chauffage.

– Que se passe-t-il, Méba ?

Le diplomate détestait ce petit scribe rugueux et mal élevé.

– Seriez-vous trop occupé pour m'entendre ?

– Il me reste un peu d'oreille, à condition que vous soyez bref.

– En l'absence de Ramsès, n'est-ce pas vous qui régentez le royaume ?

– Si vous avez un sujet de mécontentement, demandez audience à la reine : Sa Majesté en personne approuve mes décisions.

– Ne jouons pas au plus fin : la reine me renverra vers vous.

– De quoi vous plaignez-vous ?

– De l'absence de directives claires. Mon ministre se trouve à l'étranger, le roi livre bataille, mon administration est en proie à l'incertitude et au doute.

– Attendez le retour de Ramsès et d'Âcha.

– Et si...

– S'ils ne revenaient pas ?

– Cette affreuse hypothèse ne doit-elle pas être envisagée ?

– Je ne crois pas.

– Vous êtes catégorique...

– Je le suis.

– J'attendrai donc.

– Vous ne sauriez prendre meilleure initiative.

Être né en Sardaigne, avoir été le chef d'une fameuse bande de pirates, avoir affronté Ramsès, lui devoir la vie et devenir le chef de sa garde personnelle, tel était le destin extraordinaire de Serramanna, un géant à la moustache conquérante qu'Améni avait soupçonné de trahison avant de faire amende honorable et de regagner son amitié.

Le Sarde eût aimé se battre contre les Hittites, fracasser des crânes et transpercer des poitrines. Mais Pharaon lui avait ordonné d'assurer la protection de la famille royale, et Serramanna s'attelait à cette tâche avec la même ardeur qu'il mettait jadis à prendre à l'abordage les riches bateaux marchands.

Aux yeux du Sarde, Ramsès était le plus formidable chef de guerre qu'il eût jamais rencontré, et Néfertari la femme la plus belle et la plus inaccessible. Le couple royal était un tel miracle quotidien que l'ex-pirate ne pouvait plus se passer de le servir. Bien payé, jouissant d'une nourriture abondante et de qualité, profitant de la compagnie de femmes superbes, il était prêt à donner sa vie pour la pérennité du royaume.

Une ombre au tableau, cependant : son instinct de chasseur le torturait. Le retour de Dolente à la cour lui apparaissait comme une manœuvre susceptible de nuire à Ramsès et à Néfertari ; il considérait la sœur du roi comme une déséquilibrée et une menteuse. D'après lui, le mage qui la manipulait continuait à se servir d'elle, bien qu'il n'en eût pas la preuve.

Serramanna enquêtait sur la femme blonde dont le cadavre avait été retrouvé dans une demeure appartenant à Chénar, le frère félon de Ramsès, disparu dans une tempête de sable lors de son transfert au bagne de Khargeh.

Les explications de Dolente avaient été plutôt floues ; que la victime ait servi de médium, le Sarde n'en disconvenait pas. Mais que Dolente fût incapable d'en dire davantage sur la malheureuse lui paraissait invraisemblable. Son silence ? Une volonté de dissimuler la vérité. Dolente jouait les persécutées pour mieux occulter des faits importants. Mais comme elle était revenue en grâce auprès de Néfertari, Serramanna ne pouvait l'accuser à partir de simples présomptions.

L'obstination faisait partie des qualités d'un pirate. La mer demeurait vide des journées entières et, soudain, la proie apparaissait. Encore fallait-il aller dans la bonne direction et quadriller les secteurs giboyeux ; c'est pourquoi il avait lancé ses limiers, à Memphis comme à Pi-Ramsès, munis de portraits fidèles de la jeune blonde assassinée.

Quelqu'un finirait bien par parler.

6

La Cité du Soleil *, édifiée sur l'ordre du pharaon hérétique Akhénaton, n'était plus qu'une ville abandonnée. Vides les palais, les demeures des nobles, les ateliers, les maisons des artisans, silencieux à jamais les temples, désertes la grande avenue où passait le char d'Akhénaton et de Néfertiti, les rues commerçantes et les ruelles des quartiers populaires.

Sur ce site désolé, dans la vaste plaine en bordure du Nil, à l'abri d'un cirque montagneux en arc de cercle, Akhénaton avait offert un domaine au dieu unique qui s'incarnait dans le disque solaire, Aton.

Plus personne ne fréquentait la capitale oubliée. Après la mort du roi, la population avait regagné Thèbes, emportant avec elle objets précieux, meubles, ustensiles de cuisine, archives... Çà et là subsistaient des poteries et, dans l'atelier d'un sculpteur, une tête de Néfertiti inachevée.

Au fil des années, les bâtiments se délabraient. La peinture blanche s'écaillait, le plâtre s'effritait. Trop vite construite, la Cité du Soleil résistait mal aux pluies d'orage et aux vents de sable. Les stèles, gravées par Akhénaton pour proclamer les limites du territoire sacré d'Aton, s'effaçaient ; le temps rendrait les hiéroglyphes illisibles et renverrait au néant la folle aventure du mystique.

---

* Akhet-Aton. « la contrée de lumière d'Aton », en Moyenne-Égypte, à mi-chemin entre Memphis au nord et Thèbes au sud.

Dans la falaise avaient été creusées les tombes des dignitaires du régime, mais aucune momie n'y reposait. À l'abandon de la ville avait correspondu celui des sépultures, désormais sans âme et sans protection. Nul n'osait s'y aventurer, car l'on prétendait que des spectres s'étaient emparés des lieux et qu'ils brisaient la nuque des visiteurs trop curieux.

C'était là que se cachaient Chénar, le frère aîné de Ramsès, et le mage Ofir. Ils avaient élu domicile dans la tombe du grand prêtre d'Aton dont la salle à colonnes se révélait confortable ; sur les murs, des évocations de temples et de palais conservaient l'image de la splendeur perdue de la Cité du Soleil. Le sculpteur avait immortalisé Akhénaton et Néfertiti vénérant le disque solaire d'où sortaient de longs rayons terminés par des mains qui donnaient la vie au couple royal.

Les petits yeux marron de Chénar fixaient souvent les bas-reliefs représentant Akhénaton, incarnation du soleil triomphant. Âgé de trente-cinq ans, le visage rond, presque lunaire, les joues rebondies, les lèvres épaisses, les os lourds, Chénar détestait pourtant ce soleil, astre protecteur de son frère Ramsès.

Ramsès, ce tyran qu'il avait tenté d'abattre avec l'appui des Hittites, Ramsès qui l'avait condamné à l'exil dans le bagne des oasis, Ramsès qui voulait le faire comparaître devant une cour de justice dont il sortirait pour la mort.

Lors de son transfert de la grande prison de Memphis au bagne des oasis, une tempête de sable, sur la route du désert, avait donné à Chénar l'occasion de s'enfuir. La haine qu'il éprouvait envers son frère, son désir de se venger, lui avaient permis de sortir vivant de l'épreuve. Chénar s'était dirigé vers le seul endroit où il serait en sécurité, la cité abandonnée du roi hérétique.

C'était son complice, Ofir, le chef du réseau d'espionnage hittite, qui l'avait accueilli. Ofir le Libyen, au profil d'oiseau de proie, aux pommettes saillantes, au nez proéminent, aux lèvres minces, au menton prononcé, l'homme qui devait faire de Chénar le successeur de Ramsès.

Rageur, le frère du pharaon ramassa une pierre et la jeta sur une figuration d'Akhénaton, abîmant la couronne du monarque.

– Qu'il soit maudit et que disparaissent à jamais les pharaons et leur royaume !

Le rêve de Chénar s'était brisé. Lui qui aurait dû régner sur un immense empire allant de l'Anatolie à la Nubie se trouvait réduit à l'état de paria dans son propre pays. Ramsès aurait dû être vaincu à Kadesh, les Hittites auraient dû envahir l'Égypte, Chénar aurait dû monter sur le trône des Deux Terres, collaborer avec l'occupant, puis se débarrasser de l'empereur hittite afin de devenir le seul maître du Proche-Orient. Ramsès le naufrageur, Chénar le sauveur : telle était la vérité qu'il aurait dû imposer aux peuples de la région.

Chénar se tourna vers Ofir, assis au fond de la tombe.

– Pourquoi avons-nous échoué ?

– Une période de malchance. Le destin tournera.

– Médiocre réponse, Ofir !

– Même si la magie est une science exacte, elle n'exclut pas l'imprévisible.

– Et cet imprévisible, ce fut Ramsès lui-même !

– Votre frère possède des qualités exceptionnelles et une faculté de résistance rare et fascinante.

– Fascinante... Tomberiez-vous sous le charme de ce despote ?

– Je me contente de l'étudier pour mieux le détruire. Le dieu Amon ne lui est-il pas venu en aide, pendant la bataille de Kadesh ?

– Prêteriez-vous crédit à de telles sornettes ?

– Le monde n'est pas construit qu'avec du visible. Des forces secrètes circulent en lui, et ce sont elles qui forment la trame du réel.

Chénar frappa du poing la paroi sur laquelle figurait le disque solaire, Aton.

– Où nous ont menés vos discours ? Ici, dans cette tombe, loin du pouvoir ! Nous sommes seuls et condamnés à périr comme des miséreux.

– Ce n'est pas tout à fait exact, puisque les partisans d'Aton nous nourrissent et garantissent notre sécurité.

– Les partisans d'Aton... Une bande de fous et de mystiques, prisonniers de leurs illusions !

– Vous n'avez pas tort, mais ils nous sont utiles.

– Comptez-vous en faire une armée capable de vaincre celle de Ramsès ?

Ofir dessina d'étranges figures géométriques dans la poussière.

– Ramsès a vaincu les Hittites, insista Chénar, votre réseau est démantelé, je n'ai plus aucun partisan. À part croupir ici, quelle autre destinée ?

– La magie nous aidera à la modifier.

Chénar haussa les épaules.

– Vous n'avez pas réussi à supprimer Néfertari, vous avez été incapable d'affaiblir Ramsès.

– Vous êtes injuste, estima le mage. La reine est sortie meurtrie de l'épreuve que je lui ai infligée.

– Iset la belle donnera un autre fils à Ramsès, et le roi adoptera autant d'héritiers qu'il le souhaite ! Aucun souci familial n'empêchera mon frère de régner.

– Les coups finiront par l'user.

– Ignorez-vous qu'un pharaon d'Égypte est régénéré au terme de sa trentième année de règne ?

– Nous n'en sommes pas encore là, Chénar ; les Hittites n'ont pas renoncé au combat.

– La coalition qu'ils avaient formée n'a-t-elle pas été détruite à Kadesh ?

– L'empereur Mouwattali est un homme rusé et prudent ; il a su battre en retraite au bon moment et organisera une contre-offensive qui surprendra Ramsès.

– Je n'ai plus envie de rêver, Ofir.

Au loin, un bruit de galop.

Chénar s'empara d'une épée.

– Ce n'est pas l'heure à laquelle les atoniens nous apportent de la nourriture.

Le frère de Ramsès se précipita vers l'entrée de la tombe, dominant la ville morte et la plaine.

– Deux hommes.

– Viennent-ils vers nous ?

– Ils sortent de la ville et se dirigent vers la falaise... vers nous ! Mieux vaudrait sortir de cette tombe et nous cacher ailleurs.

– Pas de précipitation, ils ne sont que deux.

Ofir se leva.

– C'est peut-être le signe que j'attendais, Chénar. Regardez bien.

Chénar identifia un partisan d'Aton ; la présence de son compagnon le stupéfia.

– Méba... Méba ici ?

– Il est mon subordonné et notre allié.

Chénar posa son épée.

– À la cour de Ramsès, personne ne soupçonne Méba ; aujourd'hui, il faut oublier nos différends.

Chénar ne répondit pas. Il n'éprouvait que mépris pour Méba, dont l'unique ambition était de préserver sa fortune et son confort. Quand le diplomate s'était présenté à lui comme le nouvel agent hittite, Chénar n'avait pas cru à la sincérité de son engagement.

Les deux cavaliers mirent pied à terre, à l'entrée du chemin qui menait à la tombe du grand prêtre d'Aton. Le partisan du dieu solaire garda les chevaux, Méba se dirigea vers le repaire de ses complices.

L'inquiétude serra la gorge de Chénar. Et si le haut fonctionnaire les avait trahis, précédant de quelques instants la police de Pharaon ? Mais l'horizon demeura vide.

Crispé, Méba n'utilisa pas les formules de politesse habituelles.

– Je prends de grands risques en venant ici... Pourquoi m'avoir fait parvenir un message m'enjoignant de vous rencontrer ?

La réplique d'Ofir cingla.

– Vous êtes sous mes ordres, Méba ; là où je vous dirai d'aller, vous irez. Les nouvelles ?

Chénar fut surpris. Ainsi, du fond de son repaire, le mage continuait à diriger son réseau.

– Pas fameuses. La contre-attaque hittite n'est pas un franc succès ; Ramsès a réagi avec vigueur et déjà reconquis Canaan.

– S'élance-t-il vers Kadesh ?

– Je l'ignore.

– Il faut être efficace, Méba, beaucoup plus efficace, et me donner davantage de renseignements. Les bédouins ont-ils rempli leurs engagements ?

– La révolte semble générale... Mais je dois me montrer très prudent pour ne pas éveiller la méfiance d'Améni !

– Ne travaillez-vous pas au ministère des Affaires étrangères ?

– La prudence...

– Avez-vous l'occasion d'approcher le petit Khâ ?

– Le fils aîné de Ramsès ? Oui, mais pourquoi...

– Il me faut un objet qui lui est particulièrement cher, Méba, et il me le faut très vite.

7

Moïse, son épouse et son fils avaient quitté le pays de Madiân qui se trouvait au sud d'Édom et à l'est du golfe d'Aqaba. C'est là que l'Hébreu s'était caché pendant une longue période, avant de sortir de cette retraite pour retourner en Égypte, contre l'avis de son beau-père. Alors qu'il était accusé de meurtre, ne commettait-il pas une folie en se livrant à la police de Pharaon ? Il serait emprisonné et condamné à mort.

Mais aucun argument n'avait ébranlé Moïse. Dieu lui avait parlé, au cœur de la montagne, et lui avait ordonné de faire sortir d'Égypte ses frères hébreux pour leur permettre de vivre la vraie foi, sur une terre qui leur appartiendrait. La tâche semblait impossible, mais le prophète aurait la force de l'accomplir.

Son épouse Çippora avait, elle aussi, tenté de le dissuader.

En vain.

Et la petite famille s'était élancée sur les pistes, en direction du Delta. Çippora suivait son mari qui, aidé d'un grand bâton noueux, marchait d'un pas tranquille, sans hésiter jamais sur le chemin à prendre.

Lorsqu'un nuage de sable annonça l'approche d'une troupe de cavaliers, Çippora serra son fils dans ses bras et s'abrita derrière Moïse. Grand, barbu, le torse large, il avait une carrure d'athlète.

– Il faut nous cacher, implora-t-elle.

– Inutile.

– Si ce sont des bédouins, ils nous tueront ; si ce sont des Égyptiens, ils t'arrêteront !

– Ne sois pas craintive.

Immobile, Moïse songea à ses années d'étude à l'université de Memphis, pendant lesquelles il avait été instruit dans toute la sagesse des Égyptiens, tout en vivant une profonde amitié pour le prince Ramsès, futur pharaon. Après avoir occupé un poste non négligeable au harem de Mer-Our, l'Hébreu avait rempli un rôle de maître d'œuvre sur le chantier de Pi-Ramsès, la nouvelle capitale des Deux Terres. En lui confiant cette mission, Ramsès avait fait de Moïse l'un des premiers personnages du royaume.

Mais Moïse était tourmenté. Depuis sa jeunesse, un feu rongeait son âme ; et ce n'était qu'en rencontrant le buisson ardent, brûlant sans se consumer, que la douleur avait disparu. Enfin, l'Hébreu avait découvert sa mission.

Les cavaliers étaient des bédouins.

À leur tête, Amos, chauve et barbu, et Baduch, grand et maigre. Amos et Baduch, les deux chefs de tribus qui avaient menti à Ramsès, sur le site de Kadesh, pour l'attirer dans un piège. Leurs hommes se disposèrent en cercle autour de Moïse.

– Qui es-tu ?

– Mon nom est Moïse. Voici ma femme et mon fils.

– Moïse... Es-tu l'ami de Ramsès, le haut dignitaire qui s'est rendu coupable d'un crime et s'est enfui dans le désert ?

– C'est bien moi.

Amos sauta à terre et congratula l'Hébreu.

– Alors, nous sommes dans le même camp ! Nous aussi, nous combattons Ramsès, celui qui fut ton ami et qui, aujourd'hui, veut ta tête !

– Le roi d'Égypte est encore mon frère, affirma Moïse.

– Tu divagues ! Sa haine ne cesse de te poursuivre. Bédouins, Hébreux et nomades doivent s'allier aux Hittites pour abattre ce despote. Sa force est devenue légendaire, Moïse ; viens avec nous, et harcelons les troupes égyptiennes qui tentent d'envahir la Syrie.

– Je ne vais pas vers le nord, mais vers le sud.

– Vers le sud ? s'étonna Baduch, soupçonneux. Où désires-tu te rendre ?

– En Égypte, à Pi-Ramsès.

Amos et Baduch se regardèrent, stupéfaits.

– Te moques-tu de nous ? questionna Amos.

– Je vous dis la vérité.

– Mais... tu seras arrêté et exécuté !

– Yahvé me protégera. Je dois faire sortir mon peuple d'Égypte.

– Les Hébreux, hors d'Égypte... Es-tu devenu fou ?

– Telle est la mission que Yahvé m'a confiée, telle est la mission que j'accomplirai.

À son tour, Baduch descendit de cheval.

– Ne bouge pas, Moïse.

Les deux chefs de tribus s'éloignèrent pour dialoguer, sans que l'Hébreu les entende.

– C'est un insensé, estima Baduch ; son trop long séjour au désert aura fait sombrer son esprit dans la démence.

– Tu te trompes.

– Moi, me tromper ? Ce Moïse est un fou, c'est l'évidence !

– Non, c'est un homme rusé et déterminé.

– Ce malheureux, perdu sur une piste du désert, avec une femme et un enfant... Quelle ruse magnifique !

– Oui, Baduch, magnifique ! Qui se méfiera d'un misérable comme celui-là ? Mais Moïse est resté très populaire en Égypte, et il a l'intention de fomenter une révolte des Hébreux.

– Il n'a aucune chance de réussir ! La police de Pharaon ne le laissera pas faire.

– Si nous l'aidons, il pourrait nous être utile.

– L'aider... De quelle manière ?

– En lui faisant passer la frontière et en procurant des armes aux Hébreux. Ils seront probablement exterminés, mais auront semé le trouble à Pi-Ramsès.

Moïse respirait à pleins poumons l'air du Delta ; devenue ennemie, cette terre l'envoûtait encore. Il aurait dû la haïr, mais la tendresse des cultures et la douceur des palmeraies l'émerveillaient, lui rappelant le rêve d'un jeune homme, ami et confident d'un pharaon d'Égypte, un rêve qui consistait à demeurer une vie entière auprès de Ramsès, à le servir, à l'aider à transmettre l'idéal de vérité et de justice dont les dynasties s'étaient nourries. Mais cet idéal-là appartenait au passé ; désormais, c'était Yahvé qui guidait les pas de Moïse.

Grâce à Baduch et à Amos, l'Hébreu, sa femme et son fils étaient entrés sur le territoire égyptien pendant la nuit, échappant aux patrouilles qui circulaient entre deux fortins. Malgré sa peur, Çippora n'avait formulé ni critique ni objection ; Moïse était son mari, elle lui devait obéissance et le suivrait là où il désirait aller.

Avec le lever du soleil et la résurrection de la nature, Moïse sentit son espoir se conforter. C'était ici qu'il mènerait son combat, quelles que fussent les forces qui lui seraient opposées. Ramsès devrait comprendre que les Hébreux exigeaient leur liberté et manifestaient le désir de former une nation, conformément à la volonté divine.

La petite famille s'arrêta dans des villages où, comme à l'accoutumée, on accueillait les voyageurs avec bienveillance. La manière dont s'exprimait Moïse prouvait qu'il était égyptien de souche, et les contacts avec les villageois s'en trouvaient facilités. D'étape en étape, l'Hébreu, sa femme et son fils parvinrent aux faubourgs de la capitale.

– J'ai construit une bonne partie de cette ville, révéla-t-il à son épouse.

– Comme elle est grande et belle ! Allons-nous vivre ici ?

– Quelque temps.

– Où logerons-nous ?

– Yahvé y pourvoira.

Moïse et les siens pénétrèrent dans le quartier des ateliers où régnait une intense activité. Le dédale de ruelles surprit Çippora, qui regrettait déjà l'existence paisible de son oasis. On s'interpellait, on criait de tous côtés ; menuisiers, tailleurs et fabricants de sandales travaillaient avec entrain. Des ânes chargés de jarres contenant de la viande, du poisson séché ou des fromages avançaient sans se hâter.

Au-delà, les maisons des briquetiers hébreux.

Rien n'avait changé. Moïse reconnaissait chaque demeure, entendait des chants familiers et laissait monter en lui des souvenirs où la révolte se mêlait à l'enthousiasme de la jeunesse. Alors qu'il s'attardait sur une placette au centre de laquelle était creusé un puits, un vieux briquetier vint le regarder sous le nez.

– Je t'ai déjà vu, toi... Mais... ce n'est pas possible ! Tu n'es quand même pas le fameux Moïse ?

– Si, je le suis.

– On te croyait mort !

– On se trompait, dit Moïse en souriant.

– De ton temps, on était mieux traités, nous, les briquetiers... Ceux qui travaillent mal sont contraints de se procurer eux-mêmes la paille. Toi, tu aurais protesté ! Tu te rends compte : être obligé de se procurer de la paille ! Et que de discussions pour obtenir une augmentation de salaire !

– Possèdes-tu au moins un logement ?

– J'en voudrais un plus grand, mais l'Administration fait traîner ma demande. Autrefois, tu m'aurais aidé.

– Je t'aiderai.

L'œil du briquetier devint soupçonneux.

– Ne t'avait-on pas accusé d'un crime ?

– En effet.

– Tu as tué le mari de la sœur de Ramsès, à ce qu'on dit.

– Un maître chanteur et un tortionnaire, rappela Moïse. Je n'avais pas l'intention de le supprimer, mais l'altercation a mal tourné.

– Alors, tu l'as bien tué... Mais je te comprends, tu sais !

– Accepterais-tu de nous abriter, ma famille et moi, pour cette nuit ?

– Sois le bienvenu.

Dès que Moïse, son épouse et son fils furent endormis, le vieux briquetier quitta sa couche et, dans l'obscurité, marcha vers la porte donnant sur la rue.

Quand il l'entrouvrit, elle émit un grincement. Inquiet, le briquetier s'immobilisa un long moment. Certain que Moïse ne s'était pas réveillé, il se glissa à l'extérieur.

En dénonçant le criminel à la police, il obtiendrait une belle récompense.

À peine avait-il fait quelques pas dans la ruelle qu'une main puissante le plaqua contre un mur.

– Où allais-tu, canaille ?

– Je... j'étouffais, j'avais besoin d'air.

– Tu comptais vendre Moïse, n'est-ce pas ?

– Non, bien sûr que non !

– Tu mériterais que je t'étrangle.

– Laisse-le, ordonna Moïse, apparaissant sur le seuil de la demeure ; c'est un Hébreu, comme nous. Qui es-tu, toi qui me viens en aide ?

– Mon nom est Aaron.

L'homme était âgé, mais vigoureux ; il possédait une voix grave et sonore.

– Comment as-tu appris que je me trouvais ici ?

– Qui ne t'a pas reconnu, dans ce quartier ? Le conseil des anciens désire te voir et t'entendre.

8

Benteshina, le prince d'Amourrou, faisait un rêve délicieux. Une jeune noble originaire de Pi-Ramsès et complètement nue, parfumée à la myrrhe, montait le long de ses cuisses comme une liane amoureuse.

Soudain, elle hésita et se mit à tanguer, tel un bateau sur le point de chavirer. Benteshina s'agrippa à son cou.

– Seigneur, seigneur ! Réveillez-vous !

Ouvrant les yeux, le prince d'Amourrou découvrit qu'il était sur le point d'étrangler son majordome. Les lueurs de l'aube éclairaient la chambre.

– Pourquoi m'importuner si tôt ?

– Levez-vous, je vous en prie, et regardez par la fenêtre.

Hésitant, Benteshina suivit la recommandation de son serviteur. Le poids de ses chairs flasques le gênait pour marcher.

Pas la moindre brume sur la mer : la journée s'annonçait splendide.

– Qu'y a-t-il à voir ?

– L'entrée du port, seigneur !

Benteshina se frotta les yeux.

À l'entrée du port de Beyrouth, trois navires de guerre égyptiens.

– Les voies d'accès terrestres ?

– Barrées, elles aussi ; c'est une énorme armée égyptienne qui s'est déployée ! La ville est assiégée.

– Âcha est-il en bon état ? demanda Benteshina.

Le majordome baissa la tête.

– Sur votre ordre, on l'a jeté au cachot.

– Amène-le-moi !

Ramsès avait lui-même nourri ses deux chevaux, « Victoire dans Thèbes » et « La déesse Mout est satisfaite ». Les deux animaux superbes ne se quittaient jamais, associés au combat comme dans la paix. L'un et l'autre appréciaient les caresses du monarque et ne manquaient pas d'émettre un hennissement de fierté lorsqu'il les félicitait pour leur courage. La présence de Massacreur, le lion nubien, ne leur inspirait pas la moindre crainte ; en compagnie du fauve, n'avaient-ils pas affronté des milliers de soldats hittites ?

Le général de l'armée de Râ s'inclina devant le roi.

– Majesté, notre dispositif est en place. Pas un habitant de Beyrouth ne s'échappera. Nous sommes prêts à attaquer.

– Interceptez toutes les caravanes qui devaient entrer dans la cité.

– Devons-nous prévoir un siège ?

– Possible. Si Âcha est encore vivant, nous le libérerons.

– Ce serait heureux, Majesté, mais la vie d'un seul homme...

– La vie d'un seul homme est parfois très précieuse, général.

Ramsès demeura avec ses chevaux et son lion la matinée durant. Leur calme lui sembla de bon augure ; de fait, avant que le soleil n'atteignît le sommet de sa course, l'aide de camp du roi lui apporta la nouvelle qu'il espérait.

– Benteshina, le prince d'Amourrou, demande audience.

Vêtu d'une ample robe de soie multicolore qui masquait son embonpoint, parfumé à l'essence de rose, Benteshina était souriant et détendu.

– Salut au Fils de la Lumière, au...

– Je n'ai pas envie d'entendre les flatteries d'un traître.

Le prince d'Amourrou ne se départit pas d'une apparente bonne humeur.

– Notre entretien se doit d'être constructif, Majesté.

– En te vendant aux Hittites, tu as fait le mauvais choix.

– Il me reste un argument décisif : votre ami Âcha.

– Crois-tu que sa présence dans un cachot m'empêchera de raser cette ville ?

– J'en suis certain. Tous les peuples ne vantent-ils pas le sens de l'amitié de Ramsès le grand ? Un pharaon qui trahirait ses proches provoquerait la colère des dieux.

– Âcha est-il encore vivant ?

– Il l'est.

– J'exige une preuve.

– Votre Majesté verra son ami et ministre des Affaires étrangères apparaître au sommet de la tour principale de mon palais. Je ne nie pas que le séjour d'Âcha en prison, pour tentative de fuite, ait pu lui causer quelques désagréments physiques, mais rien de grave.

– Qu'exiges-tu, en échange de sa libération ?

– Votre pardon. Quand je vous remettrai votre ami, vous oublierez que je vous ai un peu trahi, et vous prendrez un décret stipulant que votre confiance à mon égard est maintenue. C'est beaucoup, je l'admets, mais il me faut sauver mon trône et mes modestes biens. Ah... s'il vous prenait l'idée regrettable de me retenir prisonnier, votre ami serait exécuté, bien entendu.

Ramsès demeura silencieux un long moment.

– J'ai besoin de réfléchir, dit-il avec calme.

Benteshina n'avait qu'une crainte : que la raison d'État passât avant l'amitié. L'hésitation de Ramsès le fit trembler.

– Il me faut le temps de convaincre mes généraux, s'expliqua le roi; crois-tu qu'il est facile de renoncer à une victoire et de gracier un criminel?

Benteshina fut rassuré.

– « Criminel » n'est-il pas un terme excessif, Majesté? La politique des alliances est un art difficile; puisque je fais amende honorable, pourquoi ne pas oublier le passé? L'Égypte représente mon avenir, et je donnerai des preuves de ma fidélité, soyez-en sûr. Si j'osais, Majesté...

– Quoi encore?

– La population et moi-même verrions d'un mauvais œil un blocus de la ville. Nous sommes habitués à bien vivre, et la livraison des denrées fait partie de notre pacte. Dans l'attente de la rédaction de votre décret et de sa libération, Âcha lui-même ne sera-t-il pas heureux d'être bien nourri?

Ramsès se leva. L'entrevue était terminée.

– Ah, Majesté... si je pouvais savoir quelle sera la durée de votre réflexion...

– Quelques jours.

– Je suis persuadé que nous parviendrons à un accord avantageux pour l'Égypte comme pour la province d'Amourrou.

Ramsès méditait face à la mer, son lion couché à ses pieds. Les vagues venaient mourir près du roi, des dauphins jouaient au large. Le vent du sud soufflait avec force.

Sétaou s'assit à la droite du monarque.

– Je n'aime pas la mer, elle manque de serpents. Et l'on ne voit même pas l'autre rive.

– Benteshina me soumet à un chantage.

– Et tu hésites entre l'Égypte et Âcha.

– Me le reproches-tu?

– Je te reprocherais le contraire, mais je connais la solution que tu dois choisir, et elle ne me plaît pas.

– Aurais-tu un projet ?

– Sinon, pourquoi troubler la méditation du maître des Deux Terres ?

– Âcha ne doit courir aucun risque.

– Tu m'en demandes beaucoup.

– As-tu une chance réelle de réussir ?

– Une, peut-être.

Le majordome de Benteshina veillait à satisfaire les désirs incessants de son maître. Le prince d'Amourrou buvait beaucoup et ne supportait que les meilleurs crus ; bien que la cave du palais fût constamment réapprovisionnée, les nombreux banquets la vidaient rapidement. Aussi le majordome attendait-il chaque livraison avec impatience.

Lorsque les troupes égyptiennes avaient assiégé Beyrouth, il espérait l'arrivée d'une caravane qui devait livrer au palais une centaine d'amphores de vin rouge du Delta. C'était celui-là qu'exigeait Benteshina, et pas un autre.

Quel ne fut pas le contentement du majordome de voir entrer dans la grande cour une file de chariots chargés d'amphores de vin ! Ainsi, le blocus avait été levé. Grâce au chantage, Benteshina avait vaincu Ramsès

Le majordome se précipita au-devant du conducteur du chariot de tête et lui donna ses instructions : une partie des jarres dans la cave, une autre dans le cellier proche de la cuisine, une troisième dans une remise attenante à la salle du banquet.

Le déchargement débuta, rythmé par des chansons et des plaisanteries.

– Nous pourrions peut-être... goûter ? suggéra le majordome au chef du convoi.

– Bonne idée.

Les deux hommes entrèrent dans la cave. Le majordome se pencha sur une jarre, imaginant le fruité du grand cru. Alors qu'il caressait le ventre pansu du récipient, un violent coup sur la nuque le fit s'effondrer.

Le chef du convoi, un officier de l'armée de Ramsès, fit sortir des jarres Sétaou et les autres membres du commando. Armés de haches légères au dos évidé, fabriquées avec trois tenons en saillie enfoncés dans le manche et solidement ligaturés, ils supprimèrent les gardes libanais qui ne s'attendaient pas à une attaque de l'intérieur.

Pendant que quelques membres du commando ouvraient la porte principale de la cité, donnant accès aux fantassins de l'armée de Râ, Sétaou se rua vers les appartements de Benteshina. Quand deux Libanais tentèrent de lui barrer le passage, il lâcha des vipères furieuses d'avoir été longtemps enfermées dans un sac.

À la vue du reptile que brandissait Sétaou, Benteshina bava de peur.

– Libère Âcha, ou bien tu meurs.

Benteshina ne se fit pas prier. Tremblant, respirant comme un bœuf essoufflé, il ouvrit lui-même la porte de la chambre où était enfermé Âcha

Quand il constata que son ami était en bonne santé, Sétaou fut si ému qu'il eut un geste malheureux : son poing s'ouvrit et, libérée, la vipère bondit sur Benteshina.

9

Penchant doucement vers la cinquantaine, mince, le nez fin et droit, de grands yeux en amande sévères et perçants, le menton presque carré, la reine mère Touya demeurait la gardienne de la tradition et la conscience du royaume d'Égypte. À la tête d'un personnel nombreux, elle conseillait sans ordonner, mais veillait au respect des valeurs qui avaient fait de la monarchie égyptienne un régime inébranlable, trait d'union entre le visible et l'invisible.

Elle, que les inscriptions officielles désignaient comme « la mère du dieu, qui a mis au monde le taureau puissant, Ramsès », vivait dans le souvenir de son mari défunt, le pharaon Séthi. Ensemble, ils avaient bâti une Égypte forte et sereine que leur fils avait le devoir de maintenir sur le chemin de la prospérité. Ramsès avait la même énergie que son père, la même foi en sa mission ; et rien ne lui importait plus que le bonheur de son peuple.

Pour sauver l'Égypte de l'invasion, il avait dû se résigner à faire la guerre aux Hittites. Touya avait approuvé la décision de son fils, car composer avec le mal ne menait qu'au désastre. Combattre était la seule attitude acceptable.

Mais le conflit durait, et Ramsès ne cessait de prendre des risques. Touya priait pour que l'âme de Séthi, devenue étoile, protégeât le pharaon. De la main droite, elle tenait le manche d'un miroir qui avait la forme d'une tige de papyrus, hiéroglyphe signifiant « être verdoyant, épanoui, jeune » ; lorsque le précieux objet était déposé dans une tombe, il assurait à l'âme de sa propriétaire une éternelle jeunesse. Touya orienta le disque de bronze vers le ciel et demanda au miroir le secret de l'avenir.

– Puis-je vous importuner ?

La reine mère se retourna lentement.

– Néfertari...

La grande épouse royale, dans sa longue robe blanche serrée à la taille par une ceinture rouge, était aussi belle que les déesses peintes sur les parois des demeures d'éternité des Vallées des Rois et des Reines.

– Néfertari, m'apportes-tu de bonnes nouvelles ?

– Ramsès a libéré Âcha et repris la province d'Amourrou ; Beyrouth est de nouveau sous contrôle égyptien.

Les deux femmes s'étreignirent.

– Quand revient-il ?

– Je l'ignore, répondit Néfertari.

Pendant que les deux femmes continuaient à parler, Touya s'assit à sa table de maquillage. Du bout des doigts, elle se massa le visage avec une pommade dont les principaux composants étaient du miel, du natron rouge, de la poudre d'albâtre, du lait d'ânesse et des graines de fenugrec. Le remède effaçait les rides, raffermissait l'épiderme et rajeunissait la peau.

– Tu es préoccupée, Néfertari.

– Je crains que Ramsès ne soit décidé à poursuivre plus avant.

– Vers le nord, vers Kadesh...

– Vers un nouveau piège que lui tendra Mouwattali, l'empereur hittite. En laissant Ramsès reconquérir plus ou moins aisément les territoires appartenant à notre zone d'influence, l'Anatolien n'attire-t-il pas notre armée dans un traquenard ?

Les chefs de tribus étaient réunis dans la vaste demeure en briques crues d'Aaron. À tous les Hébreux, ils avaient imposé silence ; il en allait de la sécurité de Moïse dont la police égyptienne devait ignorer le retour.

Moïse était resté populaire ; beaucoup espéraient qu'il saurait, comme autrefois, donner une fierté au petit peuple des briquetiers. Mais tel n'était pas l'avis de Libni, le supérieur nommé par ses pairs pour maintenir une cohésion relative entre les clans.

– Pourquoi es-tu revenu, Moïse ? demanda le vieillard à la voix rugueuse.

– Dans la montagne, j'ai vu un buisson embrasé qui ne se consumait pas.

– Une illusion.

– Non, le signe de la présence divine.

– Perdrais-tu la tête, Moïse ?

– Dieu m'a appelé du milieu du buisson et Il m'a parlé.

Les anciens murmurèrent.

– Que t'a-t-Il dit ?

– Dieu a entendu les plaintes et les gémissements des enfants d'Israël, réduits en servitude.

– Voyons, Moïse, nous sommes des travailleurs libres et non des prisonniers de guerre !

– Les Hébreux ne sont pas libres de leurs agissements.

– Bien sûr que si ! Mais où donc veux-tu en venir ?

– Dieu m'a dit : « Lorsque tu auras mené le peuple hors d'Égypte, vous rendrez un culte à Dieu sur cette montagne. »

Les chefs de tribus se regardèrent, consternés.

– Hors d'Égypte ! s'exclama l'un d'eux. Qu'est-ce que ça signifie ?

– Dieu a vu la misère de son peuple en Égypte, Il veut l'en délivrer et le conduire jusqu'à une contrée plantureuse et vaste.

Libni s'emporta.

– Ton exil t'a fait perdre la raison, Moïse. Nous sommes installés ici depuis longtemps, toi-même es né en Égypte, et ce pays est devenu notre patrie.

– J'ai passé plusieurs années à Madiân, j'y ai travaillé comme berger, je m'y suis marié et j'ai eu un fils. J'étais persuadé que mon existence avait pris un tour définitif, mais Dieu en a décidé autrement.

– Tu te cachais après avoir commis un crime.

– J'ai tué un Égyptien, il est vrai, parce que lui-même menaçait de tuer un Hébreu.

– On ne peut rien reprocher à Moïse, intervint un chef de tribu ; à nous de le protéger, à présent.

Les autres membres du conseil approuvèrent.

– Si tu désires vivre ici, déclara Libni, nous te cacherons ; mais tu dois abandonner tes projets insensés.

– Je saurai vous convaincre, un par un s'il le faut, car telle est la volonté de Dieu.

– Nous n'avons pas l'intention de quitter l'Égypte, affirma le plus jeune chef de tribu ; nous y possédons des maisons et des jardins, les meilleurs briquetiers viennent d'être augmentés, chacun mange à sa faim. Pourquoi abandonner ce confort ?

– Parce que je dois vous conduire à la Terre Promise.

– Tu n'es pas notre chef, objecta Libni, et tu ne nous dicteras pas notre conduite.

– Tu obéiras, parce que Dieu l'exige.

– Sais-tu à qui tu parles ?

– Je n'avais pas l'intention de t'offenser, Libni, mais je n'ai pas le droit de dissimuler mes intentions. Quel homme serait assez vaniteux pour croire que sa volonté est plus forte que celle de Dieu ?

– Si tu es réellement son envoyé, il faudra le prouver.

– Les preuves abonderont, n'en doute pas.

Allongé sur un lit douillet, Âcha se laissait masser par Lotus dont les mains caressantes dissipaient douleurs et contractures. La jolie Nubienne, en dépit d'une apparente fragilité, témoignait d'une énergie étonnante.

– Comment vous sentez-vous ?

– Mieux.... Mais vers le bas des reins, la souffrance est encore intolérable.

– Tu la toléreras quand même ! gronda la voix de Sétaou qui venait de pénétrer dans la tente d'Âcha.

– Ta femme est divine.

– Peut-être, mais elle est ma femme.

– Sétaou ! Tu n'imagines quand même pas...

– Les diplomates sont rusés et menteurs, et toi, tu es le premier d'entre eux. Lève-toi, Ramsès nous attend.

Âcha se tourna vers Lotus.

– Pouvez-vous m'aider ?

Sétaou tira violemment Âcha par le bras et l'obligea à se mettre debout.

– Tu es tout à fait remis. Plus besoin de massages !

Le charmeur de serpents tendit au diplomate un pagne et une chemise.

– Dépêche-toi, le roi a horreur d'attendre.

Après avoir nommé un nouveau prince d'Amourrou, un Libanais éduqué en Égypte dont la fidélité ne serait peut-être pas aussi fluctuante que celle de Benteshina, Ramsès avait procédé à une série de nominations en Phénicie et en Palestine. Il tenait à ce que les princes, les maires et les chefs de village fussent des autochtones qui s'engageraient, par serment, à respecter leur alliance avec l'Égypte. S'ils trahissaient leur parole, l'intervention de l'armée égyptienne serait immédiate. À cet effet, Âcha avait mis au point un système d'observation et d'information dont il espérait beaucoup : présence militaire légère, mais réseau de correspondants bien rémunérés. Le chef de la diplomatie égyptienne croyait aux vertus de l'espionnage.

Sur une table basse, Ramsès avait déployé une carte du Proche-Orient. Les efforts de ses troupes étaient récompensés : de nouveau, Canaan, l'Amourrou et la Syrie du Sud formaient une vaste zone tampon entre l'Égypte et le Hatti.

C'était la seconde victoire que Ramsès remportait sur les Hittites. Il lui restait à prendre une décision vitale pour l'avenir des Deux Terres.

Sétaou et Âcha, moins élégant qu'à l'ordinaire, firent enfin leur entrée dans la tente du conseil où avaient pris place généraux et officiers supérieurs.

– Toutes les places fortes ennemies ont-elles été démantelées ?

– Oui, Majesté, dit le général de l'armée de Râ ; la dernière, celle de Shalôm, est tombée hier.

– *Shalôm* signifie « paix », précisa Âcha ; à présent, elle règne dans ces régions.

– Devons-nous continuer vers le nord, interrogea le roi, nous emparer de Kadesh et porter un coup fatal aux Hittites ?

– Tel est le vœu des officiers supérieurs, déclara le général ; nous devons parachever notre victoire en exterminant les barbares.

– Nous n'avons aucune chance de réussir, estima Âcha ; une fois encore, les Hittites se sont repliés au fur et à mesure que nous avancions, leurs troupes sont intactes, et elles préparent des pièges dont nous sortirons très affaiblis.

– Avec Ramsès à notre tête, s'enthousiasma le général, nous vaincrons !

– Vous ignorez tout du terrain. Sur les hauts plateaux d'Anatolie, dans les gorges, dans les forêts, les Hittites nous écraseront. À Kadesh même, des milliers de fantassins mourront, et nous ne sommes même pas certains de pouvoir nous emparer de la citadelle.

– Craintes futiles de diplomate... Cette fois, nous sommes prêts !

– Retirez-vous, ordonna Ramsès ; vous connaîtrez ma décision à l'aube.

10

Grâce à l'hospitalité d'Aaron, Moïse passa plusieurs semaines de quiétude dans le quartier des briquetiers. Sa femme et son fils sortaient librement et découvraient, intrigués, la vie animée de la capitale égyptienne. Vite intégrés au clan hébreu, ils ne tardèrent pas à fréquenter Égyptiens, Asiatiques, Palestiniens, Nubiens et autres habitants de Pi-Ramsès qui se croisaient sans cesse dans les ruelles de la cité.

Moïse, lui, vivait en reclus. À plusieurs reprises, il avait demandé à être entendu une nouvelle fois par le conseil des anciens. Face à des chefs de tribus incrédules et critiques, Moïse n'avait pas renié ses premières déclarations.

– Ton âme est-elle toujours aussi tourmentée ? demanda Aaron.

– Depuis que le buisson ardent m'est apparu, elle ne l'est plus.

– Personne, ici, ne croit que tu as rencontré Dieu.

– Lorsqu'un homme connaît la mission qu'il doit accomplir sur cette terre, le doute ne l'assaille plus. Ma voie est désormais tracée, Aaron.

– Mais tu es seul, Moïse !

– Ce n'est qu'une apparence. Mes convictions finiront par ébranler les esprits.

– À Pi-Ramsès, les Hébreux ne manquent de rien ; dans le désert, où trouveras-tu de la nourriture ?

– Dieu y pourvoira.

– Tu as la carrure d'un chef, mais tu prends un mauvais chemin. Change de nom et d'apparence, oublie tes projets insensés, reprends ta place parmi les tiens. Tu vieilliras en paix, honoré et tranquille, à la tête d'une nombreuse famille.

– Ce n'est pas mon destin, Aaron.

– Modifie celui que tu as imaginé.

– Je n'en suis plus responsable.

– Pourquoi gâcher ainsi ta vie alors que le bonheur est à ta portée ?

On frappa à la porte de la demeure d'Aaron.

– Police, ouvrez !

Moïse sourit.

– Tu vois, Aaron, on ne me laisse pas le choix.

– Il faut t'enfuir !

– Cette porte est la seule issue.

– Je te défendrai.

– Non, Aaron.

Moïse ouvrit lui-même la porte.

Serramanna, le géant sarde, considéra l'Hébreu avec étonnement.

– Ainsi, on ne m'avait pas menti... Tu es bien de retour !

– Désires-tu entrer et partager notre repas ?

– C'est un Hébreu qui t'a dénoncé, Moïse, un briquetier qui craignait de perdre son emploi à cause de ta présence dans ce quartier. Suis-moi, je dois t'emmener en prison.

Aaron s'interposa.

– Moïse doit être jugé.

– Il le sera.

– À moins que tu ne te débarrasses de lui avant le procès.

Serramanna agrippa Aaron par le col de sa tunique.

– Me traites-tu d'assassin ?

– Tu n'as pas le droit de me brutaliser !

Le Sarde lâcha Aaron.

– Tu as raison... Mais toi, as-tu le droit de m'insulter ?
– Si Moïse est arrêté, il sera exécuté.
– La loi s'applique à tous, même aux Hébreux.
– Fuis, Moïse, retourne dans le désert ! implora Aaron.
– Tu sais bien que nous y partirons ensemble.
– Tu ne sortiras plus de cette prison.
– Dieu m'aidera.
– Allons, viens ! exigea Serramanna ; ne m'oblige pas à te lier les mains.

Assis dans un angle de la cellule, Moïse regardait le rayon de lumière qui se faufilait entre les barreaux. Il faisait scintiller des milliers de grains de poussière en suspension et frappait le sol de terre battue qu'avaient martelé les pieds des prisonniers.

En Moïse brûlerait à jamais le feu du buisson ardent, l'énergie de la montagne de Yahvé. Oublié son passé, oubliés sa femme et son fils : seul comptait désormais pour lui l'exode, le départ du peuple hébreu vers la Terre Promise.

Un espoir fou, pour un homme enfermé dans une cellule de la grande prison de Pi-Ramsès, et que la justice égyptienne condamnerait à mort pour meurtre prémédité ou, au mieux, aux travaux forcés dans le bagne des oasis. Malgré sa confiance en Yahvé, Moïse se prenait parfois à douter. Comment Dieu s'y prendrait-il pour le libérer et lui permettre d'accomplir sa mission ?

L'Hébreu s'assoupissait lorsque de lointaines clameurs l'arrachèrent à sa torpeur. Elles s'amplifièrent de minute en minute, jusqu'à devenir assourdissantes. La ville entière semblait en émoi.

Ramsès le grand était de retour.

Personne ne l'attendait avant plusieurs mois, mais c'était

bien lui, superbe sur son char que tiraient « Victoire dans Thèbes » et « La déesse Mout est satisfaite », ses deux chevaux empanachés de plumes rouges à l'extrémité bleue. À la droite du char marchait Massacreur, l'énorme lion, regardant les citadins amassés sur le parcours comme des bêtes curieuses. Coiffé de la couronne bleue, le serpent uræus en or au front, le torse couvert d'un vêtement rituel sur lequel avaient été peintes des ailes bleu-vert qui plaçaient le souverain sous la protection d'Isis, faucon femelle, Ramsès était rayonnant.

D'une seule poitrine, les fantassins entonnaient le chant devenu traditionnel : « Le bras de Ramsès est puissant, son cœur vaillant, il est un archer sans pareil, une muraille pour ses soldats, une flamme qui brûle ses ennemis. » Il apparaissait comme l'élu de la lumière divine et le faucon aux victoires grandioses.

Généraux, officiers de la charrerie et de l'infanterie, scribes de l'armée, hommes de troupe avaient revêtu leur tenue d'apparat pour défiler derrière les porte-enseignes. Acclamés par la foule, les soldats songeaient aux permissions et aux primes qui leur feraient oublier la rigueur des combats. Dans la vie militaire, il n'était meilleur moment que le retour au bercail, surtout lorsqu'il était triomphal.

Pris au dépourvu, les jardiniers n'avaient pas eu le temps de décorer de fleurs la grande avenue de Pi-Ramsès menant aux temples de Ptah, le dieu de la création par le Verbe, et de Sekhmet, la déesse terrifiante, détentrice du pouvoir de détruire et de guérir. Mais les cuisiniers s'affairaient, faisant griller des oies, des pièces de bœuf, des tranches de porc, et remplissant les paniers de poissons séchés, de légumes et de fruits. Des celliers, on sortait les jarres de bière et de vin. En toute hâte, les pâtissiers préparaient des gâteaux. Les élégants avaient revêtu leurs vêtements de fête et les servantes achevaient de parfumer la chevelure de leurs maîtresses.

En queue du cortège, plusieurs centaines de prisonniers,

des Asiatiques, des Cananéens, des Palestiniens et des Syriens ; les uns avaient les mains liées derrière le dos, les autres marchaient librement, femmes et enfants à leurs côtés. Sur des ânes, les baluchons contenant leurs maigres biens. Les prisonniers allaient être conduits au bureau de placement de la capitale, qui les répartirait sur les terres et les chantiers des temples. Ils purgeraient leur peine de captivité comme ouvriers ou travailleurs agricoles et, à son terme, ils auraient le choix entre s'intégrer à la société égyptienne ou repartir dans leur pays.

Était-ce la paix ou une simple trêve ? Pharaon avait-il enfin écrasé les Hittites ou revenait-il prendre des forces afin de repartir au combat ? Ceux qui ne savaient rien étaient les plus prolixes, et l'on parlait de la mort de l'empereur Mouwattali, de la prise de la citadelle de Kadesh, de la destruction de la capitale hittite. Chacun attendait la cérémonie des récompenses au cours de laquelle Ramsès et Néfertari apparaîtraient à la fenêtre du palais royal et offriraient des colliers d'or aux soldats les plus valeureux.

À la surprise générale, Ramsès négligea le palais et se dirigea vers le temple de Sekhmet. Lui seul avait perçu, dans le ciel, la naissance d'un nuage qui, très vite, grossissait et noircissait. Les chevaux devinrent nerveux, le lion grogna.

Un orage se préparait.

La crainte succéda à la joie. Si la déesse terrifiante déclenchait la colère des nuées, n'était-ce pas le signe que la guerre menaçait le royaume d'Égypte et que Ramsès devait repartir sans délai vers le champ de bataille ?

Les soldats cessèrent de chanter.

Chacun fut conscient que Pharaon commençait un nouveau combat, au cours duquel il devrait apaiser Sekhmet et l'empêcher de faire déferler sur le pays sa horde de malheurs et de souffrances.

Ramsès mit pied à terre, caressa la tête de ses chevaux et de son lion, puis médita sur le parvis du temple. Le nuage s'était déchiré et multiplié, devenant dix et cent. Obscur, le ciel commençait à cacher la lumière du soleil.

Repoussant la fatigue du voyage, oubliant les fêtes que Pi-Ramsès s'apprêtait à célébrer, le monarque se prépara à rencontrer la Terrifiante. Lui seul pouvait dissiper sa colère.

Ramsès poussa la grande porte de cèdre recouverte d'or et entra dans la salle pure où il déposa la couronne bleue. Puis il avança lentement entre les colonnes de la première salle, franchit le seuil de la salle mystérieuse et progressa vers le naos.

C'est alors qu'il la vit, lumineuse dans la pénombre.

Sa longue robe blanche rayonnait comme un soleil, le parfum de sa perruque rituelle enchantait l'âme, la noblesse de son attitude égalait celle des pierres du temple.

La voix de Néfertari s'éleva, suave comme du miel. Elle prononça les paroles de vénération et d'apaisement qui, depuis l'origine de la civilisation égyptienne, transformaient la Terrifiante en douce d'amour. Ramsès éleva les mains, paumes ouvertes, vers la statue de la femme à tête de lionne, et lut les formules gravées sur les murs.

La litanie achevée, la reine, être magique en qui s'était opérée la transmutation, présenta au roi la couronne rouge de Basse-Égypte, la couronne blanche de Haute-Égypte et le sceptre nommé « puissance ».

Coiffé de la double couronne, le sceptre dans la main droite, Ramsès s'inclina devant l'énergie bénéfique présente dans la statue.

Lorsque le couple royal sortit du temple, un grand soleil inondait le ciel de la cité de turquoise. L'orage était dissipé.

11

Sitôt après la remise des colliers d'or aux braves, Ramsès rendit visite à Homère, le poète grec qui avait décidé de s'installer en Égypte pour y composer ses grandes œuvres et y finir ses jours. Sa confortable demeure, proche du palais, était entourée d'un jardin dont le plus beau fleuron, un citronnier, réjouissait la vue affaiblie du vieillard à la longue barbe blanche. Homère fumait comme à son ordinaire des feuilles de sauge tassées dans un fourneau de pipe fait d'une grosse coquille d'escargot, et buvait une coupe de vin parfumé à l'anis et à la coriandre, lorsque le roi d'Égypte vint vers lui.

Le poète se leva en s'appuyant sur un bâton noueux.

– Restez assis, Homère.

– Quand on ne saluera plus Pharaon comme il convient, ce sera la fin de la civilisation.

Les deux hommes prirent place sur des sièges de jardin.

– Ai-je eu raison d'écrire ces phrases, Majesté : *Que l'on combatte avec ardeur ou que l'on demeure en retrait, semblable est le profit. Le même honneur est réservé au lâche comme au courageux. Est-ce pour rien que mon cœur a couru tant de dangers, est-ce pour rien que j'ai risqué ma vie dans tant de conflits ?*

– Non, Homère.

– Donc, vous voici revenu vainqueur.

– Les Hittites ont été repoussés sur leurs positions traditionnelles, l'Égypte ne sera pas envahie.

– Fêtons l'événement, Majesté ; je me suis fait livrer un vin remarquable.

Le cuisinier d'Homère apporta une amphore crétoise à goulot étroit, ne laissant passer qu'un mince filet de vin mêlé d'une eau de mer, recueillie la nuit au solstice d'été et par vent du nord, et conservée pendant trois ans.

– Le texte de la bataille de Kadesh est achevé, révéla Homère ; votre secrétaire particulier, Améni, l'a pris sous la dictée et communiqué aux sculpteurs.

– Il sera gravé sur les parois des temples et proclamera la victoire de l'ordre sur le chaos.

– Hélas ! Majesté, le combat est toujours à recommencer ! N'est-il pas dans la nature du chaos de vouloir dévorer l'ordre ?

– C'est la raison pour laquelle l'institution pharaonique a été instaurée. Elle seule peut consolider le règne de Maât.

– Surtout, ne la modifiez pas ; j'ai bien l'intention de vivre longtemps heureux dans ce pays.

Hector, le chat noir et blanc d'Homère, sauta sur les genoux du poète et se fit les griffes sur sa tunique.

– Huit cents kilomètres entre votre capitale et celle des Hittites... La distance sera-t-elle suffisante pour tenir au loin les ténèbres ?

– Tant que le souffle vital m'animera, je m'y emploierai.

– La guerre n'est jamais finie. Combien de fois devrez-vous repartir ?

Lorsque Ramsès quitta la demeure d'Homère, il trouva Améni qui l'attendait. Le teint plus pâle que d'ordinaire, amaigri, quelques cheveux en moins, le secrétaire particulier du roi semblait fragile au point de se briser. Coincé sur l'oreille, un pinceau qu'il avait oublié.

– J'aimerais te consulter de toute urgence, Majesté.

– L'un de tes dossiers te poserait-il un problème ?

– Un dossier, non...

– M'accorderas-tu quelques instants pour voir ma famille ?

– Auparavant, le protocole t'impose un certain nombre de cérémonies et d'audiences... Je veux bien passer là-dessus, mais il y a beaucoup plus important : « il » est revenu.

– Veux-tu parler de...

– Oui, de Moïse.

– Se trouve-t-il à Pi-Ramsès ?

– Tu dois admettre que Serramanna n'a commis aucune faute en l'arrêtant. S'il l'avait laissé en liberté, la justice eût été bafouée.

– Moïse a-t-il été emprisonné ?

– Il le fallait.

– Amène-le-moi immédiatement.

– Impossible, Majesté ; Pharaon ne peut intervenir dans une affaire de justice, même si un ami est incriminé.

– Nous possédons les preuves de son innocence !

– Il est indispensable d'en passer par la procédure normale ; si Pharaon n'était pas le premier serviteur de Maât et de la justice, ce pays ne serait que désordre et confusion.

– Tu es un véritable ami, Améni.

Le jeune Khâ copiait un texte célèbre que des générations de scribes avaient copié et recopié avant lui :

En guise d'héritiers, les scribes qui ont atteint la connaissance disposent des livres de sagesse. Leur fils aimé, c'est la palette pour écrire. Leurs livres sont leurs pyramides, leur pinceau est leur enfant, la pierre couverte de hiéroglyphes leur épouse. Les monuments disparaissent, le sable recouvre les stèles, les tombes sont oubliées, mais le nom des scribes qui ont vécu la sagesse perdure, à cause du rayonnement de leurs œuvres. Sois scribe, et grave cette pensée en ton cœur : un livre est plus utile que le mur le plus solide. Il te servira de temple, alors même que tu auras péri ; par le livre, ton nom survivra dans la bouche des hommes, il sera plus solide qu'une maison bien bâtie.

L'adolescent n'était pas tout à fait d'accord avec l'auteur de ces maximes ; certes, l'écrit traversait les époques, mais n'en était-il pas de même des demeures d'éternité et des sanctuaires en pierre que les maîtres d'œuvre avaient édifiés ? Le scribe auteur de ces lignes avait vanté l'excellence de son métier, au point d'être excessif. Aussi Khâ s'était-il juré d'être à la fois scribe et maître d'œuvre, afin de ne pas limiter son esprit.

Depuis que son père lui avait fait affronter la mort sous la forme d'un cobra, le fils aîné de Ramsès avait beaucoup mûri et définitivement négligé les jeux de l'enfance. Quel charme pouvait avoir un cheval de bois monté sur roulettes face au problème mathématique posé par le scribe Ahmès dans un papyrus passionnant, offert par Néfertari ? Ahmès assimilait le cercle à un carré dont le côté représentait 8/9 de son diamètre, ce qui permettait d'obtenir un rapport d'harmonie fondée sur la valeur 3,16 *. Dès qu'il en aurait l'occasion, Khâ étudierait la géométrie des monuments pour percer les secrets des bâtisseurs.

– Puis-je interrompre les réflexions du prince Khâ ? demanda le diplomate Méba.

L'adolescent ne leva pas la tête.

– Si vous le jugez bon...

Depuis quelque temps, l'adjoint du ministre des Affaires étrangères venait souvent discuter avec Khâ. Le fils de Pharaon détestait sa morgue d'aristocrate et ses allures mondaines, mais il appréciait sa culture et ses connaissances littéraires.

– Encore au travail, prince ?

– Est-il un meilleur moyen d'épanouir le cœur ?

---

* La mise en pratique du fameux *pi* (π), d'après le papyrus Rhind.

– Voilà une bien grave question sur de si jeunes lèvres ! Au fond, vous n'avez pas tort. En tant que scribe et fils de roi, vous donnerez des ordres à des dizaines de serviteurs, vous ne manierez ni la charrue ni la pioche, vos mains resteront douces, vous échapperez aux corvées, vous ne porterez aucun poids pénible, vous habiterez une superbe villa, vos écuries seront remplies de splendides chevaux, vous changerez chaque jour de vêtements luxueux, votre chaise à porteurs sera confortable et vous aurez la confiance de Pharaon.

– Beaucoup de scribes paresseux et nantis vivent ainsi, en effet ; moi, j'espère être capable de lire les textes difficiles, de participer à la rédaction des rituels et d'être admis comme porteur d'offrandes dans les processions.

– Ce sont de modestes ambitions, prince Khâ.

– Au contraire, Méba ! Elles exigent de longs efforts.

– Le fils aîné de Ramsès n'est-il pas promis à un plus vaste destin ?

– Les hiéroglyphes sont mes guides ; ont-ils jamais menti ?

Méba était troublé par les propos de ce garçon de douze ans ; il avait la sensation de dialoguer avec un scribe expérimenté, maître de lui et indifférent à la flatterie.

– L'existence n'est pas que travail et rigueur.

– Je ne conçois pas la mienne autrement, Méba ; est-ce condamnable ?

– Non, bien sûr que non.

– Vous qui occupez un poste important, jouissez-vous de tant de loisirs pour vous distraire ?

Le diplomate évita le regard de Khâ.

– Je suis très occupé, car la politique internationale de l'Égypte exige de grandes compétences.

– N'est-ce pas mon père qui prend les décisions ?

– Certes, mais mes collègues et moi-même travaillons avec acharnement pour lui faciliter la tâche.

– J'aimerais connaître le détail de votre travail.

– C'est fort complexe, et je ne sais pas si...

– Je m'efforcerai de comprendre.

L'arrivée de la petite sœur de Khâ, Méritamon, fraîche et virevoltante, soulagea le diplomate.

– Tu joues avec mon frère ? demanda la fillette.

– Non, j'étais venu lui apporter un cadeau.

Intéressé, Khâ leva la tête.

– De quoi s'agit-il ?

– De ce porte-pinceaux, prince.

Méba exhiba une jolie colonne miniature en bois dorée ; évidée, elle contenait douze pinceaux de taille différente.

– C'est... c'est très beau ! constata le prince, qui posa sur un tabouret le pinceau usé dont il se servait.

– Je peux voir ? interrogea Méritamon.

– Tu dois être précautionneuse, dit Khâ avec gravité ; ces objets sont fragiles.

– Tu me laisseras écrire ?

– À la condition que tu sois très attentive, et que tu t'appliques à éviter les erreurs.

Khâ donna à sa sœur un morceau de papyrus usagé et un nouveau pinceau dont elle trempa l'extrémité dans l'encre. Vigilant, le prince regarda la fillette tracer les hiéroglyphes avec soin.

Pris par leur tâche, les deux enfants oublièrent la présence de Méba. C'était un moment comme celui-là que le diplomate attendait.

Il déroba le pinceau usé de Khâ et s'éclipsa.

12

Toute la nuit, Iset la belle avait rêvé de la hutte de roseaux où, pour la première fois, elle avait fait l'amour avec Ramsès. Ils y avaient caché leur passion, sans songer à l'avenir, goûtant l'instant avec la gourmandise de leur désir.

Jamais Iset n'avait souhaité devenir reine d'Égypte ; la fonction la dépassait, seule Néfertari était capable de l'occuper. Mais comment oublier Ramsès, comment oublier l'amour qui continuait d'embraser son cœur ? Pendant qu'il livrait bataille, elle mourait d'angoisse. Son esprit se dérobait, elle n'avait plus envie de se maquiller, s'engonçait dans n'importe quelle robe, ne se chaussait pas.

À peine était-il revenu que ce trouble avait disparu. Et la beauté retrouvée d'Iset aurait séduit l'homme le plus blasé s'il l'avait aperçue, tremblante et inquiète, dans le couloir du palais qui menait du bureau de Ramsès à ses appartements privés. Lorsqu'il prendrait ce chemin, elle oserait l'aborder... Non, elle avait envie de s'enfuir.

Si elle importunait Ramsès, il la renverrait en province, elle serait condamnée à ne plus le voir. Existait-il châtiment plus insupportable ?

Quand le roi apparut, les jambes d'Iset vacillèrent. Elle n'eut pas la force de disparaître et ne parvint pas à détacher son regard de Ramsès, dont la puissance et la prestance étaient celles d'un dieu.

– Que fais-tu là, Iset ?

– Je voulais te dire... Je t'ai donné un autre fils.

– Sa nourrice me l'a présenté : Mérenptah est superbe.

– J'aurai autant d'affection pour lui que pour Khâ.

– J'en suis persuadé.

– Pour toi, je resterai l'arpent de terre que tu cultiveras, la pièce d'eau où tu te baigneras... Désires-tu d'autres fils, Ramsès ?

– L'institution des enfants royaux y pourvoira.

– Demande-moi ce que tu souhaites... Mon âme et mon corps t'appartiennent.

– Tu te trompes, Iset ; nul être humain ne peut être propriétaire d'un autre être humain.

– Pourtant, je suis tienne, et tu peux me prendre dans le creux de ta main comme une oiselle tombée du nid. Privée de ta chaleur, je m'étiolerais.

– J'aime Néfertari, Iset.

– Néfertari est une reine, je ne suis qu'une femme ; ne pourrais-tu m'aimer d'un autre amour ?

– Avec elle, je bâtis un monde. Seule la grande épouse royale partage ce secret.

– Me permets-tu... de rester dans ce palais ?

La voix d'Iset la belle s'était presque éteinte ; de la réponse de Ramsès dépendait son avenir.

– Tu y élèveras Khâ, Mérenptah et ma fille Méritamon.

Le Crétois appartenant au corps de mercenaires dirigés par Serramanna enquêtait dans les villages de Moyenne-Égypte proches de la cité abandonnée d'Akhénaton, le pharaon hérétique. Ancien pirate, comme son patron, il s'habituait à la vie égyptienne et aux avantages matériels qu'elle procurait. Bien que la mer lui manquât, il se consolait en parcourant le Nil sur de petits bateaux rapides et s'amusait à déjouer les pièges du fleuve aux réactions subites et imprévisibles. Même un marin expérimenté devait se montrer humble face au courant, aux bancs de sable dissimulés sous une mince couche d'eau et aux troupeaux d'hippopotames colériques.

Le Crétois avait montré le portrait de la jeune blonde assassinée à des centaines de villageois, sans succès. À dire vrai, il remplissait sa mission sans enthousiasme, persuadé que la victime était originaire de Pi-Ramsès ou de Memphis ; Serramanna avait envoyé ses émissaires dans toutes les provinces, avec l'espoir que l'un d'eux recueillerait un indice essentiel, mais la chance ne souriait pas au Crétois. Il n'avait hérité que d'une campagne paisible, vivant au rythme des saisons ; ce n'était pas lui qui toucherait la prime promise par le géant sarde, mais il effectuait néanmoins sa tâche avec minutie, ravi de passer de nombreuses heures dans de chaleureuses auberges. Encore deux ou trois jours d'investigation, et il rentrerait à Pi-Ramsès, bredouille mais enchanté de son séjour.

Installé à une bonne table, le Crétois observa la jeune fille qui servait des bières. Rieuse et délurée, elle provoquait volontiers les clients. L'ex-pirate décida de tenter sa chance.

Il l'agrippa par la manche de sa tunique.

– Tu me plais, petite.

– Tu es qui, toi ?

– Un homme.

Elle éclata de rire.

– Tous aussi vaniteux !

– Moi, je peux le prouver.

– Ah oui... Et comment ?

– À ma manière.

– Vous dites tous la même chose.

– Moi, j'agis.

La serveuse passa un doigt sur ses lèvres.

– Méfie-toi, je n'aime pas les vantards et je suis gourmande...

– Ça tombe bien : c'est mon défaut majeur.

– Tu me ferais presque rêver, l'homme.

– Si nous passions aux actes ?

– Pour qui me prends-tu ?

– Pour ce que tu es : une jolie fille qui a envie de faire l'amour avec un homme entreprenant.

– Où es-tu né ?

– Dans l'île de Crète.

– Es-tu... honnête ?

– En amour, je donne autant que je prends.

Ils se retrouvèrent dans une grange, au milieu de la nuit. Ni lui ni elle n'appréciaient les préliminaires ; aussi se jetèrent-ils l'un sur l'autre avec une fougue qui ne s'apaisa qu'après plusieurs assauts. Enfin rassasiés, ils demeurèrent couchés côte à côte.

– Tu me fais songer à quelqu'un, dit-il ; ton visage m'évoque celui d'une personne que j'aimerais bien retrouver.

– Qui ça ?

Le Crétois montra à la serveuse le portrait de la jeune blonde.

– Je la connais, dit la serveuse.

– Habite-t-elle dans le coin ?

– Elle logeait dans le petit village, en bordure de la cité abandonnée, près du désert. Je l'ai croisée sur le marché, il y a de nombreux mois.

– Son nom ?

– Je l'ignore. Je ne lui ai pas parlé.

– Vivait-elle seule ?

– Non, il y avait un vieux bonhomme avec elle, une sorte de sorcier qui croyait encore aux mensonges du pharaon maudit. Personne ne s'en approchait.

Contrairement aux autres villages de la région, celui-là n'était guère pimpant. Maisons pouilleuses, façades lézardées, peintures craquelées, jardinets à l'abandon... Qui pouvait avoir envie de résider ici ? Le Crétois s'aventura dans la rue principale, souillée d'immondices que mastiquaient des chèvres.

Un volet de bois claqua.

Une fillette détala, serrant dans ses bras une poupée de chiffons. L'enfant trébucha, le Crétois la saisit par le poignet.

– Où habite le sorcier ?

La fillette se débattit.

– Si tu ne réponds pas, je prends ton jouet.

Elle désigna une maison basse, aux fenêtres munies de barreaux de bois et à la porte close. Lâchant la fillette, le Crétois courut en direction de la pauvre demeure et enfonça la porte d'un coup d'épaule.

Une pièce carrée, au sol de terre battue, plongée dans la pénombre. Sur un lit de palmes, un vieillard agonisait.

– Police, révéla le Crétois ; vous n'avez rien à craindre.

– Que... que voulez-vous ?

– Dites-moi qui est cette jeune femme.

L'homme de Serramanna montra le portrait au vieillard.

– Lita... c'est ma petite Lita... Elle croyait qu'elle appartenait à la famille de l'hérétique... Et il l'a emmenée.

– De qui parlez-vous ?

– D'un étranger... D'un mage étranger qui a volé l'âme de Lita.

– Comment s'appelle-t-il ?

– Il est revenu... Il se cache dans les tombes... Dans les tombes, j'en suis sûr.

La tête du vieillard roula sur le côté. Il respirait encore, mais était incapable de parler.

Le Crétois eut peur.

Les bouches sombres des tombes abandonnées ressemblaient à des gueules d'enfer. Pour les adopter comme refuge, ne fallait-il pas être de la nature des démons ? Le vieillard lui avait peut-être menti, mais il se devait d'explorer cette piste. Avec un peu de chance, il mettrait la main sur l'assassin de Lita, le ramènerait à Pi-Ramsès et toucherait la prime.

Malgré ces agréables perspectives, le Crétois se sentait mal à l'aise. Il eût préféré se battre à l'air libre, affronter plusieurs pirates sur la mer, distribuer des coups à ciel ouvert... Pénétrer dans ces sépulcres le rebutait, mais il ne recula pas.

Après avoir grimpé une pente raide, il s'aventura dans une première tombe, assez haute de plafond, et dont les murs étaient décorés de personnages qui rendaient hommage à Akhénaton et à Néfertiti. À pas comptés, le policier progressa jusqu'au fond du caveau mais ne découvrit ni momie ni trace de présence humaine. Aucun démon ne l'agressa.

Rassuré, le Crétois explora une deuxième tombe, aussi décevante que la première. La roche, de mauvaise qualité, s'effritait ; les scènes sculptées ici ne traverseraient sûrement pas les siècles. Dérangées, des chauves-souris s'éparpillèrent.

Le vieillard qui l'avait renseigné devait sans doute délirer. Pourtant, l'envoyé de Serramanna décida de visiter encore deux ou trois grands sépulcres avant de quitter ce site abandonné.

Ici, tout était mort et bien mort.

Après avoir longé la falaise qui dominait la plaine où avait été édifiée la Cité du Soleil, il pénétra dans la tombe de Mérirê, grand prêtre d'Aton. Les reliefs en étaient soignés ; le Crétois admira la représentation du couple royal illuminé par les rayons du soleil.

Derrière lui, un léger bruit de pas.

Avant que le policier ait eu le temps de se retourner, le mage Ofir lui trancha la gorge.

13

Méba avait fermé les yeux. Quand il les rouvrit, le cadavre du Crétois gisait sur le sol.

– Vous n'aviez pas le droit, Ofir, vous n'aviez pas le droit...

– Cessez de gémir, Méba.

– Vous venez de tuer un homme !

– Et vous avez été le témoin d'un meurtre.

Le regard d'Ofir était si menaçant que le diplomate recula et s'enfonça dans les profondeurs du tombeau. Il voulait échapper à ces yeux d'une invraisemblable cruauté qui le poursuivaient jusque dans les ténèbres.

– Je connais ce fouineur, constata Chénar. C'est l'un des mercenaires que paie Serramanna pour protéger Ramsès.

– Un policier lancé sur nos traces... Le Sarde a dû s'interroger sur l'identité de Lita et tente d'obtenir des renseignements. La présence de ce limier prouve qu'une vaste opération de recherches a été lancée.

– Nous ne sommes plus en sécurité dans cette cité maudite, conclut Chénar.

– Ne soyons pas si pessimistes ; ce curieux ne parlera plus.

– Il a quand même réussi à remonter jusqu'à nous... Serramanna fera de même.

– Un seul bavard a pu révéler notre cachette : le tuteur

de Lita, celui que les villageois considèrent comme un sorcier. Ce vieil imbécile est mourant, mais il a encore eu la force de nous trahir. Dès ce soir, je m'occuperai de lui.

Méba se crut obligé d'intervenir.

– Vous n'allez pas commettre un nouveau meurtre !

– Sortez de la pénombre, ordonna Ofir.

Méba hésita.

– Hâtez-vous.

Le diplomate avança. Un tic lui déformait les lèvres.

– Ne me touchez pas, Ofir !

– Vous êtes notre allié et mon subordonné, ne l'oubliez pas.

– Certes, mais ces meurtres...

– Nous ne sommes pas dans les confortables locaux de votre ministère. Vous appartenez à un réseau d'espionnage qui a pour mission de s'opposer à la puissance de Ramsès, voire de la détruire, et de permettre aux Hittites de conquérir l'Égypte. Croyez-vous que quelques simagrées diplomatiques suffiront ? Un jour, vous aussi serez obligé de supprimer un adversaire qui menacera votre sécurité.

– Je suis un haut fonctionnaire et je...

– Vous êtes complice de l'assassinat de ce policier, Méba, que cela vous plaise ou non.

De nouveau, le regard du diplomate se porta sur le cadavre du Crétois.

– Je ne pensais pas qu'il fallait en arriver là.

– À présent, vous le savez.

– Nous avons été interrompus par ce fouineur, rappela Chénar ; as-tu réussi, Méba ?

– C'est la raison pour laquelle j'ai pris le risque de revenir dans cette cité maudite ! Oui, j'ai réussi.

La voix du mage se fit douce et charmeuse.

– Beau travail, ami. Nous sommes fiers de vous.

– Je tiens mes engagements, n'oubliez pas les vôtres.

– Le futur pouvoir ne vous oubliera pas, Méba. Montrez-nous le trésor que vous avez dérobé.

Le diplomate exhiba le pinceau de Khâ.

– Le prince s'en est servi pour écrire.

– Excellent, apprécia Ofir, vraiment excellent.

– Que comptez-vous en faire ?

– Grâce à cet objet, capter l'énergie de Khâ et la retourner contre lui.

– Vous n'avez tout de même pas l'intention de...

– Le fils aîné de Ramsès fait partie de nos adversaires directs. Toute épreuve qui affaiblira le couple royal est bonne pour notre cause.

– Khâ est un enfant !

– Il est le fils aîné du pharaon.

– Non, Ofir, pas un enfant...

– Vous avez choisi votre camp, Méba. Trop tard pour reculer.

Le mage tendit la main.

– Donnez-moi cet objet.

Les hésitations du diplomate amusèrent Chénar. Il détestait tant ce pleutre qu'il était prêt à l'étrangler de ses propres mains.

Lentement, Méba remit le pinceau à Ofir.

– Est-il vraiment nécessaire de s'en prendre à ce jeune garçon ?

– Retournez à Pi-Ramsès, ordonna le mage, et ne revenez plus ici.

– Séjournerez-vous encore longtemps dans cette tombe ?

– Le temps nécessaire pour pratiquer l'envoûtement.

– Et ensuite ?

– Ne soyez pas trop curieux, Méba ; c'est moi qui vous contacterai.

– Dans la capitale, ma position risque de devenir intenable.

– Gardez votre sang-froid et tout ira bien.

– Comment devrai-je me comporter ?

– Faites votre travail habituel, mes instructions viendront à leur heure.

Le diplomate fit mine de sortir du tombeau, puis revint sur ses pas.

– Réfléchissez, Ofir. Si l'on touche à son fils, Ramsès sera furieux et...

– Partez, Méba.

De l'entrée du sépulcre, Ofir et Chénar regardèrent leur complice descendre la pente et monter sur son cheval, dissimulé derrière une villa en ruine.

– Ce lâche n'est pas sûr, estima Chénar ; il ressemble à un rat affolé qui cherche en vain la sortie de sa prison. Pourquoi ne pas l'éliminer tout de suite ?

– Tant que Méba occupera une position officielle, il nous sera utile.

– Et s'il lui venait l'idée de révéler l'emplacement de notre cachette ?

– Supposiez-vous que j'avais omis de me poser cette question ?

Depuis le retour de Ramsès, Néfertari n'avait connu que de rares moments d'intimité avec son époux. Améni, le vizir, les ministres et les grands prêtres avaient fait le siège du bureau du souverain, et la reine elle-même continuait à répondre aux suppliques des scribes, des chefs d'ateliers, des collecteurs d'impôts et d'autres fonctionnaires appartenant à sa Maison.

Souvent, elle regrettait de ne pas être devenue musicienne au service d'un temple ; là, elle aurait vécu dans la sérénité, à l'écart de l'agitation du quotidien ; mais la reine d'Égypte n'avait plus droit à ce refuge-là et devait remplir sa fonction, sans se soucier de la fatigue et du fardeau des épreuves.

Grâce à l'aide constante de Touya, Néfertari avait appris l'art de gouverner. Pendant sept années de règne, Ramsès avait passé de nombreux mois à l'étranger et sur les champs de bataille; la jeune reine avait dû puiser en elle-même des ressources insoupçonnées afin de supporter le poids de la couronne et de célébrer les rites qui maintenaient le lien indispensable entre la fraternité des divinités et la communauté des humains.

Qu'elle n'eût point le loisir de songer à elle-même ne déplaisait pas à Néfertari; la journée comportait davantage de tâches que d'heures, et c'était bien ainsi. Certes, Khâ et Méritamon étaient souvent loin d'elle, et elle perdait ces moments irremplaçables qui voyaient s'épanouir la conscience d'un enfant. Quoique Khâ et Mérenptah fussent les fils de Ramsès et d'Iset la belle, elle les aimait autant que sa propre fille, Méritamon. Ramsès avait eu raison de demander à Iset de veiller sur l'éducation des trois enfants. Entre les deux femmes, il n'y avait ni rivalité ni inimitié; ne pouvant plus être mère, Néfertari avait elle-même prié Ramsès de s'unir à Iset la belle pour que cette dernière lui offrît des descendants parmi lesquels il choisirait peut-être son successeur. Après la naissance de Mérenptah, Ramsès avait décidé de s'éloigner d'Iset et d'adopter un nombre illimité d' « enfants royaux » qui proclameraient la fécondité du couple royal.

L'amour que la reine éprouvait pour Ramsès allait bien au-delà de l'union des corps et des plaisirs; ce n'était pas seulement l'homme qui l'avait séduite, mais surtout son rayonnement. Ils formaient un seul être, et elle avait la certitude qu'ils communiaient à chaque instant, même éloignés.

Lasse, la reine se livra aux mains expertes de sa manucure et de sa pédicure; au terme d'une longue journée de travail, elle s'abandonnait à cette exigence de beauté qui devait la faire apparaître sereine en toutes occasions, quels que fussent ses soucis.

Vint le moment exquis de la douche : deux servantes versèrent sur le corps nu de la reine de l'eau chaude et parfumée. Puis elle s'étendit sur des dalles tièdes; ce fut alors le début d'un long massage avec une pommade à base d'encens, de térébinthe, d'huile et de citron qui effacerait tensions et contractures avant le sommeil.

Néfertari songea aux imperfections dont elle était responsable, aux erreurs qu'elle avait commises, à ses emportements inutiles ; le chemin juste consistait à agir pour qui agissait, car l'acte juste enrichissait la règle de Maât et sauvegardait le pays du chaos.

Soudain, la main qui massait la reine changea de rythme et devint plus caressante.

– Ramsès...

– M'autorises-tu à remplacer ta servante ?

– Je dois réfléchir.

Elle se retourna, très lentement, et découvrit son regard amoureux.

– N'avais-tu pas une interminable réunion avec Améni et les administrateurs des greniers ?

– Cette soirée et cette nuit nous appartiennent.

Elle dénoua le pagne de Ramsès.

– Quel est ton secret, Néfertari ? Parfois, je me prends à penser que ta beauté n'est pas de ce monde.

– Notre amour l'est-il ?

Ils s'enlacèrent sur les dalles tièdes, leurs parfums se mêlèrent, leurs lèvres s'unirent, puis le désir les emporta sur ses vagues.

Ramsès enveloppa Néfertari d'un grand châle ; déployé, il représentait les ailes de la déesse Isis, sans cesse en mouvement pour donner le souffle de vie.

– Quelle splendeur !

– Un nouveau chef-d'œuvre des tisserandes de Saïs, afin que tu n'aies plus jamais froid.

Elle se blottit contre le roi.

– Fassent les dieux que nous ne nous quittions plus.

14

Éclairé par trois grandes fenêtres a claustra, le bureau de Ramsès était aussi dépouillé que l'avait été celui de son père, Séthi : murs blancs sans décor, une grande table, un fauteuil à dossier droit pour le monarque, des chaises paillées pour ses visiteurs, une armoire à papyrus contenant des écrits magiques destinés à protéger la personne royale, une carte du Proche-Orient et une statue du pharaon défunt dont le regard d'éternité veillait sur le travail de son fils.

Près du matériel d'écriture du roi, deux branches d'acacia reliées, à leur extrémité, par un fil de lin très serré : la baguette de sourcier de Séthi, dont Ramsès s'était déjà servi.

– Quand aura lieu le procès ? demanda le monarque à Améni.

– Dans une quinzaine de jours.

Le scribe au teint pâle était, comme d'ordinaire, encombré d'une grande quantité de papyrus et de tablettes inscrites. Malgré la faiblesse de son dos, il tenait à porter lui-même les documents confidentiels.

– As-tu prévenu Moïse ?

– Bien entendu.

– Et quelle a été sa réaction ?

– Il paraît serein.

– Lui as-tu dit que nous détenions la preuve de son innocence ?

– Je lui ai fait comprendre que son cas n'était pas désespéré.

– Pourquoi tant de précautions ?

– Parce que ni toi ni moi ne connaissons l'issue du jugement.

– La légitime défense n'est pas condamnable !

– Moïse a tué un homme et, qui plus est, le mari de ta sœur Dolente.

– J'interviendrai pour dire ce que je pense de ce misérable.

– Non, Majesté, tu ne peux intervenir d'aucune manière. Puisqu'il assure la présence de Maât sur terre et la sérénité de la justice, le pharaon ne doit pas s'immiscer dans une procédure judiciaire.

– Crois-tu que je l'ignore ?

– Serais-je ton ami, si je ne t'aidais pas à lutter contre toi-même ?

– La tâche est rude, Améni !

– Je suis têtu et obstiné.

– Moïse n'est-il pas revenu de lui-même en Égypte ?

– Cela n'efface ni sa faute ni son geste.

– Prendrais-tu fait et cause contre lui ?

– Moïse est aussi mon ami ; c'est moi qui présenterai la preuve à décharge. Mais convaincra-t-elle le vizir et les juges ?

– Moïse était très apprécié, à la cour ; chacun comprendra l'enchaînement de circonstances qui l'a conduit à tuer Sary.

– Espérons-le, Majesté.

En dépit d'une nuit agréable en compagnie de deux Syriennes très coopératives, Serramanna était de méchante humeur. Aussi, avant le petit déjeuner que les Égyptiens appelaient « le rinçage de la bouche », chassa-t-il les deux donzelles.

Malgré ses efforts, la jeune blonde assassinée n'avait toujours pas été identifiée.

Le Sarde avait cru que, grâce au portrait de la victime, ses enquêteurs trouveraient rapidement la bonne piste. Mais ni à Pi-Ramsès, ni à Memphis, ni à Thèbes, on ne connaissait la blonde. Une seule conclusion possible : elle avait été séquestrée avec la plus grande rigueur.

Un témoin devait en savoir long : Dolente, la sœur de Ramsès. Hélas ! Serramanna ne pouvait l'interroger comme il le souhaitait. En faisant amende honorable et en jurant fidélité au couple royal, l'hypocrite Dolente avait regagné, au moins partiellement, sa confiance.

Horripilé, le Sarde consulta les rapports que ses émissaires avaient rédigés à leur retour de province. Éléphantine, El-Kab, Edfou, les villes du Delta... Rien. Un détail le surprit, lorsqu'il vérifia la liste de ses ordres de mission : un Crétois n'avait pas communiqué le compte rendu de ses investigations. Pourtant, cet ancien pirate était âpre au gain et il connaissait la pénalité infligée en cas d'indiscipline.

Négligeant de se raser, vêtu à la hâte, Serramanna se rendit chez Améni. Les vingt fonctionnaires d'élite qui composaient son équipe administrative n'étaient pas encore à leur poste, mais le secrétaire particulier et porte-sandales de Ramsès classait déjà des papyrus après avoir dégusté une bouillie d'orge, des figues et du poisson séché. Malgré la quantité de nourriture qu'il absorbait, Améni ne grossissait pas.

– Un problème, Serramanna ?

– Un rapport manquant.

– Est-ce si inquiétant ?

– De la part du Crétois, oui. C'est un maniaque de l'exactitude.

– Où l'avais-tu envoyé, celui-là ?

– En Moyenne-Égypte, dans la province d'el-Bersheh. Plus précisément, non loin de la cité abandonnée d'Akhénaton.

– Un coin perdu.

– À ton école, je suis devenu consciencieux.

Améni sourit. Les deux hommes n'avaient pas toujours été amis mais, depuis leur réconciliation, ils éprouvaient une réelle estime l'un pour l'autre.

– Peut-être s'agit-il d'un simple retard.

– Le Crétois devrait être de retour depuis plus d'une semaine.

– Franchement, l'incident me paraît mineur.

– Mon instinct m'assure au contraire qu'il est grave.

– Pourquoi m'en parler ? Tu disposes des pouvoirs nécessaires pour éclaircir ce mystère.

– Parce que rien ne va, Améni, rien du tout.

– Explique-toi.

– Le mage qui a disparu, le cadavre introuvable de Chénar, cette fille blonde qu'on ne parvient pas à identifier... Je suis inquiet.

– Ramsès règne et contrôle la situation.

– Nous ne sommes pas en paix, que je sache, et les Hittites n'ont pas renoncé à détruire l'Égypte !

– Tu penses donc que le réseau d'espionnage hittite n'a pas été complètement démantelé.

– Le calme avant la tempête... voilà ce que je ressens. Et mon instinct m'a rarement trompé.

– Que proposes-tu ?

– Je pars pour cette cité perdue, je veux savoir ce qu'est devenu le Crétois. Jusqu'à mon retour, veille sur Pharaon.

Dolente, la sœur aînée de Ramsès, était en proie au doute. La grande femme brune avait repris son existence d'aristocrate oisive et fortunée, allant de banquet en banquet, de réception en réception, de mondanité en mondanité. Elle échangeait des propos futiles avec des élégantes sans cervelle, tandis que d'insupportables vieux beaux et de jeunes séducteurs, aux discours aussi vides que leurs pensées, lui faisaient la cour.

Depuis son adhésion au culte d'Aton, le dieu unique, Dolente avait une obsession : favoriser l'éclosion de la vérité, la faire enfin rayonner sur la terre d'Égypte en chassant les faux dieux et ceux qui leur rendaient un culte. Mais Dolente ne rencontrait que des êtres aveuglés et heureux de leur condition.

Privée de la présence et des conseils d'Ofir, elle ressemblait à une naufragée dans la tempête. Semaine après semaine, son courage diminuait. Comment préserver une croyance que rien ni personne ne nourrissait ? Dolente désespérait d'un avenir qui lui semblait mort.

Sa femme de chambre, une brunette aux yeux piquants, changea les draps du lit et balaya la pièce.

– Seriez-vous souffrante, princesse ?

– Qui pourrait envier mon sort ?

– Des belles robes, des promenades dans des jardins de rêve, des rencontres avec des hommes merveilleux... Moi, je vous envie un peu.

– Serais-tu malheureuse ?

– Oh non ! J'ai un gentil mari, deux enfants en bonne santé, et nous gagnons bien notre vie. Bientôt, mon mari finira de construire notre nouvelle maison.

Dolente osa poser la question qui la hantait.

– Et Dieu... Y songes-tu, parfois ?

– Dieu est partout, princesse : il suffit de vénérer les dieux et de regarder la nature.

Dolente n'insista pas. Ofir avait raison : il fallait imposer la vraie religion par la force et ne pas attendre la conversion du peuple. Soumis au dogme, il renierait ses erreurs passées.

– Princesse... Savez-vous ce qu'on dit ?

Les yeux piquants de la femme de chambre étaient emplis d'un désir impérieux de bavarder. Dolente recueillerait peut-être une information intéressante.

– On murmure que vous avez l'intention de vous remarier et que de nombreux soupirants se disputent cet honneur.

– On raconte n'importe quoi.

– Dommage... Vous avez porté le deuil assez longtemps. À mon avis, il n'est pas bon qu'une femme de votre qualité souffre ainsi de la solitude.

– Cette existence me convient.

– Vous paraissez si triste, parfois... C'est normal, notez bien. Vous devez penser à votre mari. Le malheureux, mort assassiné ! Comment Osiris et son tribunal auront-ils jugé son âme ? Sauf votre respect, princesse, on murmure que votre époux ne s'est pas toujours comporté de manière honnête.

– C'est la triste vérité.

– Alors, pourquoi vous enfermer dans de mauvais souvenirs ?

– Un nouveau mariage ne me tente pas.

– Le bonheur reviendra, princesse ! Surtout si l'assassin de votre mari est condamné.

– Qu'en sais-tu ?

– Moïse va être jugé.

– Moïse... Mais il est en fuite !

– C'est encore un secret, mais mon mari est un ami du gardien chef de la grande prison : l'Hébreu y est enfermé. Il sera sûrement condamné à mort.

– Peut-on le voir ?

– Non, il est au secret, à cause de la gravité des accusations portées contre lui. On vous convoquera sûrement au procès et vous aurez l'occasion de vous venger.

Moïse, de retour ! Moïse, lui qui croyait au dieu unique ! Ne s'agissait-il pas d'un signe destiné à Dolente ?

15

Le procès de Moïse se tint dans la grande salle de justice sous la présidence du vizir, serviteur de Maât. Vêtu d'une lourde robe empesée, il portait comme unique bijou un cœur, symbole de la conscience de l'être humain qui, lors de l'épreuve de la mort, serait jugé sur la balance de l'au-delà.

Avant l'ouverture de l'audience, le vizir avait rencontré Ramsès dans le temple de Ptah pour lui renouveler le serment prêté lors de son investiture : il respecterait la déesse de la justice et n'accorderait de faveur à personne. Se gardant de lui donner un quelconque conseil, le roi s'était contenté de prendre acte de son engagement.

La grande salle était pleine.

Pas un membre de la cour ne voulait manquer l'événement.

On remarquait la présence de quelques chefs de tribus hébreux. Les avis étaient contrastés : les uns demeuraient persuadés de la culpabilité de Moïse, les autres s'attendaient à des révélations qui justifieraient le retour du criminel. Chacun connaissait la forte personnalité de Moïse, et personne n'imaginait que la naïveté eût été la cause de son comportement.

Le vizir ouvrit l'audience en célébrant Maât, la Règle qui survivrait à l'espèce humaine. Il fit déposer sur le dallage quarante-deux lamelles de cuir rappelant que le jugement serait applicable dans les quarante-deux provinces d'Égypte.

Deux soldats amenèrent Moïse. Tous les regards convergèrent vers l'Hébreu. Le visage buriné, barbu, d'une stature impressionnante, l'ex-dignitaire de Ramsès affichait un calme surprenant. Les soldats lui désignèrent sa place face au vizir.

De part et d'autre du ministre de la Justice, le jury de quatorze membres comprenait un arpenteur, une prêtresse de la déesse Sekhmet, un médecin, un charpentier, une mère de famille, un paysan, un scribe du Trésor, une dame de la cour, un maître d'œuvre, une tisserande, le général de l'armée de Râ, un tailleur de pierre, un scribe des greniers et un marin.

– Votre nom est-il bien Moïse ?

– En effet.

– Récusez-vous l'un des membres de ce jury ? Regardez-les et prenez le temps de la réflexion.

– J'ai confiance en la justice de ce pays.

– Ce pays n'est-il pas le vôtre ?

– J'y suis né, mais je suis hébreu.

– Vous êtes égyptien et serez jugé comme tel.

– La procédure et le verdict seraient-ils différents, si j'étais étranger ?

– Certes non.

– Quelle importance, en ce cas ?

– À cette cour d'apprécier. Auriez-vous honte d'être égyptien ?

– À cette cour d'apprécier, comme vous venez de le dire.

– Vous êtes accusé d'avoir tué un contremaître nommé Sary, puis de vous être enfui. Reconnaissez-vous les faits ?

– Je les reconnais, mais ils nécessitent des explications.

– C'est l'objet de ce procès. Estimez-vous inexacts les termes de l'accusation ?

– Non.

– Vous comprendrez donc que, conformément à la loi, je doive requérir contre vous la peine de mort.

Des murmures parcoururent l'assistance ; Moïse resta impassible, comme si ces paroles terrifiantes ne le concernaient pas.

– Étant donné la gravité des faits, précisa le vizir, je ne fixe aucune limite à la durée de ce procès. L'accusé aura tout le temps nécessaire pour se défendre et expliquer les raisons de son geste criminel. J'exige un silence absolu et interromprai les débats au moindre désordre ; les fautifs seront punis d'une lourde amende.

Le magistrat s'adressa à Moïse.

– À l'époque du drame, quelle position occupiez-vous ?

– Dignitaire à la cour d'Égypte et maître d'œuvre sur le chantier de Pi-Ramsès. J'ai notamment dirigé les équipes de briquetiers hébreux.

– D'après mon dossier, à la satisfaction générale. Vous étiez l'ami du pharaon, n'est-ce pas ?

– Exact.

– Études à l'université de Memphis, premier poste officiel au harem de Mer-Our, contremaître à Karnak, maître d'œuvre à Pi-Ramsès... Une brillante carrière qui ne faisait que commencer. La victime, Sary, a suivi le chemin inverse. Lui qui avait été le nourricier de Ramsès espérait devenir le directeur de l'université de Memphis, mais il avait été contraint à une occupation subalterne. Étiez-vous informé des raisons de cette déchéance ?

– J'avais mon opinion.

– Peut-on la connaître ?

– Sary était un être ignoble, ambitieux et avide. Par ma main, c'est le destin qui l'a frappé.

Améni demanda la parole au vizir.

– Je peux apporter des précisions : Sary a comploté contre Ramsès. Parce qu'il était le mari de sa sœur Dolente, le roi s'est montré clément.

Nombre de courtisans parurent surpris.

– Que la princesse Dolente comparaisse devant ce tribunal, ordonna le vizir.

La grande femme brune avança, hésitante.

– Approuvez-vous les propos de Moïse et d'Améni ?

Dolente baissa la tête.

– Ils sont mesurés, beaucoup trop mesurés... Mon mari était devenu un monstre. Quand il a compris que sa carrière était définitivement brisée, il a nourri une haine de plus en plus vive contre ses subordonnés, au point de se montrer à leur égard d'une cruauté intolérable. Pendant les derniers mois de son existence, il persécutait l'équipe de briquetiers hébreux dont il avait la responsabilité. Si Moïse ne l'avait pas tué, quelqu'un d'autre l'aurait fait.

Le vizir sembla intrigué.

– Vos propos ne sont-ils pas excessifs ?

– Je vous jure que non ! À cause de mon mari, mon existence était un supplice.

– Sa disparition vous aurait-elle réjouie ?

Dolente baissa davantage la tête.

– Je... j'étais comme soulagée et j'avais honte de moi... Mais comment regretter un tel tyran ?

– Avez-vous d'autres précisions à apporter, princesse ?

– Non... vraiment non.

Dolente retourna s'asseoir parmi les courtisans.

– Quelqu'un désire-t-il défendre la mémoire de Sary et contredire la version de son épouse ?

Aucune voix ne s'éleva. Le scribe chargé d'enregistrer les dépositions les notait d'une écriture fine et rapide.

– Quelle est votre version du drame ? demanda le vizir à Moïse.

– Ce fut une sorte d'accident. Bien que mes relations avec Sary fussent tendues, je n'avais pas l'intention de le tuer.

– Pourquoi cette animosité ?

– Parce que j'avais découvert que Sary était un maître chanteur et qu'il persécutait les briquetiers hébreux. C'est en voulant défendre l'un d'eux que j'ai tué Sary, sans le vouloir, pour sauver ma propre existence.

– Vous affirmez donc avoir agi en état de légitime défense.

– Telle est la vérité.

– Pourquoi vous être enfui ?

– J'ai cédé à la panique.

– Étrange, pour un innocent.

– Tuer un homme provoque un choc profond. Sur le moment, on perd la tête et l'on réagit comme si l'on était ivre. Ensuite, on prend conscience d'avoir commis un acte horrible et l'on n'a qu'une envie : se fuir soi-même, disparaître, oublier et être oublié. C'est pourquoi je me suis caché dans le désert.

– L'émotion passée, vous auriez dû rentrer en Égypte et vous présenter devant un tribunal.

– J'ai pris femme et nous avons eu un fils. L'Égypte me semblait loin, très loin.

– Pourquoi êtes-vous revenu ?

– J'ai une mission à accomplir.

– Laquelle ?

– Aujourd'hui, c'est encore mon secret, sans rapport avec ce procès ; demain, chacun saura.

Les réponses de Moïse irritèrent le vizir.

– Votre version des faits n'est guère convaincante, votre comportement ne plaide pas en votre faveur et vos explications sont plutôt embrouillées. Je crois que vous avez assassiné Sary avec préméditation parce qu'il se comportait de manière inique envers les Hébreux. Vos motivations sont compréhensibles, mais il s'agit bien d'un crime. De retour à Pi-Ramsès, vous avez continué à vous cacher ! N'est-ce pas l'aveu de votre culpabilité ? Un homme qui a sa conscience pour lui n'agit pas de la sorte.

Améni estima qu'il était temps de frapper le coup décisif.

– Je possède la preuve de l'innocence de Moïse.

Le ton du magistrat se fit sévère.

– Si vous n'apportez pas d'éléments sérieux, je vous inculpe d'outrage à la justice.

– Le briquetier hébreu dont Moïse a pris la défense s'appelait Abner ; Sary le faisait chanter. Abner s'est plaint à Moïse, Sary a voulu se venger d'Abner en le molestant, Moïse est arrivé à temps et a empêché Sary de maltraiter sa victime. Mais la rixe a mal tourné et Moïse a tué Sary sans nulle préméditation et en légitime défense. Abner fut témoin des faits, et son témoignage a été recueilli dans les règles. Il est à votre disposition.

Améni donna le document au vizir.

Ce dernier constata que le papyrus portait bien le sceau d'un juge. Il le brisa, vérifia la date et lut le texte.

Moïse n'osa pas manifester sa joie, mais échangea un regard complice avec Améni.

– Ce document est authentique et recevable, conclut le vizir.

Le procès était terminé, Moïse lavé de l'accusation. Le jury prononcerait un acquittement.

– Avant la délibération, reprit le haut magistrat, j'aimerais néanmoins procéder à une ultime vérification.

Améni fronça les sourcils.

– Que cet Abner comparaisse devant nous, exigea le vizir, et qu'il confirme oralement sa déposition.

16

Améni subit la colère de Ramsès.

– Une preuve indubitable, un document authentifié et Moïse est toujours en prison !

– Le vizir est minutieux, avança prudemment le secrétaire particulier du monarque.

– Mais que lui faut-il de plus ?

– Je te le répète, voir cet Abner.

Ramsès se rendit à l'évidence : les exigences du haut magistrat devaient être satisfaites.

– A-t-il été convoqué ?

– Oui, et c'est là que le bât blesse.

– Pourquoi ?

– Abner est introuvable. Les chefs de tribus affirment qu'il a disparu depuis plusieurs mois. Personne ne sait ce qu'il est devenu.

– Mensonges ! On veut nuire à Moïse.

– Possible, mais que faire ?

– Que Serramanna s'occupe en personne de l'enquête.

– Il faudra patienter un peu... Serramanna explore une piste, en Moyenne-Égypte, près de la cité abandonnée de l'hérétique. Il a une obsession : identifier la blonde assassinée. Et pour être franc, il est persuadé que le réseau d'espionnage hittite n'a pas été démantelé.

Le courroux du monarque retomba.

– Quel est ton avis, Améni ?

– Chénar est mort, ses complices sont en fuite ou hors d'état de nuire. Mais Serramanna se fie à son instinct.

– Peut-être n'a-t-il pas tort, Améni ; l'instinct est une intelligence directe, au-delà du raisonnement qui nous égare ou nous rassure. Mon père a transformé l'instinct en intuition, et l'a utilisée avec génie.

– Séthi n'était pas un pirate !

– Serramanna vient des ténèbres, et il en connaît bien les ruses. Ne pas l'écouter serait une faute. Joins-le au plus vite et ordonne-lui de rentrer à Pi-Ramsès.

– Je fais partir des messagers.

– Et transmets ma requête au vizir : je désire voir Moïse.

– Mais... il est en prison !

– Le procès a eu lieu, les faits sont connus : cet entretien ne saurait influer sur le cours de la justice.

Un vent violent balayait la plaine où avait été bâtie à la hâte la Cité du Soleil, dont les ruines navraient le regard. Alors que Serramanna passait dans une rue, un pan de mur s'écroula. Bien qu'il eût souvent affronté la peur, le Sarde se sentait mal à l'aise. Des ombres dangereuses rôdaient dans ces palais et ces maisons abandonnées. Avant d'interroger les villageois, il voulait percevoir la vérité du lieu, croiser ses fantômes, prendre la mesure du drame qui s'était déroulé sous le soleil d'Aton.

Le soir approchant, Serramanna se rendit au village voisin pour s'y restaurer et y dormir quelques heures avant de reprendre ses investigations. Le village semblait désert : pas un âne, pas une oie, pas un chien. Portes et volets des maisons étaient ouverts. Pourtant, le Sarde sortit l'épée courte de son fourreau. La prudence lui aurait conseillé de ne pas s'aventurer seul en un lieu où le danger rôdait, mais il se fiait à son expérience et à sa force.

Sur le sol de terre battue d'une pauvre demeure, une vieille femme assise, la tête posée sur les genoux, en posture de deuil.

– Tue-moi si tu veux, dit-elle d'une voix brisée. Ici, il n'y a plus rien à voler.

– Rassure-toi, j'appartiens à la police de Ramsès.

– Va-t'en, étranger ; ce village est mort, mon mari est mort, et je ne songe qu'à disparaître.

– Qui était ton mari ?

– Un brave homme que l'on accusait d'être sorcier, lui qui a passé sa vie à aider autrui... En guise de remerciement, ce maudit mage l'a assassiné !

Serramanna s'assit à côté de la veuve, à la robe sale et aux cheveux poussiéreux.

– Décris-moi ce mage.

– À quoi bon ?

– Je recherche ce malfaiteur.

La veuve considéra le Sarde avec étonnement.

– Tu te moques de moi ?

– Ai-je l'air de plaisanter ?

– Trop tard, mon mari est mort.

– Je ne le ressusciterai pas, les dieux s'en chargeront ; mais moi, je mettrai la main sur ce mage.

– Un homme grand, sec, avec un visage d'oiseau de proie et des yeux froids.

– Son nom ?

– Ofir.

– Égyptien ?

– Libyen.

– Comment connais-tu ces détails ?

– Pendant plusieurs mois, il est venu chez nous pour parler avec notre fille adoptive, Lita. Pauvre enfant... Elle avait des visions et se croyait liée à la famille du roi hérétique. Mon mari et moi avons tenté de la ramener à la raison, mais elle préférait croire le mage. Une nuit, elle a disparu, et nous ne l'avons jamais revue.

Serramanna montra à la veuve le portrait de la jeune femme blonde assassinée par Ofir.

– C'est elle ?

– Oui, c'est ma fille, Lita... Est-elle...

Le Sarde n'aimait pas déguiser la vérité ; il hocha affirmativement la tête.

– Quand as-tu vu Ofir pour la dernière fois ?

– Il y a quelques jours, lorsqu'il a rendu visite à mon mari malade. C'est lui, c'est cet Ofir qui lui a fait absorber une potion mortelle !

– Se cache-t-il dans les parages ?

– Dans les tombes de la falaise, hantées par des démons... Tranche-lui la gorge, policier, piétine son cadavre et brûle-le !

– Tu devrais quitter cet endroit, la veuve ; on ne vit pas avec des fantômes.

Serramanna sortit de la masure et sauta sur le dos de son cheval, qu'il lança au grand galop en direction des sépultures. Le jour commençait à baisser.

Abandonnant sa monture au pied de la pente, le Sarde la gravit en courant, l'épée à la main ; il ne bénéficierait pas de l'effet de surprise, mais préférait trancher dans le vif. Le chef de la garde de Ramsès choisit les tombeaux dont l'entrée était la plus vaste et se rua à l'intérieur.

Partout, le vide. Les seuls habitants de ces sépulcres abandonnés étaient les personnages gravés sur les murs, ultimes survivants d'une époque révolue.

Méritamon, la fille de Ramsès et de Néfertari, jouait de la harpe pour le couple royal, avec une dextérité qui étonna le monarque. Assis sur des chaises pliantes au bord d'un plan d'eau où prospéraient des lotus bleus, Pharaon et la grande épouse royale, main dans la main, goûtaient un moment de bonheur. Non seulement la fillette de huit ans était déjà une virtuose, mais encore faisait-elle preuve d'une surprenante sensibilité. Massacreur, l'énorme lion, et Veilleur, le chien jaune or couché entre les pattes avant du fauve, semblaient sous le charme de la mélodie que jouait Méritamon.

Les dernières notes s'éteignirent doucement, laissant derrière elles un tendre sillage.

Le roi embrassa sa fille.

– Es-tu content ?

– Tu es une musicienne très douée, mais il te faudra beaucoup étudier.

– Mère m'a promis que je serai admise au temple d'Hathor et que l'on m'y apprendra des merveilles.

– Si tel est ton désir, il sera exaucé.

La beauté de la fillette était aussi éblouissante que celle de Néfertari ; dans son regard, la même lumière.

– Si je deviens musicienne du temple, viendras-tu me voir ?

– Crois-tu que je pourrais me passer de tes mélodies ?

Khâ s'approcha, l'air bougon.

– Tu sembles contrarié, constata la reine.

– On m'a volé quelque chose.

– En es-tu certain ?

– Je range mes affaires chaque soir. On m'a volé l'un de mes vieux pinceaux, avec lequel j'aimais écrire.

– Ne l'as-tu pas égaré ?

– Non, j'ai cherché partout.

Ramsès prit son fils par les épaules.

– Tu portes une grave accusation.

– Je sais qu'il ne faut pas parler à la légère ; c'est pourquoi j'ai réfléchi avant de me plaindre.

– Qui soupçonnes-tu ?

– Pour le moment, personne ; mais je vais chercher. Je l'aimais beaucoup, ce pinceau.

– Tu en possèdes d'autres.

– C'est vrai, mais celui-là, c'était celui-là.

Le lion redressa la tête, les oreilles du chien se levèrent. Quelqu'un venait.

Dolente apparut, nonchalante. Elle portait une ample perruque aux longues nattes et une robe verte convenant à son teint mat.

– Sa Majesté désirait-elle me voir ?

– Lors du procès de Moïse, déclara Ramsès, ton comportement fut remarquable.

– Je n'ai dit que la vérité.

– Décrire ton mari avec autant de lucidité exigeait du courage.

– Face à Maât et au vizir, on ne ment pas.

– Tes déclarations ont beaucoup aidé Moïse.

– Je n'ai fait que mon devoir.

L'échanson du palais apporta un vin nouveau, et la conversation porta sur le travail qu'auraient à effectuer les deux enfants pour atteindre la sagesse.

Quand elle quitta le jardin, Dolente était persuadée d'avoir regagné la confiance du roi. À une amabilité de façade, où perçait la suspicion, succédait la sympathie.

Dolente renvoya sa chaise à porteurs ; elle préférait flâner et rentrer chez elle à pied.

Sous le modeste vêtement du porteur d'eau qui l'aborda, qui aurait reconnu Chénar, amaigri, moustachu et barbu ?

– Satisfaite, ma chère sœur ?

– Ta stratégie était excellente.

– L'amitié aveugle mon frère ; en venant au secours de Moïse, tu es devenue l'alliée de Ramsès.

– Puisqu'il me croit sincère, Ramsès est vulnérable ; que dois-je faire, à présent ?

– Ouvre tes oreilles ; le moindre renseignement peut être précieux. Je te contacterai de la même façon.

17

Ramsès et Améni avaient écouté avec attention le long récit de Serramanna. Contrastant avec la tension qui régnait dans la pièce, une douce lumière illuminait le bureau de Ramsès. Avec la fin de la période chaude, l'Égypte se parait de couleurs dorées et apaisantes.

– Ofir, un mage libyen, répéta Améni, et Lita, une pauvre folle qu'il a manipulée... Devons-nous vraiment nous en inquiéter ? Ce sinistre personnage est en fuite, il ne dispose d'aucun appui dans le pays et il a sans doute déjà franchi la frontière.

– Tu minimises la gravité de la situation, estima Ramsès ; oublies-tu l'endroit où il se cachait : la Cité du Soleil, la capitale d'Akhénaton ?

– Elle est abandonnée depuis si longtemps...

– Mais les idées pernicieuses de son fondateur continuent à troubler certains esprits ! Cet Ofir a songé à les utiliser pour se constituer un réseau de sympathisants.

– Un réseau... Ofir serait-il un espion hittite ?

– J'en suis persuadé.

– Mais les Hittites se moquent bien d'Aton et du dieu unique !

– Pas les Hébreux, intervint Serramanna.

Améni redoutait d'entendre cette précision. Mais le Sarde n'avait accompli aucun progrès dans le domaine de la diplomatie et continuait à exprimer sa pensée de manière abrupte.

– Nous savons que Moïse a été contacté par un faux architecte, rappela le chef de la garde de Ramsès, et la description de cet imposteur correspond précisément à celle du mage. N'est-ce pas un argument décisif?

– Calme-toi, recommanda Améni.

– Continue, ordonna Ramsès.

– Je n'y entends rien en matière de religion, poursuivit le Sarde, mais je sais que les Hébreux parlent d'un dieu unique. Dois-je vous rappeler, Majesté, que je soupçonnais Moïse de trahison?

– Moïse est notre ami! protesta Améni. Même s'il a rencontré Ofir, pourquoi comploterait-il contre Ramsès? Ce mage a dû contacter quantité de notables.

– À quoi bon se cacher les yeux? interrogea le Sarde.

Le pharaon se leva et regarda au loin, par la fenêtre centrale de son bureau. Verdoyants, les paysages du Delta étaient l'expression même de la douceur de vivre.

– Serramanna a raison, jugea Ramsès. Les Hittites ont lancé une double offensive, en nous attaquant à la fois de l'extérieur et de l'intérieur. Nous avons remporté la bataille de Kadesh, repoussé leurs troupes au-delà de nos protectorats, et démantelé un réseau d'espionnage. Mais ces victoires ne sont-elles pas dérisoires? L'armée hittite n'est pas détruite, et cet Ofir court toujours. Un homme comme celui-là, qui ne recula pas devant le crime, ne renoncera pas à nous nuire. Mais Moïse ne peut pas être complice... C'est un être loyal, incapable d'agir dans l'ombre. En ce qui le concerne, Serramanna se trompe.

– Je le souhaite, Majesté.

– J'ai une nouvelle mission à te confier, Serramanna.

– J'arrêterai Ofir.

– Auparavant, retrouve le briquetier hébreu nommé Abner.

Néfertari avait souhaité célébrer son anniversaire au cœur d'un grand domaine du Delta, proche de la capitale, dont la gestion avait été confiée au ministre de l'Agriculture, Nedjem. D'un caractère agréable, toujours réjoui par le spectacle de la nature, il présenta au couple royal un nouveau modèle de charrue mieux adapté aux sols riches et gras du Delta. Enthousiaste, il mania lui-même l'outil qui creusait la terre à la bonne profondeur, sans la blesser.

Les employés du domaine ne dissimulaient pas leur joie ; voir de si près le roi et la reine était un véritable présent du ciel qui comblerait l'année à venir de mille et un bonheurs. La récolte serait abondante, des fruits splendides pousseraient dans les vergers, les troupeaux connaîtraient de nombreuses naissances.

Néfertari sentit que Ramsès demeurait étranger aux réjouissances de cette belle journée. À la fin d'un copieux repas, elle profita d'un moment de répit.

– L'anxiété resserre ton cœur... Moïse en est-il responsable ?

– Son sort m'inquiète, il est vrai.

– Abner a-t-il été retrouvé ?

– Pas encore. S'il ne se présente pas au tribunal, le vizir ne prononcera pas l'acquittement.

– Serramanna ne te décevra pas. Je sens qu'un autre tourment te hante.

– La règle des pharaons m'impose de protéger l'Égypte des ennemis de l'intérieur comme de ceux de l'extérieur, et je crains d'avoir failli.

– Puisque les Hittites sont tenus à distance, l'adversaire que tu redoutes se trouve sur notre sol.

– Nous aurons à livrer une guerre contre les fils des ténèbres qui avancent masqués, dans une fausse lumière.

– Quelles étranges paroles qui, pourtant, ne me

surprennent pas. Hier, pendant la célébration des rites du soir au temple de Sekhmet, les yeux de la statue de granit ont brillé d'un éclat inquiétant. Nous connaissons bien ce regard-là : il annonce le malheur. J'ai aussitôt prononcé les formules de conjuration, mais la paix revenue dans le sanctuaire s'étendra-t-elle au monde extérieur ?

– Les fantômes d'Amarna reviennent hanter les consciences, Néfertari.

– Akhénaton n'avait-il pas lui-même fixé les limites de son expérience dans l'espace et dans le temps ?

– Certes, mais il a déclenché des forces qu'il ne maîtrisait plus. Et Ofir, un mage libyen au service des Hittites, a réveillé les démons qui sommeillaient dans la cité abandonnée.

Néfertari demeura silencieuse un long moment, les yeux fermés. S'affranchissant de ses liens avec l'éphémère, sa pensée s'élança vers l'invisible, à la recherche d'une vérité cachée dans les méandres de l'avenir. La pratique des rites avait développé chez la reine une capacité de voyance, un contact direct avec les puissances qui, à chaque instant, créaient la vie. Parfois, l'intuition parvenait à lever le voile.

Non sans anxiété, Ramsès attendit le verdict de la grande épouse royale.

– L'affrontement sera redoutable, dit-elle en rouvrant les yeux. Les armées qu'Ofir a préparées ne seront pas moins violentes que celles des Hittites.

– Puisque tu confirmes mes craintes, nous devons agir au plus vite. Déployons l'énergie des principaux temples du royaume, recouvrons-le d'un filet protecteur dont les mailles auront été tissées par les dieux et les déesses. Ton aide m'est indispensable.

Néfertari enlaça Ramsès, dans un geste d'une infinie tendresse.

– Est-il nécessaire de me la demander ?

– Nous allons entreprendre un long voyage et affronter de nombreux dangers.

– Notre amour aurait-il un sens, s'il n'était pas offert à l'Égypte ? Elle nous donne la vie, nous lui donnons la nôtre.

Les jeunes paysannes, seins nus, la tête ornée d'une coiffe en roseaux, la taille ceinte d'un pagne végétal, dansèrent en l'honneur de la fécondité de la terre et se lancèrent de petites balles de tissu pour conjurer le mauvais œil. Grâce à leur adresse, les mauvais génies, lourds, malhabiles et difformes, ne pourraient pénétrer dans les cultures.

– Puissions-nous avoir leur habileté, souhaita Néfertari.

– Un tourment caché t'habite, toi aussi.

– Khâ m'inquiète.

– A-t-il commis une faute grave ?

– Non, c'est à cause du pinceau qu'on lui a volé. Te souviens-tu de la disparition de mon châle préféré ? Sans nul doute, ce mage, Ofir, l'a utilisé pour pratiquer un envoûtement, ruiner ma santé et affaiblir notre couple. Grâce à l'intervention de Sétaou, j'ai pu donner naissance à Méritamon, échapper au trépas, mais je redoute une nouvelle attaque et, cette fois, contre un enfant, contre ton fils aîné.

– Serait-il souffrant ?

– Le docteur Pariamakhou vient de l'examiner et n'a rien décelé d'anormal.

– Son diagnostic ne me suffit pas ; fais appel à Sétaou et demande-lui de disposer une muraille magique autour de Khâ. À partir d'aujourd'hui, qu'il nous signale le moindre incident. As-tu prévenu Iset ?

– Bien entendu.

– Il faut retrouver le voleur ou la voleuse et savoir si, à l'intérieur même du palais, on nous trahit. Serramanna interrogera le personnel.

– J'ai peur, Ramsès, j'ai peur pour Khâ.

– Maîtrisons cette peur, elle pourrait lui nuire. Le manipulateur des ténèbres utilisera la moindre faille.

Équipé d'une palette de scribe et de pinceaux, Khâ entra dans le laboratoire de Sétaou et de Lotus. La jolie Nubienne faisait cracher son venin à un cobra noir pendant que son mari préparait une potion destinée à traiter les troubles digestifs.

– C'est toi, mon professeur de magie ?

– Ton seul professeur, ce sera la magie elle-même. As-tu encore peur des serpents ?

– Oh oui !

– Seuls les imbéciles ne craignent pas les reptiles. Ils sont nés avant nous et connaissent des secrets dont nous avons besoin. As-tu remarqué qu'ils se faufilent à travers les mondes ?

– Depuis que mon père m'a fait rencontrer le grand cobra, je sais que j'éviterai la mauvaise mort.

– Il faut quand même te protéger, paraît-il.

– On m'a volé un pinceau, et un mage veut s'en servir contre moi ; c'est la reine qui m'a dit la vérité.

Le sérieux et la maturité du garçon stupéfièrent Sétaou.

– Comme les serpents nous envoûtent, expliqua-t-il, ils nous enseignent la manière de lutter contre l'envoûtement. C'est pourquoi je vais te faire absorber chaque jour une mixture à base d'oignons broyés, de sang de serpent et de plantes urticacées. Dans une quinzaine de jours, j'y ajouterai de la limaille de cuivre, de l'ocre rouge, de l'alun et de l'oxyde de plomb ; et puis Lotus t'offrira un remède qu'elle a inventé.

Khâ fit la moue.

– Ce ne doit pas être fameux.

– Un peu de vin fait passer le mauvais goût.

– Je n'en ai jamais bu.

– Encore une lacune à combler.

– Le vin trouble l'esprit des scribes et les empêche d'avoir une main sûre.

– Un excès d'eau empêche le cœur de se dilater ; ne cède pas à ce travers. Pour bien distinguer les grands crus, il faut commencer à les goûter tôt.

– Me protégeront-ils de la mauvaise magie ?

Sétaou manipula un pot d'onguent verdâtre.

– Un sujet passif n'a aucune chance de résister à la mauvaise magie ; seul un travail intensif te permettra de détourner les assauts de l'invisible.

– Je suis prêt, affirma Khâ.

18

Depuis dix jours, il pleuvait sur Hattousa *, la capitale de l'empire hittite, bâtie sur le plateau d'Anatolie centrale où les steppes arides alternaient avec gorges et ravins.

Fatigué, le dos voûté, les jambes courtes, les yeux marron sans cesse en alerte, l'empereur Mouwattali était frileux. Aussi se tenait-il près de la cheminée, sans avoir ôté son bonnet de laine et son long manteau rouge et noir.

Malgré la défaite de Kadesh et l'échec de sa contre-offensive, Mouwattali se sentait en sécurité dans sa cité de montagne composée d'une ville basse et d'une ville haute dominée par une acropole où se dressait le palais impérial. De gigantesques fortifications, épousant le relief, faisaient d'Hattousa une place forte imprenable.

Pourtant, dans la ville fière et invincible, des critiques s'élevaient contre l'empereur. Pour la première fois, son sens aigu de la stratégie n'avait pas donné la victoire à son armée.

Sur les neuf kilomètres de remparts, hérissés de tours et de créneaux, les soldats montaient une garde vigilante ; mais chacun se demandait si, demain, Mouwattali continuerait à présider aux destinées de l'empire. Jusqu'alors, celui qu'on surnommait familièrement « le grand chef » avait contrecarré les tentatives de prises de pouvoir en éliminant les

* L'actuelle Bogazköy, 150 km à l'est d'Ankara (Turquie).

ambitieux; mais les récents événements avaient rendu sa position fragile.

Deux hommes convoitaient le trône : son fils, Ouri-Téchoup, soutenu par l'élite de l'armée, et Hattousil, le frère de l'empereur, fin diplomate qui avait mis sur pied une puissante coalition contre l'Égypte. Une coalition que Mouwattali tentait de maintenir en offrant quantité de cadeaux onéreux à ses alliés.

Mouwattali venait de passer une demi-journée apaisante en compagnie d'une ravissante jeune femme, drôle et cultivée, qui lui avait fait oublier ses soucis. Il eût aimé, comme elle, se consacrer à la poésie amoureuse pour oublier les parades militaires. Mais ce n'était qu'un rêve, et un empereur hittite n'avait ni le temps ni le droit de rêver.

Mouwattali se chauffa les mains. Il hésitait encore : fallait-il supprimer son frère ou son fils, ou bien les deux ? Quelques années auparavant, l'intervention brutale se serait imposée; nombre d'intrigants, et même de souverains, avaient succombé au poison, fort prisé à la cour hittite. À présent, l'hostilité entre les deux prétendants pouvait le servir. Ne se neutralisaient-ils pas l'un l'autre, lui permettant d'apparaître comme un indispensable médiateur ?

Et une autre réalité, angoissante, lui dictait sa conduite : l'empire était sur le point de se disloquer. Les échecs militaires répétés, le financement de la guerre, les difficultés du commerce international, risquaient de faire vaciller le géant.

Mouwattali s'était recueilli dans le temple du dieu de l'orage, le plus beau fleuron du quartier des sanctuaires de la ville basse, lequel ne comprenait pas moins de vingt et un monuments dédiés aux divinités. Comme chaque prêtre, l'empereur avait rompu trois pains et versé du vin sur un bloc de pierre en prononçant la formule rituelle : « Puisse-t-il durer éternellement. » C'était pour son pays que l'empereur formait ce vœu; dans ses cauchemars, il se voyait vaincu par l'Égypte et trahi par ses alliés. Pendant combien de temps encore contemplerait-il, du haut de son acropole, les terrasses faites de pierres juxtaposées, les belles demeures des notables, les portes monumentales donnant accès à sa capitale ?

Le chambellan prévint l'empereur que son visiteur était arrivé. Ce dernier avait franchi les nombreux postes de garde avant de parvenir au logis impérial entouré de réservoirs d'eau, d'écuries, d'une armurerie et d'une caserne.

Mouwattali aimait recevoir ses hôtes dans une salle à piliers froide et austère, décorée d'armes commémorant les victoires de l'armée hittite.

Le pas lourd et martial d'Ouri-Téchoup était reconnaissable entre mille. Grand, musclé, vigoureux, couvert d'une toison de poils roux, les cheveux longs, il s'affirmait comme un guerrier redoutable, sans cesse prêt à repartir au combat.

– Comment te portes-tu, mon fils ?

– Mal, mon père.

– Ta santé paraît pourtant excellente.

– M'avez-vous convoqué pour vous moquer de moi ?

– N'oublie pas à qui tu parles.

Ouri-Téchoup perdit de son arrogance.

– Pardonnez-moi, mes nerfs sont à vif.

– Pourquoi cette contrariété ?

– Parce que j'étais le chef d'une armée victorieuse, et me voilà réduit au rang d'un sous-fifre, placé sous les ordres d'Hattousil, le vaincu de Kadesh ! N'est-ce pas gaspiller l'énergie que je pourrais mettre au service de mon pays ?

– Sans Hattousil, la coalition n'aurait pas été rassemblée.

– À quoi nous a-t-elle servi ? Si vous m'aviez fait confiance, j'aurais triomphé de Ramsès !

– Tu persistes dans ton erreur, mon fils ; à quoi bon évoquer sans cesse le passé ?

– Chassez Hattousil et redonnez-moi un commandement réel.

– Hattousil est mon frère, il est apprécié de nos alliés et a l'oreille des marchands sans lesquels notre effort de guerre s'interromprait.

– Alors, que me proposez-vous ?

– D'effacer nos querelles et d'unir nos forces pour sauver le Hatti.

– Sauver le Hatti... Mais qui le menace ?

– Autour de nous, le monde évolue ; nous n'avons pas terrassé l'Égypte, certaines alliances pourraient se modifier plus rapidement que je ne le supposais.

– Je ne comprends rien à ce discours ! Je suis né pour combattre, non pour nouer des intrigues dont le Hatti ne sort pas grandi.

– Conclusions hâtives et inexactes, mon fils. Si nous voulons établir notre suprématie dans tout le Proche-Orient, commençons par effacer nos divisions internes. Il existe une démarche salutaire et indispensable : ta réconciliation avec Hattousil.

Ouri-Téchoup frappa du poing sur l'un des piliers de la cheminée.

– Jamais ! Jamais je n'accepterai de m'humilier devant ce médiocre !

– Mettons fin à nos divisions et nous serons plus forts.

– Enfermez votre frère et sa femme dans un temple, et donnez-moi l'ordre d'attaquer l'Égypte : voilà la démarche salutaire.

– Refuses-tu toute forme de conciliation ?

– Je refuse.

– Est-ce ton dernier mot ?

– Si vous écartez Hattousil, je serai votre fidèle soutien. Moi, et l'armée.

– Un fils marchande-t-il l'amour qu'il porte à son père ?

– Vous êtes beaucoup plus qu'un père, vous êtes l'empereur du Hatti. Seul l'intérêt du Hatti doit nous dicter nos décisions. Ma position est juste, vous finirez par le reconnaître.

L'empereur parut las.

– Peut-être es-tu dans le vrai... Je dois réfléchir.

En sortant de la salle d'audience, Ouri-Téchoup était certain d'avoir convaincu son père. Bientôt, l'empereur vieillissant n'aurait plus d'autre choix que de lui accorder les pleins pouvoirs, avant de lui abandonner le trône.

Portant une robe rouge, un collier d'or, des bracelets d'argent et des sandales de cuir, Poutouhépa, épouse d'Hattousil, faisait brûler de l'encens dans la salle souterraine du temple d'Ishtar. À cette heure avancée de la nuit, l'acropole était silencieuse.

Deux hommes descendirent l'escalier. Petit, les cheveux retenus par un bandeau, vêtu d'une épaisse pièce d'étoffe multicolore, un bracelet au coude gauche, Hattousil précédait l'empereur.

– Comme il fait froid, déplora Mouwattali en resserrant les pans de son manteau de laine.

– Cette pièce n'est guère confortable, reconnut Hattousil, mais elle présente l'avantage d'être tout à fait tranquille.

– Désirez-vous vous asseoir, Majesté ? s'enquit Poutouhépa.

– Ce banc de pierre me conviendra. En dépit de son long voyage, mon frère semble moins fatigué que moi. Qu'as-tu appris d'essentiel, Hattousil ?

– Je suis inquiet pour notre coalition. Certains de nos alliés semblent sur le point d'oublier leurs engagements. Ils sont de plus en plus gourmands, mais j'ai réussi à les satisfaire. Sachez que cette coalition devient fort onéreuse ; néanmoins, il y a plus préoccupant.

– Parle, je te prie.

– Les Assyriens deviennent menaçants.

– Ce petit peuple ?

– Il a pris exemple sur nous et il nous croit en pleine déliquescence, en raison de nos récentes défaites et de nos dissensions.

– Nous pourrions les écraser en quelques jours !

– Je ne le crois pas ; et serait-il sage de disperser nos forces au moment où Ramsès s'apprête à attaquer Kadesh ?

– Disposes-tu d'informations précises ?

– D'après nos espions, l'armée de Ramsès serait sur le point de reprendre l'offensive. Cette fois, Cananéens et bédouins ne s'opposeront plus au roi d'Égypte. Demain, la route du Hatti sera dégagée. Ouvrir un second front contre les Assyriens serait une folie.

– Que préconises-tu, Hattousil ?

– Privilégions notre unité interne ; la querelle qui m'oppose à votre fils n'a que trop duré et nous affaiblit. Je suis prêt à le rencontrer, afin qu'il prenne conscience de la gravité du moment. Si nous persistons à nous défier, nous disparaîtrons.

– Ouri-Téchoup refuse toute conciliation et exige de prendre le commandement de l'ensemble de nos troupes.

– Pour se jeter tête baissée contre les Égyptiens et subir une déroute !

– D'après lui, le choc frontal est notre seule issue.

– Vous êtes l'empereur, à vous de choisir entre lui et moi. Si vous adoptez la politique de votre fils, je me retirerai.

Mouwattali fit quelques pas pour se réchauffer.

– Il n'existe qu'une solution raisonnable, déclara avec calme la belle Poutouhépa. En tant qu'empereur, vous devez privilégier la grandeur du Hatti. Qu'Hattousil soit votre frère et Ouri-Téchoup votre fils n'a aucune importance au regard de la sauvegarde de notre peuple, et vous savez fort bien que la fureur guerrière d'Ouri-Téchoup nous conduira au désastre.

– Quelle est votre solution... raisonnable ?

– Personne ne peut convaincre un forcené. C'est pourquoi il faut le supprimer. Ni vous ni Hattousil ne devez être compromis dans sa disparition ; aussi m'en chargerai-je moi-même.

19

Moïse se leva.

– Toi, ici ?

– La justice m'a autorisé à te voir.

– Pharaon a-t-il besoin de demander une autorisation pour visiter ses prisons ?

– Dans ton cas, oui, puisque tu es accusé de meurtre. Mais tu es d'abord mon ami.

– Ainsi, tu ne me rejettes pas...

– Abandonne-t-on un ami dans la détresse ?

Ramsès et Moïse se donnèrent une longue accolade.

– Je n'ai pas eu confiance en toi, Ramsès, car je n'ai pas cru que tu viendrais.

– Homme de peu de foi ! Pourquoi t'es-tu enfui ?

– J'ai pensé tout d'abord que la panique pouvait expliquer mon attitude... Mais, au pays de Madiân où je m'étais caché, j'ai eu le temps de réfléchir. Ce ne fut pas une fuite, mais un appel.

La cellule de Moïse était un local propre et bien aéré, au sol de terre battue. Le roi s'assit sur un tabouret à trois pieds, face à son ami hébreu.

– De qui provenait cet appel ?

– Du Dieu d'Abraham, d'Isaac et de Jacob. De Yahvé.

– « Yahvé » est le nom d'une montagne, dans le désert du Sinaï ; en faire le symbole d'une divinité n'a rien d'étonnant. La montagne d'Occident, à Thèbes, n'abrite-t-elle pas la déesse du silence ?

– Yahvé est le Dieu unique, il ne se réduit pas à un paysage.

– Que s'est-il passé, pendant ton exil ?

– Dans la montagne, j'ai rencontré Dieu, sous la forme d'un buisson ardent. Il m'a révélé Son nom : « Je suis. »

– Pourquoi se limite-t-il à un seul versant de la réalité ? Atoum, le créateur, est à la fois « Celui qui est » et « Celui qui n'est pas ».

– Yahvé m'a confié une mission, Ramsès ; une mission sacrée qui risque de te déplaire. Je dois faire sortir d'Égypte le peuple hébreu et le conduire vers une terre sainte.

– As-tu bien entendu la voix de Dieu ?

– Elle était aussi claire et profonde que la tienne.

– Le désert n'est-il pas peuplé d'illusions ?

– Tu ne m'entraîneras pas vers le doute ; je sais ce que j'ai vu et entendu. Ma mission a été fixée par Dieu et je la remplirai.

– Parles-tu de... tous les Hébreux ?

– C'est un peuple entier qui sortira libre d'Égypte.

– Qui empêche un Hébreu de circuler librement ?

– J'exige une reconnaissance officielle de la foi des Hébreux et l'autorisation d'entreprendre un exode.

– Dans l'immédiat, il faut te sortir de prison ; c'est pourquoi je fais rechercher Abner. Son témoignage sera décisif, en faveur de l'acquittement.

– Abner a peut-être quitté l'Égypte.

– Tu as ma parole : aucun effort ne sera épargné pour l'amener au tribunal.

– Mon amitié pour toi est intacte, Ramsès, et j'ai souhaité ta victoire, dans ta lutte contre les Hittites ; mais tu es Pharaon, et moi, le futur chef du peuple hébreu. Si tu ne te plies pas à ma volonté, je deviendrai le plus implacable de tes ennemis.

– Des amis ne trouvent-ils pas toujours un terrain d'entente ?

– Notre amitié comptera moins que ma mission ; même si mon cœur se déchire, je dois obéir à la voix de Yahvé.

– Nous aurons le temps d'en reparler ; avant tout, tu dois recouvrer la liberté.

– L'incarcération ne me pèse pas. Dans la solitude, je me prépare aux épreuves de demain.

– La première pourrait être une lourde condamnation !

– Yahvé me protège.

– Je te le souhaite, Moïse ; en fouillant ta mémoire, ne découvres-tu pas un élément qui serait utile à ta défense ?

– J'ai dit la vérité, et la vérité éclatera.

– Tu ne m'aides pas beaucoup.

– Quand on est l'ami de Pharaon, pourquoi se soucier de l'injustice ? Jamais tu ne la laisseras envahir le royaume et l'âme des juges.

– As-tu rencontré un nommé Ofir ?

– Je ne me souviens pas...

– Rappelle-toi : Ofir est un faux architecte qui t'a contacté à Pi-Ramsès, lorsque tu construisais ma capitale ; sans doute t'a-t-il vanté les mérites de la religion d'Akhénaton.

– En effet.

– T'a-t-il fait des propositions concrètes ?

– Non, mais il m'a paru sensible à la détresse des Hébreux.

– Détresse... Le terme n'est-il pas excessif ?

– Tu es égyptien, tu ne peux pas comprendre.

– Cet Ofir est un espion hittite qui complote contre l'Égypte ; il est aussi un assassin. Le moindre accord avec lui ferait peser sur toi le soupçon de haute trahison.

– Quiconque aide mon peuple mérite ma gratitude.

– Détesterais-tu la terre qui t'a vu naître ?

– L'enfance, l'adolescence, nos études à Memphis, ma

carrière à ton service... tout cela est mort et oublié, Ramsès. Je n'aime qu'une seule terre : celle que Dieu a promise à mon peuple.

Nedjem, le ministre de l'Agriculture, était d'une nervosité inhabituelle. Lui, d'ordinaire affable et enjoué, avait rabroué son secrétaire sans raison. Incapable de se concentrer sur ses dossiers, il quitta son bureau et se rendit au laboratoire de Sétaou et de Lotus.

Accroupie, la jolie Nubienne maîtrisait une vipère à tête rouge qui battait furieusement de la queue.

– Tenez ce bol en cuivre, demanda-t-elle au ministre.

– Je ne sais pas si...

– Dépêchez-vous.

Hésitant, Nedjem prit le récipient qui contenait un liquide brun et visqueux.

– Ne renversez rien, c'est très corrosif.

Nedjem tremblait.

– Où puis-je le poser ?

– Sur l'étagère.

Lotus enfourna la vipère dans un panier dont elle ferma le couvercle.

– Que puis-je pour vous, Nedjem ?

– Vous et Sétaou...

– Qu'est-ce qu'on lui veut, à Sétaou ? interrogea la voix rugueuse du charmeur de serpents.

D'inquiétantes vapeurs montaient de filtres de tailles diverses ; sur des étagères, les pots voisinaient avec les passoires, les gourdes avec les tubes, les décoctions avec les potions.

– Je tiens à dire...

Une quinte de toux empêcha le ministre de continuer.

– Eh bien, dites-le ! exigea Sétaou.

Mal rasé, bourru, les épaules carrées, à peine visible

dans la fumée qui avait envahi la partie du laboratoire où il travaillait, Sétaou transvasait du venin dilué.

– C'est à propos du petit Khâ.

– Que lui est-il arrivé ?

– C'est vous qui... Enfin, je veux dire que, jusqu'à présent, je me suis occupé de l'éducation de cet enfant. Il aime lire et écrire, fait montre d'une maturité exceptionnelle pour son âge, possède déjà une culture que bien des scribes lui envieraient, n'hésite pas à étudier les secrets du ciel et de la terre, veut...

– Je sais tout ça, Nedjem, et j'ai du travail. Allez au fait.

– Vous... vous n'êtes pas un homme facile !

– La vie n'est pas facile. Quand on fréquente quotidiennement les reptiles, on n'a pas le temps de se perdre en mondanités.

Nedjem fut choqué.

– Mais... ma visite n'est pas une mondanité !

– Alors, dites enfin ce que vous avez à dire.

– Bon, je vais être plus direct : pourquoi entraînez-vous Khâ sur un mauvais chemin ?

Sétaou posa sur une étagère la fiole qu'il manipulait et s'essuya le front avec un linge.

– Vous vous introduisez chez moi, Nedjem, vous me dérangez dans mon travail et, en plus, vous m'insultez ! Tout ministre que vous êtes, j'ai bien envie de vous mettre mon poing dans la figure.

Nedjem recula, se heurtant à Lotus.

– Pardonnez-moi... Je ne croyais pas... Mais cet enfant...

– L'initiation de Khâ à la magie vous paraîtrait-elle prématurée ? interrogea la Nubienne avec un sourire charmeur.

– Oui, oui, c'est cela, répondit Nedjem.

– Ces scrupules vous honorent, mais vos craintes ne sont pas fondées.

– Un enfant si jeune, face à une science si complexe, si dangereuse...

– Pharaon nous a ordonné de protéger son fils ; pour y parvenir, nous avons besoin de la coopération de Khâ.

Le ministre pâlit.

– Le protéger... De quelle menace ?

– Aimez-vous la marinade de bœuf ? demanda Lotus.

– Je... Bien sûr.

– C'est l'une de mes spécialités ; acceptez-vous de partager notre repas ?

– M'imposer ainsi, au dernier moment...

– C'est déjà fait, jugea Sétaou. Khâ n'est pas un petit objet fragile, mais le fils aîné de Ramsès. En s'attaquant à lui, on veut affaiblir le couple royal et le pays entier. Nous dresserons une muraille magique autour de Khâ afin de repousser les influences nocives lancées contre lui. L'entreprise exige de la précision, elle sera difficile et aléatoire. Toutes les bonnes volontés seront donc les bienvenues.

20

La ruelle du quartier hébreu était recouverte de poutres supportant un entrelacement de roseaux qui protégeaient les passants des brûlures du soleil. Assises sur le seuil de leur maison, des ménagères discutaient ; lorsque passait le porteur d'eau, elles se désaltéraient avant de repartir dans d'interminables conversations auxquelles se mêlaient des artisans, prenant un moment de repos, et des briquetiers, revenant des chantiers.

Un seul sujet occupait les esprits : le procès de Moïse. Pour les uns, il serait condamné à mort ; pour les autres, à une légère peine de prison. Quelques extrémistes prônaient une révolte, la majorité prenait le parti du fatalisme : qui oserait s'opposer à l'armée et à la police de Pharaon ? Et, après tout, Moïse ne subissait que ce qu'il méritait : n'avait-il pas tué un homme ? Que la loi s'appliquât dans toute sa rigueur ne scandalisait personne, même si Moïse demeurait très populaire ; qui ne se souvenait de son dévouement à l'égard des briquetiers et des avantages matériels qu'il leur avait procurés ? Beaucoup d'ouvriers souhaitaient qu'il redevînt architecte et s'occupât à nouveau de leur sort.

Aaron partageait le pessimisme ambiant. Certes, le sort de Moïse était entre les mains de Yahvé, mais la justice égyptienne ne se montrait pas tendre envers les criminels. Si Abner avait accepté de comparaître, l'accusation se serait éteinte ; mais le briquetier affirmait, avec force, que Moïse mentait. Aussi refusait-il de sortir de sa tanière avant la fin du procès. Comme Aaron n'avait aucun reproche à formuler contre Abner, il ne pouvait demander au chef de sa tribu d'exiger son témoignage.

En passant dans la ruelle, Aaron remarqua la présence d'un mendiant dont la tête était couverte d'un capuchon. Affalé contre le mur, les jambes repliées, l'homme grignotait les morceaux de pain que les passants lui jetaient. Le premier jour, Aaron tenta d'oublier le malheureux ; le deuxième, il lui donna lui-même à manger ; le troisième, il s'assit près de lui.

– N'as-tu aucune famille ?

– Je n'en ai plus.

– Étais-tu marié ?

– Ma femme est morte, mes enfants sont partis.

– Quel mauvais destin t'a frappé ?

– J'étais marchand de grains, j'avais une belle maison, je menais une existence paisible... Et j'ai commis une faute grave en trompant ma femme.

– Dieu t'a puni.

– Tu as raison, mais ce n'est pas à Lui que je dois ma déchéance. Un homme a découvert ma liaison, m'a fait chanter, m'a ruiné et détruit mon mariage. Ma femme est morte de chagrin.

– Tu me parles d'un monstre !

– Un monstre qui continue à sévir et à répandre le malheur... D'autres que moi auront à souffrir de sa cruauté.

– Quel est son nom ?

– J'ai honte à le prononcer.

– Pour quelle raison ?

– Parce qu'il est hébreu, comme toi et moi.

– Je m'appelle Aaron et j'ai quelque influence dans notre communauté. Tu n'as plus le droit de te taire, car une brebis galeuse pourrait contaminer le troupeau.

– Quelle importance, aujourd'hui... Je suis seul et désespéré.

– Malgré ta détresse, il te faut penser à autrui. Cet homme doit être châtié.

– Il se nomme Abner, murmura le mendiant.

Cette fois, Aaron avait un motif sérieux pour se plaindre du comportement d'Abner. Le soir même, il réunit un conseil des anciens et des chefs de tribus, et leur narra les mésaventures du marchand de grains.

– Naguère, reconnut un ancien, Abner aurait fait chanter des briquetiers, mais ils ont gardé le silence, et seules des rumeurs ont atteint nos oreilles. On comprend pourquoi Abner n'a pas envie de comparaître devant un tribunal. Il préfère que cette agitation se calme.

– Moïse, lui, est en prison, et seul le témoignage d'Abner pourrait le sauver !

Gênés, les notables n'avaient guère envie de prendre parti. Un chef de tribu résuma leur opinion.

– Parlons net : Moïse a commis un meurtre qui a jeté la suspicion sur tous les Hébreux. Qu'il soit châtié n'est pas une injustice. De plus, il est revenu pour semer le trouble parmi nous, avec ses idées folles. La prudence consiste à laisser faire les choses.

Aaron entra dans une violente colère.

– Lâche entre les lâches ! Ainsi, vous choisissez d'aider une fripouille comme Abner et vous envoyez à la mort Moïse qui s'est battu pour vous ! Que Yahvé vous plonge dans le malheur et la détresse.

Le doyen de l'assemblée, un briquetier à la retraite, intervint avec force.

– Aaron a raison, notre comportement est méprisable.

– Nous avons protégé Abner, rappela un chef de tribu ; nous n'avons pas le droit de l'obliger à risquer un châtiment, sur la foi de vagues accusations.

Aaron martela le sol de son bâton.

– Abner ne t'aurait-il pas aidé à t'enrichir sur le dos de nos frères ?

– Comment oses-tu !

– Confrontons le mendiant avec Abner.

– Proposition acceptée, déclara le doyen.

Abner se cachait au centre du quartier des briquetiers, dans une maison à deux étages d'où il ne sortirait qu'après la condamnation de Moïse. Devenu riche et considéré, il se gavait de gâteaux et passait le plus clair de son temps à dormir.

Lorsque le conseil des anciens et des chefs de tribus lui avait imposé la confrontation, il avait ri. D'abord, un mendiant ne pèserait pas lourd devant lui ; ensuite, Abner accuserait le peuple hébreu de laisser un homme dans la misère, ce qui était contraire à la loi égyptienne. Si, par extraordinaire, l'affaire prenait une tournure désagréable, ses alliés se chargeraient de faire disparaître son pitoyable accusateur.

L'entrevue eut lieu au rez-de-chaussée, dans la pièce d'accueil dont les banquettes étaient couvertes de coussins. Étaient présents le doyen des anciens, un chef de tribu délégué par ses pairs et Aaron, qui soutenait le mendiant voûté, presque incapable de marcher.

Abner était goguenard.

– C'est ce pauvre hère qui délire à mon sujet... Est-il seulement capable de parler ? Le plus sage serait de lui donner de la nourriture et de l'envoyer finir ses jours dans une ferme du Delta.

Aaron aida le mendiant à s'asseoir.

– Nous pouvons éviter un affrontement, déclara le doyen, si tu acceptes de témoigner en faveur de Moïse et de confirmer la version des faits, telle qu'elle apparaît dans le document écrit que tu as signé.

– Moïse est un homme agité et dangereux. Moi, j'ai fait

la fortune de quantité de nos frères ! Pourquoi prendrais-je des risques inutiles ?

– Par souci de la vérité, intervint Aaron.

– Elle est si fluctuante... Et suffira-t-elle à faire libérer Moïse ? Il est tout de même un assassin ! Nous n'avons rien à gagner à nous mêler de cette histoire.

– Moïse a sauvé ta vie, tu dois sauver la sienne.

– Ces événements sont anciens, ma mémoire est trouble... N'est-il pas préférable de songer à l'avenir ? Et puis ma déposition écrite jouera en faveur de Moïse. Bénéficiant d'un doute favorable, il ne sera pas condamné à mort.

– Une longue peine est-elle un sort plus enviable ?

– Moïse aurait dû se contrôler et ne pas tuer Sary.

Excédé, Aaron frappa le sol de son bâton.

– Pas de violence, exigea le doyen.

– Cet individu est une canaille, il a trahi les siens et les trahira encore !

– Garde ton calme, recommanda Abner ; je suis généreux et je m'engage à subvenir à tes besoins. Pour moi, le respect des anciens est une valeur impérieuse.

Sans la présence du doyen et du chef de tribu, Aaron aurait fracassé la tête d'Abner.

– Restons-en là, mes amis, et fêtons notre réconciliation autour d'un bon repas que je vous offre avec plaisir.

– Oublies-tu le mendiant, Abner ?

– Ah ! le mendiant... Qu'a-t-il donc à dire ?

Aaron s'adressa au malheureux.

– Sois sans crainte, parle librement.

L'homme demeura prostré, Abner s'esclaffa.

– C'est cela, votre grand accusateur ! Finissons-en... Remettez-le à mes serviteurs, ils le feront manger à la cuisine.

Aaron était mortifié.

– Parle, je t'en prie.

Lentement, le faux mendiant déploya sa grande carcasse, abaissa le capuchon et découvrit son visage.

Abasourdi, Abner fut à peine capable d'articuler le nom de cet hôte inattendu et redoutable.

– Serramanna...

– Tu es en état d'arrestation, déclara le Sarde, avec un sourire de pirate.

Pendant que se déroulait l'audition d'Abner, Serramanna était en proie à des sentiments contradictoires. D'un côté, il avait espéré ne pas retrouver Abner, de sorte que Moïse le comploteur ne fût pas innocenté ; de l'autre, il avait mené à bien sa mission. Fallait-il que Ramsès fût un être extraordinaire pour susciter en lui une telle obéissance, alors qu'il demeurait persuadé de la nocivité de l'Hébreu. Le roi avait tort de faire confiance à Moïse, mais comment critiquer un monarque qui plaçait l'amitié parmi les valeurs sacrées ?

Tout Pi-Ramsès était dans l'attente du jugement rendu par le vizir, à l'issue de la délibération du jury. Le procès avait accru de manière considérable le prestige de Moïse ; les petites gens et la quasi-totalité des briquetiers prenaient à présent fait et cause pour lui. N'apparaissait-il pas comme le défenseur des malchanceux envers lesquels la vie s'était montrée injuste ?

Serramanna espérait que Moïse serait exilé et qu'il ne troublerait pas l'harmonie bâtie, jour après jour, par le couple royal.

Lorsque Améni sortit de la salle du tribunal, le Sarde alla à sa rencontre. Le secrétaire particulier de Pharaon était joyeux.

– Moïse est acquitté.

21

La cour s'était rassemblée dans la salle d'audience du palais de Pi-Ramsès, à laquelle donnait accès un escalier monumental, orné de figures d'ennemis terrassés. Nul ne savait pourquoi Pharaon avait ainsi convoqué le gouvernement au grand complet et les principaux responsables de l'Administration, mais chacun s'attendait à l'annonce de décisions essentielles pour l'avenir du pays.

En franchissant la porte monumentale entourée des noms de couronnement de Ramsès, peints en bleu sur fond blanc et placés dans des cartouches, Améni cachait mal son mécontentement ; pourquoi le roi ne lui avait-il fait aucune confidence ? À voir l'air pincé d'Âcha, il estima que son ami n'en savait pas plus long que lui.

Les courtisans étaient si nombreux que l'on ne pouvait plus contempler le décor formé de tuiles de terre cuite vernissées, représentant des jardins fleuris et des étangs où folâtraient des poissons. On se pressait entre les colonnes et contre les murs sur lesquels se déployait une féerie de vert pâle, de rouge profond, de bleu clair, de jaune lumineux et de blanc cassé. Mais, en ces moments d'angoisse, qui songeait à admirer les sublimes oiseaux qui s'ébattaient dans des marais peuplés de papyrus ?

Pourtant, le regard de Sétaou s'attardait sur une peinture représentant une jeune femme en méditation devant un massif de roses trémières, et dont les traits ressemblaient à ceux de la reine. Les frises de lotus, de pavots, de coquelicots, de marguerites et de bleuets incarnaient une nature pacifique et souriante.

Ministres, hauts fonctionnaires, scribes royaux, ritualistes, gardiens des secrets, prêtres et prêtresses, grandes dames et autres personnages importants firent silence quand Ramsès et Néfertari s'assirent sur leur trône. La puissance du monarque était éclatante, sa prestance inégalable. Portant la double couronne marquant sa souveraineté sur la Haute et la Basse-Égypte, vêtu d'une robe blanche et d'un pagne doré, Ramsès tenait dans la main droite le sceptre « magie », la crosse du berger qui lui servait à rassembler son peuple dans l'invisible et à maintenir sa cohésion dans le visible.

Néfertari était la grâce, Ramsès la puissance. Chacun, dans l'assistance, perçut l'amour profond qui les unissait et donnait à tous deux un parfum d'éternité.

Le ritualiste en chef lut un hymne à Amon, célébrant la présence du dieu caché dans toutes les formes de la vie. Alors, Ramsès parla.

– Je vais vous communiquer un certain nombre de décisions afin de dissiper les rumeurs et préciser la politique que je compte suivre dans l'immédiat. Ces choix sont le fruit d'une longue réflexion menée avec la grande épouse royale.

Plusieurs scribes royaux s'apprêtèrent à noter les propos du monarque qui deviendraient des décrets immédiatement appliquables.

– J'ai décidé de renforcer la frontière nord-est de l'Égypte, d'y bâtir de nouvelles forteresses, de consolider les murailles anciennes, de doubler les garnisons et d'améliorer leur solde. Le Mur du roi doit devenir infranchissable et protéger le Delta de toute tentative d'invasion. Des équipes de tailleurs de pierre et de briquetiers partiront dès demain afin d'entreprendre les travaux nécessaires.

Un courtisan âgé demanda la parole.

– Majesté, le Mur du roi sera-t-il suffisant pour arrêter les hordes hittites ?

– À lui seul, non ; il n'est que le dernier élément de notre système de défense. Grâce à la récente intervention de notre armée, qui a brisé la contre-offensive hittite, nous avons reconquis nos protectorats. Entre nous et l'envahisseur, il existe Canaan, l'Amourrou et la Syrie du Sud.

– Les princes gouvernant ces provinces ne nous ont-ils pas souvent trahis ?

– Souvent, en effet ; c'est pourquoi je confie la gestion administrative et militaire de cette zone tampon à Âcha, auquel j'accorde des pouvoirs exceptionnels dans cette région. Je le charge d'y maintenir notre suprématie, de contrôler les dirigeants locaux, d'y former un service de renseignements efficace et d'y préparer un corps d'élite capable de freiner une attaque hittite.

Âcha demeura imperturbable, bien qu'il fût l'objet de tous les regards, les uns admiratifs, les autres envieux. Le ministre des Affaires étrangères devenait un personnage majeur de l'État.

– J'ai également décidé d'entreprendre un long voyage avec la reine, poursuivit Ramsès ; pendant mon absence, Améni se chargera des affaires courantes et consultera chaque jour ma mère, Touya. Nous resterons en contact par courrier, aucun décret ne sera pris sans mon accord.

La cour fut stupéfaite. Le rôle d'éminence grise d'Améni n'était pas une révélation, mais pourquoi le couple royal s'éloignait-il de Pi-Ramsès en une période si cruciale ?

Le chef du protocole osa poser la question qui était sur toutes les lèvres.

– Majesté... Acceptez-vous de nous révéler le but de votre voyage ?

– Renforcer l'assise sacrée de l'Égypte. La reine et moi nous rendrons d'abord à Thèbes, pour vérifier l'état d'avancement de mon temple des millions d'années, puis nous partirons pour le Grand Sud.

– Jusqu'en Nubie ?

– En effet.

– Pardonnez-moi, Majesté... Mais ce long déplacement est-il nécessaire ?

– Indispensable.

La cour comprit que le pharaon n'en dirait pas davantage. Et chacun d'imaginer les raisons secrètes de cette surprenante décision.

Veilleur, le chien jaune or du roi, lécha la main de la reine mère, tandis que le lion se couchait à ses pieds.

– Ces deux fidèles compagnons désiraient te rendre hommage, indiqua Ramsès.

Touya préparait un grand bouquet monté qui serait déposé sur la table des offrandes destinées à la déesse Sekhmet. Comme la reine mère était altière, dans sa longue robe de lin au liseré d'or, les épaules couvertes d'une courte cape, la taille prise dans une ceinture rouge à pans rayés tombant presque jusqu'à terre ! Comme elle était noble, avec ses yeux perçants, son visage fin et sévère, son allure de femme de pouvoir, exigeante et intraitable !

– Que penses-tu de mes décisions, mère ?

– Néfertari m'en avait longuement parlé, et je crains même de les avoir un peu inspirées. La seule protection efficace de notre frontière nord-est consiste bien à contrôler nos protectorats d'une main ferme pour empêcher une invasion hittite. Telle fut la politique de ton père, telle doit être la tienne. Neuf années de règne, mon fils... comment supportes-tu ce poids-là ?

– Je n'ai guère eu le loisir d'y songer.

– Tant mieux, continue d'avancer et de tracer ton sillon. As-tu le sentiment que l'équipage du bateau obéit correctement à tes ordres ?

– Mon proche entourage est très réduit, et je n'ai pas l'intention de l'augmenter

– Améni est un être remarquable, jugea Touya ; même si sa vision n'est pas assez large, il possède deux qualités très rares : l'honnêteté et la fidélité.

– Seras-tu aussi élogieuse à l'égard d'Âcha ?

– Lui aussi possède une vertu exceptionnelle : le courage, un courage particulier fondé sur une analyse en profondeur des situations. Qui eût été mieux choisi que lui pour veiller sur nos protectorats du Nord ?

– Sétaou trouverait-il grâce à tes yeux ?

– Il déteste les conventions et il est sincère : comment ne pas apprécier un allié si précieux ?

– Reste Moïse...

– Je connais ton amitié pour lui.

– Mais tu ne l'approuves pas.

– Non, Ramsès ; cet Hébreu poursuit des buts que tu seras contraint de désapprouver. Quelles que soient les circonstances, fais toujours passer ton pays avant tes sentiments.

– Moïse n'est pas encore un fauteur de troubles.

– S'il le devient, c'est la Règle de Maât, et elle seule, qui devra inspirer ta conduite. L'épreuve risque d'être redoutable, même pour toi, Ramsès.

Touya redressa la tige d'un lys ; le bouquet avait l'éclat de cent fleurs.

– Acceptes-tu de gouverner les Deux Terres pendant mon absence ?

– Ne m'y obliges-tu pas ? Le fardeau de l'âge commence à peser.

Ramsès sourit.

– Je n'y crois pas.

– Tu as trop de force en toi pour imaginer quel peut être le poids de la vieillesse. À présent, me révéleras-tu la véritable raison de ce long voyage ?

– L'amour de l'Égypte et de Néfertari. Je veux réanimer le feu secret des temples, faire en sorte qu'ils produisent davantage d'énergie.

– Les Hittites ne seraient-ils pas nos seuls adversaires ?

– Un mage libyen, Ofir, utilise contre nous des forces ténébreuses ; peut-être ai-je tort d'accorder trop d'importance à son action, mais je ne prendrai aucun risque. Néfertari a déjà trop souffert de ses maléfices.

– Les dieux t'ont favorisé, mon fils ; pouvaient-ils t'accorder plus grand bonheur qu'une épouse aussi lumineuse ?

– Ne pas la vénérer comme il convient serait une faute grave ; aussi ai-je conçu un grand projet pour que son nom rayonne pendant des millions d'années et que le couple royal apparaisse comme l'assise intangible sur laquelle l'Égypte est construite.

– Puisque tu as perçu cette exigence, ton règne sera un grand règne. Néfertari est la magie sans laquelle aucun acte n'est durable. Violences et ténèbres ne disparaîtront pas aussi longtemps que les générations succéderont aux générations, mais l'harmonie sera vécue sur cette terre tant que régnera le couple royal. Fortifie-le, Ramsès, fais-en la pierre de fondation de l'édifice. Quand l'amour rayonne sur un peuple, il lui offre davantage de bonheur que n'importe quelle richesse.

Le bouquet était terminé ; la déesse serait comblée.

– Songes-tu parfois à Chénar ?

La tristesse voila le regard de Touya.

– Comment une mère pourrait-elle oublier son fils ?

– Chénar n'est plus le tien.

– Le roi a raison et je devrais l'écouter... Me pardonnera-t-il ma faiblesse ?

Ramsès serra tendrement Touya contre lui.

– En le privant de sépulture, précisa-t-elle, les dieux lui ont infligé un terrible châtiment.

– J'ai affronté la mort à Kadesh, Chénar l'a rencontrée dans le désert. Peut-être a-t-elle purifié son âme.

– Et s'il était encore vivant ?

– J'ai eu cette pensée, moi aussi... S'il se cache, dans l'ombre, avec les mêmes intentions que naguère, seras-tu indulgente ?

– Tu es l'Égypte, Ramsès, et quiconque s'attaquera à toi me trouvera sur son chemin.

22

Ramsès se recueillit devant la statue de Thot, à l'entrée du ministère des Affaires étrangères, et déposa un bouquet de lys sur l'autel des offrandes. Incarné dans un grand singe de pierre, le maître des hiéroglyphes, les « paroles des dieux », gardait le regard levé vers le ciel.

La visite de Pharaon était un honneur dont se félicitaient les fonctionnaires du ministère ; Âcha accueillit le monarque et s'inclina devant lui. Quand Ramsès lui donna l'accolade, les subordonnés du jeune ministre se sentirent fiers de travailler sous les ordres d'un dignitaire auquel le roi accordait une telle marque de confiance.

Les deux hommes s'enfermèrent dans le bureau d'Âcha, luxueux et raffiné : roses importées de Syrie, compositions florales associant narcisses et soucis, coffres en acacia, chaises aux panneaux décorés de lotus, coussins chamarrés, guéridons aux pieds de bronze. Les murs s'ornaient de scènes de chasse aux oiseaux dans les marais.

– Tu n'as pas opté pour la sobriété, constata Ramsès ; il ne manque que les vases exotiques de Chénar.

– Trop mauvais souvenir ! Je les ai fait vendre au profit de mon ministère.

Élégant, coiffé d'une perruque légère et parfumée, sa petite moustache très soignée, Âcha semblait prêt à assister à un banquet mondain.

– Lorsque j'ai la chance de vivre quelques semaines paisibles en Égypte, avoua-t-il, je m'enivre des innombrables plaisirs qu'elle offre... Mais que le roi se rassure : je n'oublie pas la mission qu'il m'a confiée.

Tel était Âcha : cynique, d'apparence frivole, épris de mode, séducteur allant de femme en femme, mais homme d'État rompu aux exigences de la politique internationale, parfait connaisseur du terrain et aventurier capable de courir des risques insensés.

– Que penses-tu de mes décisions ?

– Elles m'accablent et me réjouissent, Majesté.

– Les estimes-tu... suffisantes ?

– Il manque l'essentiel, n'est-ce pas ? Et c'est précisément la raison de cette visite qui n'a rien de protocolaire. Laisse-moi deviner : ne serait-ce pas... Kadesh ?

– J'ai bien choisi mon ministre des Affaires étrangères et le chef de mon service d'espionnage.

– Songes-tu encore à t'emparer de cette place forte ?

– Kadesh fut le site d'une victoire, mais la forteresse hittite est intacte et continue à nous narguer.

Contrarié, Âcha versa un admirable vin rouge, à la robe éclatante, dans deux coupes d'argent dont les anses étaient des corps de gazelles.

– Je me doutais que tu reviendrais vers Kadesh... Ramsès ne saurait tolérer l'ombre de l'échec. Oui, cette forteresse nous défie ; oui, elle est aussi puissante qu'hier.

– C'est pourquoi je la considère comme une menace permanente pour notre protectorat de Syrie du Sud ; c'est de Kadesh que partiront les attaques.

– À première vue, le raisonnement paraît impeccable.

– Mais tel n'est pas ton avis.

– Un ministre bedonnant et tranquille, confortablement assis sur ses privilèges et ses dignités, se prosternerait devant toi et te tiendrait à peu près ce discours : « Ramsès le grand, roi à la vue perçante, au bras victorieux, partez à la conquête de Kadesh ! » Et ce courtisan serait un sinistre imbécile.

– Pourquoi faudrait-il renoncer à cette conquête ?

– À cause de toi, les Hittites ont découvert qu'ils n'étaient pas invincibles. Certes, leur armée demeure puissante, mais les esprits sont troublés. Mouwattali avait promis à son pays une invasion facile et une victoire écrasante, et il doit justifier, à grand-peine, un retrait de ses troupes sur leurs positions habituelles. C'est un autre conflit qui s'engage : la guerre de succession, entre son fils Ouri-Téchoup et son frère Hattousil.

– Qui possède les meilleures chances de vaincre ?

– Impossible à prévoir ; l'un et l'autre détiennent des armes efficaces.

– La chute de Mouwattali est-elle imminente ?

– À mon avis, oui ; on tue volontiers, à la cour hittite. Dans une société guerrière, le chef incapable de vaincre doit être éliminé.

– N'est-ce pas le moment idéal pour attaquer Kadesh et nous en emparer ?

– Certes, si notre intérêt consistait à saper les fondations de l'empire hittite.

Ramsès appréciait la finesse de son ami Âcha et son caractère piquant mais, cette fois, il fut étonné.

– N'est-ce pas le but majeur de notre politique extérieure ?

– Je n'en suis plus très sûr.

– Te moquerais-tu de moi ?

– Quand une décision se traduit par la vie ou la mort de milliers d'êtres humains, je n'ai pas le goût à plaisanter.

– Alors, tu détiens une information qui doit modifier radicalement mon jugement.

– Une simple intuition, fondée sur quelques renseignements grappillés par nos informateurs. As-tu entendu parler de l'Assyrie ?

– Une peuplade guerrière, comme les Hittites.

– C'était, jusqu'à présent, un État sous influence hittite.

Mais Hattousil, lorsqu'il a formé sa coalition, a donné beaucoup de métal précieux aux Assyriens afin qu'ils observent une neutralité bienveillante. Et ces richesses inespérées se sont transformées en armement. Actuellement, en Assyrie, les militaires prennent le pas sur les diplomates. La prochaine grande puissance asiatique pourrait bien être l'Assyrie, plus conquérante et plus dévastatrice que le Hatti.

Ramsès médita.

– L'Assyrie... Serait-elle prête à attaquer le Hatti ?

– Pas encore, mais à terme, le conflit me semble inévitable.

– Pourquoi Mouwattali ne coupe-t-il pas le mal à la racine ?

– À cause des dissensions internes qui menacent son trône et parce qu'il redoute une avancée de notre armée vers Kadesh. Pour lui, nous demeurons l'adversaire principal.

– Et pour ceux qui convoitent le pouvoir ?

– Son fils, Ouri-Téchoup, est aveugle ; il ne songe qu'à prendre possession des Deux Terres en massacrant un maximum d'Égyptiens. Hattousil a l'esprit plus large et doit mieux prendre conscience du péril qui grossit, aux portes mêmes de l'empire hittite.

– Tu me déconseilles donc de lancer une vaste offensive contre Kadesh.

– Nous perdrons beaucoup d'hommes, les Hittites aussi ; le vrai vainqueur risque d'être l'Assyrie.

– Bien entendu, tu ne t'es pas contenté de réfléchir ; quel est ton plan ?

– Je crains qu'il ne te plaise guère, dans la mesure où il est en contradiction avec la politique que tu considères comme juste.

– Prends le risque.

– Faisons croire aux Hittites que nous préparons l'assaut de Kadesh. Rumeurs, désinformation classique, faux documents confidentiels, manœuvres en Syrie du Sud... Je m'en occupe.

– Jusque-là, tu ne me choques pas.

– La suite risque d'être plus délicate. Lorsque ce dispositif se sera révélé efficace, je partirai pour le Hatti.

– À quel titre ?

– Mission secrète, avec pleins pouvoirs pour négocier.

– Mais... Que veux-tu négocier ?

– La paix, Majesté.

– La paix... Avec les Hittites !

– C'est la meilleure solution pour empêcher l'Assyrie de devenir un monstre beaucoup plus dangereux que le Hatti.

– Jamais les Hittites n'accepteront.

– Si je dispose de ton appui, je me fais fort de les convaincre.

– Si un autre que toi m'avait fait cette proposition, je l'aurais accusé de haute trahison.

Âcha sourit.

– Je m'en doutais un peu... Mais qui d'autre que Ramsès peut voir loin, très loin au-delà du moment présent ?

– Les sages n'enseignent-ils pas que flatter un ami est une faute impardonnable ?

– Ce n'est pas à l'ami que je m'adresse, mais au pharaon. Avoir la vue basse, figée sur l'événement, consisterait à profiter de nos forces actuelles pour affronter les Hittites, avec une réelle possibilité de les vaincre ; mais l'irruption de l'Assyrie sur la scène internationale doit modifier notre stratégie.

– Une simple intuition, Âcha ; tu l'avouais toi-même.

– À mon poste, il est essentiel de prévoir l'avenir et de le pressentir avant les autres. N'est-ce pas l'intuition qui conduit à une décision juste ?

– Je n'ai pas le droit de te laisser courir un tel risque.

– Mon séjour chez les Hittites ? Ce ne sera pas le premier.

– Désires-tu fréquenter de nouveau leurs prisons ?

– Il existe des villégiatures plus agréables, mais il faut savoir forcer le destin.

– Je ne trouverai pas un meilleur ministre des Affaires étrangères.

– J'ai l'intention de revenir, Ramsès. Et puis l'existence facile et mondaine m'affaiblirait l'esprit, à la longue. Le temps de fréquenter quelques maîtresses, de les habiller, de les sortir et de me lasser d'elles, il me faudra une nouvelle aventure pour demeurer vif d'esprit et conquérant. Cette expérience ne m'effraie pas... À moi de savoir utiliser les faiblesses des Hittites et de les convaincre de cesser les hostilités.

– Es-tu conscient, Âcha, que ce projet est complètement insensé ?

– Il possède la fraîcheur de la nouveauté et l'attrait de l'inconnu : n'est-il pas paré de toutes les séductions ?

– Tu ne croyais quand même pas que j'allais te donner mon accord.

– Je l'obtiendrai, car tu n'es pas un vieux monarque frileux incapable de changer le monde. Donne-moi l'ordre de négocier avec les barbares qui veulent nous détruire pour les transformer en vassaux.

– Je vais entreprendre un long voyage dans le Sud, et toi, tu seras isolé dans le Nord.

– Puisque tu t'occupes de l'au-delà, laisse-moi les Hittites.

23

Âgés de quinze à vingt-cinq ans, la tête rasée à l'exception d'une mèche composée d'une série de tresses parallèles maintenues par une large barrette au niveau de l'oreille et retombant sur le côté droit du visage, les « fils royaux » portaient des boucles d'oreilles, un collier large, des bracelets, un pagne plissé, et tenaient fièrement une hampe terminée par une plume d'autruche.

À ces jeunes garçons, choisis pour leur vigueur physique et intellectuelle, Ramsès avait confié la mission de le représenter dans les différents corps d'armée. Présents sur le champ de bataille, ils sauraient redonner une énergie parfois défaillante à des soldats dont le roi n'avait pas oublié la lâcheté, à Kadesh, face à la coalition rassemblée par les Hittites.

Les « fils royaux » partiraient pour le Nord et s'occuperaient de l'administration des protectorats. Ils avaient reçu des ordres stricts d'Âcha et les respecteraient.

Déjà se répandait la légende selon laquelle Ramsès le grand, géniteur infatigable et père prolifique, avait mis au monde une centaine d'enfants dont l'existence était la preuve évidente de la puissance divine qui habitait le monarque. Ainsi se construisait une généalogie fabuleuse que les sculpteurs traduisaient dans la pierre et que les scribes se plairaient à transmettre.

À l'ombre de son citronnier, le vieil Homère parfumait sa barbe blanche. Hector, le chat noir et blanc, avait grossi, mais il ronronna dès que Ramsès le caressa.

– Pardonnez mon indiscrétion, Majesté, mais j'ai l'impression que vous êtes contrarié.

– Disons... préoccupé.

– De mauvaises nouvelles ?

– Non, mais la proximité d'un long voyage qui présente quelques périls.

Le poète grec remplit de feuilles de sauge le fourneau de sa pipe, fait d'une grosse coquille d'escargot.

– Ramsès le grand... C'est ainsi que le peuple vous appelle, à présent ; voici ce que je viens d'écrire : *Les dons magnifiques des dieux ne sont pas négligeables. Eux seuls nous les donnent, car nul ne saurait les acquérir par lui-même.*

– Seriez-vous fataliste à ce point ?

– C'est le privilège de l'âge, Majesté. Mon *Iliade* et mon *Odyssée* sont terminées, j'ai mis la dernière main au poème qui chante votre victoire de Kadesh. Il ne reste plus qu'à fumer de la sauge, à boire du vin parfumé à l'anis et à me faire masser avec de l'huile d'olive.

– N'avez-vous pas envie de relire votre œuvre ?

– Seuls les auteurs médiocres se contemplent dans le miroir de leurs phrases. Pourquoi ce voyage, Majesté ?

– « Retourne souvent à Abydos, avait exigé mon père, et veille sur ce temple. » J'ai négligé ses ordres, et je dois me préoccuper de ce sanctuaire.

– Il y a davantage.

– À la question : « Qu'est-ce qu'un pharaon ? » Séthi répondait : « Celui qui rend son peuple heureux. » Comment y parvenir ? En accomplissant des actes bénéfiques pour le Principe et pour les dieux, de sorte qu'ils rejaillissent sur les hommes.

– N'est-ce pas la reine qui vous a recommandé d'agir ainsi ?

– Avec elle, et pour elle, je veux bâtir une œuvre qui produira cette énergie lumineuse dont nous avons tant besoin, et qui protégera l'Égypte et la Nubie du malheur.

– Le lieu est-il choisi ?

– Au cœur de la Nubie, Hathor a marqué de sa présence un endroit nommé Abou Simbel. En s'incarnant dans la pierre, la dame des étoiles a révélé le secret de son amour. C'est lui que je veux offrir à Néfertari, pour qu'elle devienne à jamais la dame d'Abou Simbel.

Barbu, les cheveux hirsutes, assis sur ses talons, les genoux pliés devant lui, le cuisinier se servait d'une feuille de palmier pour attiser le feu d'un brasero sur lequel il cuisait une oie troussée ; dans le bec et le cou du volatile, il avait enfoncé une broche et la maintenait ainsi bien droite au-dessus du foyer. Lorsqu'il aurait terminé, il plumerait un canard, le viderait, lui couperait la tête, le bout des ailes et les pattes, et l'embrocherait afin de le faire griller à feu doux.

Une noble dame l'interpella.

– Toutes vos volailles sont-elles réservées ?

– Presque toutes.

– Si je vous commande un canard, pouvez-vous me le préparer tout de suite ?

– C'est que... Je suis très occupé.

Dolente, la sœur de Ramsès, rajusta la bretelle gauche de sa robe qui avait tendance à glisser ; puis la grande femme brune déposa un pot de miel aux pieds du cuisinier.

– Ton déguisement est parfait, Chénar. Si tu ne m'avais pas fixé rendez-vous à cet endroit précis, je ne t'aurais pas reconnu.

– As-tu appris quelque chose d'essentiel ?

– Je crois... J'ai assisté à la grande audience du couple royal.

– Reviens dans deux heures ; je te donnerai ton canard,

je fermerai boutique et tu me suivras. Je te conduirai jusqu'à Ofir.

En bordure des entrepôts, le quartier des cuisiniers et des bouchers ne retrouvait le calme qu'à la nuit tombée. Quelques apprentis, lourdement chargés, se dirigeaient vers les villas des riches pour y livrer de belles pièces de viande qui seraient servies lors des banquets.

Chénar s'engagea dans une ruelle déserte, s'arrêta devant une porte basse peinte en bleu, et frappa quatre coups espacés. Dès qu'elle s'ouvrit, il fit signe à Dolente d'accourir. La grande femme brune se fit violence et s'engouffra dans un local au plafond bas, encombré de paniers. Chénar souleva une trappe, lui et sa sœur descendirent un escalier de bois aboutissant à une cave.

Quand elle vit le mage Ofir, Dolente se prosterna et embrassa le bas de sa robe.

– Je craignais tant de ne pas vous revoir !

– Je vous avais promis de revenir. Des journées de méditation dans la Cité du Soleil ont conforté ma foi en Aton, le dieu unique qui, demain, régnera sur ce pays.

Les yeux extasiés, Dolente contempla le mage au visage d'oiseau de proie. Il la fascinait, lui, le prophète de la vraie foi. Demain, sa force guiderait le peuple ; demain, il renverserait Ramsès.

– Votre aide nous est très précieuse, dit Ofir d'une voix douce et profonde : sans vous, comment lutter contre ce tyran impie et détesté ?

– Ramsès ne se méfie plus de moi ; je suis même persuadée qu'il m'accorde à nouveau sa confiance, en raison de mon intervention favorable à son ami Moïse.

– Quelles sont les intentions du roi ?

– Il a confié la gestion des protectorats du Nord aux fils royaux, placés sous les ordres d'Âcha.

– Ce diplomate maudit ! rugit Chénar ; il m'a trompé et s'est moqué de moi. Je me vengerai, je le piétinerai, je...

– Il y a plus urgent, le coupa sèchement Ofir. Écoutons Dolente.

La sœur de Ramsès était fière de jouer un rôle majeur.

– Le couple royal va entreprendre un long voyage.

– La destination ?

– La Haute-Égypte et la Nubie.

– Connaissez-vous le motif ?

– Ramsès veut offrir un cadeau extraordinaire à la reine. Un temple, semble-t-il.

– Est-ce l'unique raison de ce déplacement ?

– Le Pharaon veut réanimer les puissances divines, les rassembler, exalter leur énergie et tisser un filet protecteur qu'il étendra sur l'Égypte.

Chénar ricana.

– Mon bien-aimé frère aurait-il perdu la raison ?

– Non, protesta Dolente, il se sait menacé par des adversaires mystérieux ; il n'a d'autre solution que de faire appel aux dieux et de se constituer une armée invisible pour lutter contre les ennemis qu'il redoute.

– Il devient fou, estima Chénar, et s'enfonce dans sa démence. Une armée de divinités... C'est ridicule !

Le frère du roi sentit peser sur lui le regard glacé d'Ofir.

– Ramsès a pris conscience du danger, dit Ofir.

– Vous ne croyez quand même pas que...

Chénar s'interrompit. Du mage émanait une violence terrifiante ; un instant, le frère aîné du monarque ne douta plus des pouvoirs occultes du Libyen.

– Qui protège le petit Khâ ? demanda Ofir à Dolente.

– Sétaou, le charmeur de serpents. Il transmet sa science au fils de Ramsès et l'a entouré de forces qui le mettent à l'abri de toute agression, d'où qu'elle provienne.

– Les serpents détiennent la magie de la terre, reconnut Ofir ; qui les fréquente la connaît. Grâce au pinceau de l'enfant, je parviendrai néanmoins à détruire ce système de défense. Mais il me faudra davantage de temps que prévu.

Le cœur de Dolente se révolta à l'idée que Khâ eût à souffrir de la guerre des esprits ; mais sa raison se plia à la stratégie du mage. Cette agression affaiblirait Ramsès, amoindrirait son *ka* et l'entraînerait peut-être à abdiquer. Quelle que fût la cruauté de l'assaut, Dolente ne s'y opposerait pas.

– Il faut nous séparer, estima Ofir.

Dolente s'accrocha à la robe du mage.

– Quand vous reverrai-je ?

– Chénar et moi allons quitter la capitale quelque temps ; nous ne pouvons pas séjourner longtemps au même endroit. Vous serez la première avertie de notre retour. Dans l'intervalle, continuez à recueillir des informations.

– Je continuerai à propager la vraie foi, affirma-t-elle.

– Est-il préoccupation plus importante ? murmura Ofir, avec un sourire complice.

24

Pour fêter l'acquittement de Moïse, les briquetiers hébreux avaient organisé un énorme banquet dans le quartier populaire où ils résidaient ; pains triangulaires, ragoûts de pigeon, cailles farcies, compote de figues, vin fort et bière fraîche furent offerts aux convives qui chantèrent la nuit durant, scandant à plusieurs reprises le nom de Moïse, devenu le plus populaire des Hébreux.

Lassé par le vacarme, ce dernier s'éloigna du lieu de la fête lorsque ses partisans furent trop ivres pour s'apercevoir de son absence. Moïse éprouvait le besoin d'être seul et de songer aux luttes qui s'annonçaient ; persuader Ramsès de laisser sortir d'Égypte la totalité du peuple hébreu ne serait pas facile. Pourtant, il lui fallait accomplir, coûte que coûte, la mission que lui avait confiée Yahvé ; pour y parvenir, il déplacerait des montagnes.

Moïse s'assit sur le rebord de la meule du quartier ; deux hommes se dirigèrent vers lui. Deux bédouins, le chauve et barbu Amos, et le maigre Baduch.

– Que faites-vous ici ?

– Nous nous associons à cette liesse, déclara Amos ; n'est-ce pas un moment privilégié ?

– Vous n'êtes pas hébreux.

– Nous pouvons être vos alliés.

– Je n'ai pas besoin de vous.

– Ton clan ne surestime-t-il pas ses forces ? Sans armes, tu ne parviendras pas à réaliser tes rêves.

– J'utiliserai certaines armes, mais pas les vôtres.

– Si les Hébreux s'allient aux bédouins, affirma Baduch, ils formeront une véritable armée.

– À quoi servirait-elle ?

– À combattre les Égyptiens et à les vaincre !

– Rêve dangereux.

– Toi, Moïse, tu oses critiquer ce rêve-là ? Faire sortir ton peuple d'Égypte, défier Ramsès, te placer au-dessus des lois de ce pays... N'est-ce pas un rêve tout aussi condamnable et dangereux ?

– Qui t'a parlé de mes projets ?

– Pas un seul briquetier ne les ignore ! On te prête même l'intention de brandir l'étendard de Yahvé, le dieu guerrier, et de t'emparer des Deux Terres.

– Les hommes délirent vite, lorqu'un grand projet bouscule leurs habitudes.

L'œil rusé de Baduch brilla d'une lueur malsaine.

– Il n'en reste pas moins que tu comptes soulever les Hébreux contre l'Administration égyptienne.

– Écartez-vous de mon chemin, l'un et l'autre.

– Tu as tort, Moïse, insista Amos ; ton peuple sera amené à se battre, et il ne possède aucune expérience dans ce domaine. Nous pourrions lui servir d'instructeurs.

– Partez et laissez-moi méditer.

– À ta guise... Nous nous reverrons.

Se déplaçant avec leurs ânes comme de simples paysans et munis d'une autorisation de circuler délivrée par Méba, les deux bédouins firent halte dans un champ, au sud de Pi-Ramsès. Ils commençaient à déguster des oignons doux, du pain frais et du poisson séché quand deux hommes s'assirent à côté d'eux.

– Comment s'est déroulée l'entrevue ? demanda Ofir.

– Ce Moïse est buté, avoua Amos.

– Menacez-le, exigea Chénar.

– Ça ne servirait à rien. Il faut le laisser s'enfoncer dans ses projets insensés. À un moment ou à un autre, il aura besoin de nous.

– Les Hébreux l'ont-ils accepté ?

– L'acquittement l'élève au rang de héros, et les briquetiers sont persuadés qu'il défendra leurs droits, comme autrefois.

– Comment jugent-ils son projet ?

– Il est très contesté, mais échauffe les sangs de quelques jeunes qui rêvent d'indépendance.

– Encourageons-les, dit Chénar ; en fomentant des troubles, ils affaibliront le pouvoir de Ramsès. S'il déclenche une répression, elle le rendra impopulaire.

Amos et Baduch étaient les deux survivants du réseau d'espionnage qui avait sévi, en Égypte, pendant plusieurs années ; hors du circuit marchand, ils n'avaient pas été détectés par Serramanna. Dans le Delta, ils disposaient de soutiens non négligeables.

La jonction entre Ofir, Chénar, Amos et Baduch était un véritable conseil de guerre, marquant la reprise de l'offensive contre Ramsès.

– Où se trouvent les troupes hittites ? demanda Ofir.

– D'après les indicateurs bédouins, répondit Baduch, elles campent sur leurs positions, à la hauteur de Kadesh. La garnison a été renforcée, en prévision d'un assaut de l'armée égyptienne.

– Je connais mon frère, ironisa Chénar ; il ne résistera pas à l'envie de foncer droit devant lui !

Lors de la bataille de Kadesh, Amos et Baduch, jouant le rôle de prisonniers affolés, avaient menti à Ramsès pour l'attirer dans un piège auquel il n'aurait pas dû échapper. De leur échec, ils gardaient un souvenir cuisant qu'ils avaient hâte d'effacer.

– Quelles sont les consignes du Hatti ? demanda le mage à Baduch.

– Déstabiliser Ramsès par tous les moyens.

Ofir savait trop ce que signifiait cet ordre vague. D'une part, l'Égypte avait reconquis ses protectorats, et les Hittites ne se sentaient pas en mesure de les récupérer ; d'autre part, le fils et le frère de l'empereur devaient se livrer une lutte acharnée pour s'emparer du pouvoir que détenait encore l'empereur Mouwattali, mais pour combien de temps ?

La défaite de Kadesh, l'échec de la contre-offensive en Canaan et en Syrie, l'absence de réaction lors de la reprise en main de ces territoires par l'Égypte, semblaient prouver que l'empire hittite s'affaiblissait, à cause de ses déchirements. Mais cette triste réalité n'empêcherait pas Ofir de poursuivre sa mission. Quand Ramsès serait frappé à mort, un feu nouveau embraserait le Hatti.

– Vous deux, ordonna Ofir à Baduch et à Amos, continuez à infiltrer les Hébreux. Que vos hommes se déclarent adeptes de Yahvé et poussent les briquetiers à suivre Moïse. Dolente, la sœur du roi, nous renseignera sur l'évolution de la cour pendant l'absence du couple royal. Moi, je m'occuperai de Khâ, quelles que soient les protections dont il est entouré.

– Je me réserve Âcha, marmonna Chénar.

– Vous avez beaucoup mieux à faire, estima Ofir.

– Je veux le tuer de mes mains avant d'éliminer mon frère !

– Et si vous commenciez par ce dernier ?

La proposition du mage éveilla en Chénar une nouvelle flambée de haine à l'égard du tyran qui lui avait volé son trône.

– Je repars pour Pi-Ramsès afin d'y coordonner nos efforts ; vous, Chénar, prenez la direction du Sud.

Chénar gratta sa barbe.

– Retarder Ramsès... Telle est votre intention ?

– J'attends davantage de vous.

– Avec quels moyens ?

Ofir était contraint de révéler la stratégie de Mouwattali.

– Les Hittites envahiront le Delta, les Nubiens franchiront la frontière et attaqueront Éléphantine. Ramsès ne parviendra pas à éteindre les incendies que nous allumerons à plusieurs endroits en même temps.

– Quels seront mes appuis ?

– Une escouade de guerriers bien entraînés qui vous attendent, près de la Cité du Soleil, et des chefs de tribus nubiennes que nous couvrons de cadeaux depuis plusieurs mois. En allant au cœur de cette région, Ramsès ignore qu'il se lance tête baissée dans un guet-apens. Faites en sorte qu'il n'en revienne pas vivant.

Un large sourire éclaira le visage de Chénar.

– Je ne crois ni en Dieu ni aux dieux, mais je commence à croire de nouveau en ma chance. Pourquoi ne pas m'avoir parlé plus tôt de ces précieux alliés ?

– J'avais des ordres, précisa Ofir.

– Aujourd'hui, vous les transgressez ?

– J'ai confiance en vous, Chénar. À présent, vous n'ignorez plus rien des objectifs qui m'ont été fixés.

Rageur, le frère de Ramsès arracha des brins d'herbe, les lança dans le vent, se leva, et fit quelques pas. Enfin, il obtenait le pouvoir d'agir à sa guise, hors de la présence du mage. Ofir utilisait à l'excès la magie, la ruse et les forces souterraines ; lui, Chénar, adopterait une stratégie moins compliquée et plus brutale.

Déjà, dans sa tête, cent idées se bousculaient. Interrompre le voyage de Ramsès de façon définitive... Il n'avait plus d'autre but.

Ramsès... Ramsès le grand, dont l'insolente réussite lui rongeait le cœur ! Chénar ne se leurrait pas sur ses propres insuffisances, mais il possédait une qualité que nulle désillusion n'avait entamée : l'obstination. À la mesure de la taille de l'adversaire, il y avait sa rancœur, chaque jour croissante, qui lui donnait la force d'affronter le maître des Deux Terres.

Un instant, pénétré par la paix de la campagne, Chénar vacilla.

Qu'avait-il à reprocher à Ramsès ? Depuis le début de son règne, le successeur de Séthi n'avait commis aucune faute, ni contre son pays, ni contre son peuple. Il les avait mis à l'abri de l'adversité, s'était comporté comme un guerrier valeureux, avait garanti la prospérité et la justice.

Qu'avait-il à lui reprocher, sinon d'être Ramsès le grand ?

25

Lors d'un conseil réunissant les principaux représentants de la caste des militaires et de celle des marchands, l'empereur Mouwattali rappela les paroles d'un de ses prédécesseurs : « De nos jours, le meurtre est devenu pratique courante dans la famille royale ; la reine a été assassinée, le fils du roi a été assassiné lui aussi. Aussi est-il nécessaire, pour éviter de tels drames, d'imposer une loi : que personne ne tue un membre de la famille royale, que personne ne tire l'épée ou le poignard contre lui, et que l'on s'entende pour trouver un successeur au souverain. »

Tout en affirmant avec force que sa succession n'était pas ouverte, l'empereur se félicita que le temps des meurtres fût révolu et renouvela sa confiance à Hattousil, son frère, et à Ouri-Téchoup, son fils. À ce dernier, il confirma sa fonction de commandant en chef de l'armée ; à son frère, il attribua la charge de stimuler l'économie et de maintenir des liens solides avec les alliés étrangers du Hatti. Autrement dit, il retirait à Hattousil tout pouvoir militaire et rendait Ouri-Téchoup intouchable.

À voir le sourire triomphant d'Ouri-Téchoup et la mine déconfite d'Hattousil, il n'était pas difficile d'identifier le successeur que Mouwattali avait choisi, sans prononcer son nom.

Las et voûté, engoncé dans son manteau de laine rouge

et noir, l'empereur ne commenta pas ses décisions et se retira, entouré de sa garde personnelle.

Folle de rage, la belle prêtresse Poutouhépa piétina les boucles d'oreilles en argent que son mari, Hattousil, lui avait offertes la veille.

– C'est incroyable ! Ton frère l'empereur te met plus bas que terre, et tu n'en étais même pas averti !

– Mouwattali est un homme secret... Et je conserve d'importantes fonctions.

– Sans l'armée, tu n'es qu'un pantin soumis au bon vouloir d'Ouri-Téchoup.

– Je garde de solides amitiés parmi les généraux et les officiers des forteresses qui protègent notre frontière.

– Mais le fils de l'empereur règne déjà en maître dans la capitale !

– Ouri-Téchoup effraie les esprits raisonnables.

– Combien de richesses devrons-nous leur offrir pour les convaincre de ne pas passer dans son camp ?

– Les marchands nous aideront.

– Pourquoi l'empereur a-t-il changé d'avis ? Il paraissait hostile à son fils et avait approuvé mon projet de le supprimer.

– Mouwattali n'agit jamais sur un coup de tête, rappela Hattousil ; sans doute a-t-il dû tenir compte des menaces de la caste militaire. Il l'a apaisée en redonnant à Ouri-Téchoup ses anciens privilèges.

– C'est aberrant ! Ce fou de guerre en profitera pour prendre le pouvoir.

Hattousil prit un long temps de réflexion.

– Je me demande si l'empereur n'a pas tenté de nous transmettre un message d'une manière subtile. Ouri-Téchoup devient l'homme fort du Hatti, donc nous lui apparaissons comme quantité négligeable. N'est-ce pas le meilleur moment pour l'abattre ? Je suis persuadé que l'empereur te recommande ainsi de te hâter. Il faut frapper, et frapper très vite.

– J'espérais qu'Ouri-Téchoup viendrait, un jour ou l'autre, prier dans le temple de la déesse Ishtar, afin d'interroger les spécialistes de la divination. Depuis cette nomination, la consultation des entrailles de vautour est urgente ! Le nouveau chef de l'armée hittite doit avoir hâte de connaître son avenir. C'est moi qui officierai. Quand je l'aurai tué, j'expliquerai qu'il a été victime de la colère du ciel.

Lourdement chargés d'étain, d'étoffes et de produits alimentaires, les ânes entraient dans la capitale hittite d'un pas lent et régulier. Les chefs des caravanes les conduisaient vers un comptoir où un marchand vérifiait la liste et la quantité des produits, établissait des reconnaissances de dette, signait des contrats et menaçait les mauvais payeurs de procédures judiciaires.

Le principal représentant de la caste des marchands, un sexagénaire obèse, déambulait dans le quartier commerçant. Son œil attentif observait les transactions, et il ne manquait pas d'intervenir en cas de litige. Lorsque Hattousil croisa son chemin, il perdit son sourire commercial. Les cheveux retenus par un bandeau, vêtu d'une pièce d'étoffe multicolore, le frère de l'empereur paraissait plus nerveux qu'à l'ordinaire.

– Les nouvelles sont mauvaises, avoua le marchand.

– Des ennuis avec vos livreurs ?

– Non, bien pis : avec Ouri-Téchoup.

– Mais... C'est à moi que l'empereur a confié la gestion de l'économie !

– Ouri-Téchoup ne semble guère s'en soucier.

– Quelles malversations a-t-il commises ?

– Le fils de l'empereur a décidé de prélever un nouvel impôt sur chaque transaction commerciale afin de mieux payer les soldats.

– Je vais émettre une protestation énergique.

– Inutile, il est trop tard.

Hattousil était un naufragé perdu dans la tempête ; pour la première fois, l'empereur ne lui avait accordé aucune confidence et lui, son propre frère, apprenait une nouvelle importante non de la bouche de Mouwattali, mais de l'extérieur.

– Je demanderai à l'empereur d'annuler cet impôt.

– Vous échouerez, prédit le marchand. Ouri-Téchoup veut restaurer la puissance militaire hittite en écrasant la caste des marchands et en la dépouillant de ses richesses.

– Je m'y opposerai.

– Les dieux vous aident, Hattousil.

Depuis plus de trois heures, Hattousil patientait dans une petite salle froide du palais de l'empereur. D'habitude, il pénétrait sans cérémonie dans les appartements privés de son frère ; cette fois, deux membres de la garde personnelle de Mouwattali lui en avaient interdit l'accès, et un chambellan avait écouté sa requête, sans rien lui promettre.

Bientôt, la nuit. Hattousil s'adressa à l'un des gardes.

– Prévenez le chambellan que je n'attendrai pas plus longtemps.

Le soldat hésita, consulta son camarade du regard, puis disparut quelques instants. L'autre semblait prêt à transpercer Hattousil de sa lance, s'il tentait de forcer le passage.

Le chambellan réapparut, escorté par six gardes au visage hostile. Le frère de l'empereur pensa qu'ils allaient l'arrêter et le jeter dans une prison d'où il ne sortirait plus.

– Que désirez-vous ? demanda le chambellan.

– Voir l'empereur.

– Ne vous ai-je pas dit qu'il ne recevait personne aujourd'hui ? Il est inutile d'attendre plus longtemps.

Hattousil s'éloigna, les gardes ne bougèrent pas.

Alors qu'il sortait du palais, il croisa Ouri-Téchoup, éclatant de vigueur. L'ironie aux lèvres, le commandant en chef de l'armée hittite ne salua même pas Hattousil.

Du haut de la terrasse du palais, l'empereur Mouwattali contempla sa capitale, Hattousa. Énorme rocher fortifié au cœur de steppes arides, elle avait été édifiée pour témoigner de l'existence d'une force invincible. À sa vue, n'importe quel envahisseur rebrousserait chemin. Personne ne s'emparerait de ses tours, personne n'atteindrait l'acropole impériale qui dominait les temples des divinités.

Personne, sauf Ramsès.

Depuis que ce pharaon était monté sur le trône d'Égypte, il faisait vaciller la grande forteresse et portait des coups sévères à l'empire. L'hypothèse hideuse de la défaite traversait parfois l'esprit de Mouwattali ; à Kadesh, il avait évité le désastre, mais la chance continuerait-elle à le servir ? Ramsès était jeune, conquérant, aimé du ciel, et il ne lâcherait pas prise avant d'avoir éliminé la menace hittite.

Lui, Mouwattali, le chef d'un peuple guerrier, devait envisager une autre stratégie.

Le chambellan annonça la visite d'Ouri-Téchoup.

– Qu'il vienne.

Le pas martial du militaire fit vibrer les dalles de la terrasse.

– Que le dieu de l'orage veille sur vous, mon père ! L'armée sera bientôt prête à reconquérir le terrain perdu.

– Ne viens-tu pas de lever un nouvel impôt qui mécontente les marchands ?

– Ce sont des lâches et des profiteurs ! Leurs richesses serviront à renforcer notre armée.

– Tu empiètes sur le territoire que j'ai confié à Hattousil.

– Que m'importe Hattousil ! N'avez-vous pas refusé de le recevoir ?

– Je n'ai pas à justifier mes décisions.

– Vous m'avez choisi comme successeur, mon père, et vous avez eu raison. L'armée est enthousiaste, le peuple rassuré. Comptez sur moi pour réaffirmer notre puissance et massacrer les Égyptiens.

– Je connais ta vaillance, Ouri-Téchoup, mais tu as encore beaucoup à apprendre ; la politique étrangère du Hatti ne se réduit pas à un conflit perpétuel avec l'Égypte.

– Il n'existe que deux sortes d'hommes : les vainqueurs et les vaincus. Les Hittites ne peuvent appartenir qu'à la première catégorie. Grâce à moi, nous triompherons.

– Contente-toi d'obéir à mes ordres.

– Quand attaquerons-nous ?

– J'ai d'autres projets, mon fils.

– Pourquoi retarder un conflit que l'empire exige ?

– Parce que nous devons négocier avec Ramsès.

– Nous, les Hittites, négocier avec l'ennemi... Avez-vous perdu l'esprit, mon père ?

– Je t'interdis de me parler sur ce ton ! s'emporta Mouwattali. Agenouille-toi devant ton empereur et présente-lui tes excuses.

Ouri-Téchoup demeura immobile, les bras croisés.

– Obéis, ou bien...

Le souffle court, les lèvres déformées par un rictus, les yeux dans le vague, Mouwattali porta les mains à sa poitrine et s'écroula sur le dallage.

Ouri-Téchoup se contenta de l'observer.

– Mon cœur... mon cœur est comme une pierre... Appelle le médecin du palais...

– J'exige les pleins pouvoirs. C'est moi qui donnerai les ordres à l'armée, dorénavant.

– Un médecin, vite...

– Renoncez à régner.

– Je suis ton père... Me laisseras-tu... mourir ?

– Renoncez à régner !

– Je... je renonce. Tu as... ma parole.

26

Le conseil des chefs de tribus écouta Moïse avec attention. L'acquittement avait accru sa popularité dans de telles proportions que la voix de celui que l'on appelait « le prophète » devait être entendue.

– Dieu t'a protégé, constata Libni d'une voix rauque ; adresse-lui des louanges et passe le reste de ton existence en prière.

– Tu connais mes véritables intentions.

– N'épuise pas ta chance, Moïse.

– Dieu m'a ordonné de faire sortir le peuple hébreu d'Égypte, et je lui obéirai.

Aaron frappa le sol de son bâton.

– Moïse a raison : nous devons obtenir notre indépendance. Quand nous vivrons sur notre terre, nous connaîtrons enfin le bonheur et la prospérité. Sortons tous ensemble d'Égypte, accomplissons la volonté de Yahvé !

– Pourquoi entraîner notre peuple sur le chemin du malheur ? s'insurgea Libni. L'armée massacrera les insurgés, la police arrêtera les insoumis !

– Chassons la peur, recommanda Moïse ; c'est dans notre foi que nous trouverons la force de vaincre Pharaon et d'éviter sa colère.

– Ne nous suffit-il pas de servir Yahvé ici, sur cette terre où nous sommes nés ?

– Dieu s'est manifesté et Il m'a parlé, rappela Moïse; c'est Lui qui a tracé votre destin. Le refuser entraînerait notre perte.

Khâ était fasciné. Sétaou lui parlait de l'énergie qui circule dans l'univers et anime tous les êtres, du grain de sable à l'étoile, énergie concentrée dans les statues des divinités. Le fils aîné de Ramsès, à l'intérieur des temples auxquels Sétaou lui donnait accès, ne pouvait s'arracher à la contemplation de leur corps de pierre.

L'enfant était émerveillé. Un prêtre avait purifié ses mains et ses pieds, et l'avait revêtu d'un pagne blanc, avant d'exiger qu'il se purifiât la bouche avec du natron. Dès ses premiers pas à l'intérieur du sanctuaire, monde parfumé et silencieux, Khâ avait perçu la présence d'une force étrange, cette « magie » qui liait entre eux les éléments de la vie, et dont Pharaon se nourrissait afin d'en nourrir son peuple.

Sétaou fit découvrir à Khâ le laboratoire du temple d'Amon dont les murs étaient couverts de textes, révélant les secrets de fabrication des onguents rituels et des remèdes utilisés par les dieux pour soigner l'œil d'Horus, de sorte que le monde ne fût pas privé de lumière.

Khâ lisait les textes avec avidité et il gardait en mémoire un maximum de hiéroglyphes; il eût aimé séjourner dans les sanctuaires afin de les étudier en détail. C'est grâce à ces signes porteurs de vie que se transmettait la sagesse des anciens.

– Ici se révèle la véritable magie, précisa Sétaou; elle est l'arme que Dieu a donnée aux hommes pour détourner le malheur et ne pas subir la fatalité.

– Peut-on échapper à son destin?

– Non, mais on peut le vivre en conscience; n'est-ce pas repousser les coups du sort? Si tu sais rendre magique le quotidien, tu disposeras d'une force qui te permettra de connaître les secrets du ciel et de la terre, du jour et de la nuit, des montagnes et du fleuve ; tu comprendras le langage des oiseaux et des poissons, tu renaîtras à l'aube en compagnie du soleil et tu verras la puissance divine planer sur les eaux.

– M'apprendras-tu les formules de connaissance ?

– Peut-être, si tu es persévérant, et si tu sors victorieux du combat contre la vanité et la paresse.

– Je me battrai de toutes mes forces !

– Ton père et moi partons pour le Grand Sud et serons absents plusieurs mois.

Khâ devint boudeur.

– J'aimerais que tu restes et que tu m'enseignes la vraie magie.

– Transforme cette épreuve en conquête. Tu viendras ici chaque jour et tu t'imprégneras des signes sacrés qui vivent dans la pierre ; ainsi, tu seras protégé de toute agression extérieure. Pour davantage de sécurité, je vais t'équiper d'une amulette et d'un tissu protecteur.

Sétaou souleva le couvercle d'un coffre en bois doré et en sortit une amulette en forme de tige de papyrus, symbolisant la vigueur et l'épanouissement. Il l'accrocha à une cordelette et la passa autour du cou de Khâ. Puis il déroula une bandelette et, avec de l'encre fraîche, dessina un œil sain et complet ; dès que l'encre fut sèche, il enroula le tissu autour du poignet gauche du garçon.

– Prends garde de ne pas perdre cette amulette ni ce papyrus ; ils empêcheront les énergies négatives de pénétrer dans ton sang. Ils ont été chargés de fluide par les prêtres magnétiseurs et agissent de manière préventive.

– Ce sont les serpents qui détiennent les formules ?

– Ils en savent plus que nous sur la vie et la mort, les deux versants de la réalité ; percevoir leur message est le début de toute science.

– Je voudrais être ton apprenti et préparer des remèdes.

– Ton destin n'est pas de soigner, mais de régner.

– Je ne veux pas régner ! Ce qui me plaît, ce sont les hiéroglyphes et les formules de connaissance. Un pharaon doit rencontrer trop de gens et résoudre trop de problèmes. Moi, je préfère le silence.

– L'existence ne se plie pas à nos désirs.

– Mais si, puisque nous possédons la magie !

Moïse déjeunait avec Aaron et deux chefs de tribus que l'idée de l'exode avait séduits.

On frappa à la porte. Aaron ouvrit, Serramanna franchit le seuil.

– Moïse est-il ici ?

Les deux chefs de tribus se placèrent devant le prophète.

– Suis-moi, Moïse.

– Où l'emmènes-tu ? s'enquit Aaron.

– Ça ne vous concerne pas. Ne m'obligez pas à utiliser la force.

Moïse s'avança.

– Je viens, Serramanna.

Le Sarde fit monter l'Hébreu sur son char. Escorté par deux autres véhicules de la garde, il sortit à vive allure de Pi-Ramsès, traversa les cultures et bifurqua vers le désert.

Serramanna s'immobilisa au pied d'un monticule qui dominait une étendue de sable et de pierraille.

– Grimpe jusqu'au sommet, Moïse.

L'ascension ne présentait aucune difficulté.

Assis sur un bloc érodé par les vents, Ramsès attendait.

– J'aime le désert autant que toi, Moïse ; n'avons-nous pas vécu des heures inoubliables, dans le Sinaï ?

Le prophète prit place à côté du pharaon, et ils regardèrent dans la même direction.

– Quel est le dieu qui te hante, Moïse ?

– Le Dieu unique, le vrai Dieu.

– En étant instruit de la sagesse de l'Égypte, tu avais ouvert ton esprit aux multiples facettes du divin.

– Ne compte pas me ramener vers le passé. Mon peuple a un avenir, et cet avenir s'accomplira hors de l'Égypte. Permets aux Hébreux de se rendre dans le désert, à trois jours de marche, afin d'y sacrifier à Yahvé.

– Tu sais bien que c'est impossible. Un tel séjour nécessiterait une importante protection de l'armée. Dans les circonstances actuelles, on ne saurait exclure l'éventualité d'un raid de bédouins qui ferait de nombreuses victimes parmi une population sans armes.

– Yahvé nous protégera.

– Les Hébreux sont mes sujets, je suis responsable de leur sécurité.

– Nous sommes tes prisonniers.

– Les Hébreux sont libres d'aller et de venir à leur guise, d'entrer en Égypte et d'en sortir, s'ils respectent la loi. Ce que tu me demandes, en temps de guerre, est déraisonnable. De plus, beaucoup ne te suivraient pas.

– Je guiderai mon peuple vers la Terre qui lui est promise.

– Où se trouve-t-elle ?

– Yahvé nous le révélera.

– Les Hébreux sont-ils si malheureux en Égypte ?

– Peu importe. Seule compte la volonté de Yahvé.

– Pourquoi tant de rigidité ? À Pi-Ramsès, il existe des sanctuaires où sont accueillis les dieux étrangers. Les Hébreux peuvent vivre leur croyance à leur guise.

– Cela ne nous suffit plus ; Yahvé ne tolère pas la présence des faux dieux.

– Ne t'égares-tu pas, Moïse ? Depuis toujours, dans notre pays, les sages ont vénéré l'unité du divin dans son Principe et sa multiplicité dans la manifestation. Quand

Akhénaton a tenté d'imposer Aton au détriment des autres puissances créatrices, il a commis une erreur.

– Sa doctrine revit aujourd'hui, purifiée de ses scories.

– Promouvoir un dieu unique et exclusif empêcherait les échanges de divinités entre les pays et tarirait l'espérance de fraternité entre les peuples.

– Yahvé est le protecteur et le secours des justes.

– Oublierais-tu Amon ? Il chasse le mal, entend la prière de qui l'implore d'un cœur aimant, accourt en un instant vers qui l'appelle. Amon est le médecin qui rend la vue à l'aveugle sans utiliser de remèdes, nul n'échappe à son regard, il est à la fois un et multiple.

– Les Hébreux ne vénèrent pas Amon, mais Yahvé ; et c'est Yahvé qui les conduira vers leur destin.

– Une doctrine rigide conduit à la mort, Moïse.

– Ma décision est prise et je m'y tiendrai. Telle est la volonté de Dieu.

– N'est-ce pas vanité de croire que tu en es l'unique dépositaire ?

– Ton opinion m'indiffère.

– Notre amitié a donc disparu.

– Les Hébreux me choisiront comme chef; toi, tu es le maître du pays qui nous retient prisonniers. Quelles que soient l'amitié et l'estime que j'éprouve à ton égard, elles doivent s'effacer derrière ma mission.

– En t'obstinant, tu bafoueras la Règle de Maât.

– Que m'importe !

– Crois-tu être supérieur à la norme éternelle de l'univers, qui existait avant l'humanité et qui perdurera après son extinction ?

– La seule loi que respectent les Hébreux est celle de Yahvé. Nous accordes-tu l'autorisation d'aller dans le désert et d'y célébrer des sacrifices en son honneur ?

– Non, Moïse ; pendant la guerre contre les Hittites, il m'est interdit de prendre un tel risque. Aucun trouble ne doit désorganiser notre système défensif.

– Si tu persistes à refuser, Yahvé animera mon bras, et j'accomplirai des prodiges qui plongeront ton pays dans le désespoir.

Ramsès se leva.

– À tes certitudes, mon ami, ajoute celle-ci : jamais je ne céderai au chantage.

27

La caravane avançait dans une zone aride. L'ambassade égyptienne, composée d'une trentaine d'hommes à cheval, scribes et militaires, et d'une centaine d'ânes chargés de présents, progressait entre deux parois rocheuses sur lesquelles avaient été gravées des figures géantes de guerriers hittites en marche vers le sud, vers l'Égypte. Âcha lut l'inscription : « Le dieu de l'orage trace le chemin des guerriers et leur donne la victoire. »

À plusieurs reprises, le chef de la diplomatie égyptienne avait dû sermonner la petite troupe, affolée par des paysages angoissants et la présence de forces obscures qui parcouraient les forêts, les cols et les massifs montagneux. Bien qu'il ne fût pas lui-même très à l'aise, Âcha pressait la marche, heureux d'avoir évité les bandes de pillards qui sévissaient dans la région.

L'ambassade sortit du défilé, longea une rivière, passa devant des rochers également décorés d'Anatoliens en posture agressive, puis progressa dans une plaine battue par les vents. Au loin, un promontoire sur lequel avait été bâtie une forteresse, énorme et menaçante borne frontière de l'empire.

Les ânes eux-mêmes hésitèrent à continuer ; leur gardien déploya toutes ses facultés de persuasion pour les convaincre d'avancer en direction du sinistre édifice.

Aux créneaux, des archers prêts à tirer.

Âcha ordonna aux membres de la délégation de descendre de leur cheval et de déposer les armes sur le sol.

Brandissant un étendard multicolore, le héraut fit quelques pas vers l'entrée de la place forte.

Une flèche brisa la hampe de l'étendard, une deuxième se planta aux pieds du héraut, une troisième lui érafla l'épaule. Grimaçant de douleur, il rebroussa chemin.

Aussitôt, les soldats égyptiens ramassèrent leurs armes.

– Non, hurla Âcha, n'y touchez pas !

– Nous n'allons pas nous laisser massacrer ! protesta un officier.

– Ce comportement est anormal. Pour que les Hittites soient à ce point irritables et sur la défensive, il faut que des événements graves se soient produits au sein de l'empire, mais dans quel sens ? Je ne le saurai qu'après avoir rencontré le commandant de la forteresse.

– Après un tel accueil, vous ne comptez quand même pas...

– Prenez dix hommes et galopez vers nos positions avancées ; que les troupes de nos protectorats se mettent en état d'alerte, comme si elles allaient subir une attaque hittite. Que des messagers informent Pharaon de la situation afin que notre ligne défensive nord-est soit sur le pied de guerre. Dès que possible, je ferai parvenir de plus amples renseignements.

Trop heureux de regagner une contrée plus accueillante, l'officier ne se fit pas répéter les ordres. Il désigna les dix hommes, emmena le héraut blessé, et conduisit l'escouade au grand galop.

Ceux qui restèrent avec Âcha n'en menaient pas large. Ce dernier rédigea sur papyrus un texte en caractères hittites, donnant son nom et ses titres, fixa le document à la tête d'une flèche et la fit tirer par un archer qui l'expédia au pied de la porte de la forteresse.

– Patientons, recommanda Âcha ; ou bien ils nous accueillent pour discuter, ou bien ils nous massacrent.

– Mais... nous sommes une ambassade ! rappela un scribe.

– Si les Hittites exterminent les diplomates qui demandent à converser, c'est qu'une nouvelle phase de la guerre aura débuté. N'est-ce pas une information capitale ?

Le scribe avala sa salive.

– Ne pourrions-nous battre en retraite ?

– Ce serait indécent. Nous représentons la diplomatie de Sa Majesté.

Peu convaincus par la grandeur de l'argument, le scribe et ses collègues avaient la chair de poule.

La porte de la forteresse s'ouvrit, livrant passage à trois cavaliers hittites.

Un officier casqué, portant une épaisse cuirasse, ramassa le message et le lut. Puis il donna l'ordre à ses hommes d'entourer les Égyptiens.

– Suivez-nous, ordonna-t-il.

L'intérieur de la forteresse était aussi sinistre que l'extérieur. Des murs froids, des pièces glacées, une armurerie, des dortoirs, des fantassins à l'exercice... Cette atmosphère étouffante saisit Âcha à la gorge, mais il réconforta les membres de son ambassade qui se considéraient déjà comme prisonniers. Au terme d'une brève attente, l'officier casqué réapparut.

– Qui est l'ambassadeur Âcha ?

Ce dernier s'avança.

– Le commandant de la forteresse veut vous voir.

Âcha fut introduit dans une pièce carrée, chauffée par une cheminée. Près de l'âtre, un homme de petite taille, vêtu d'un manteau de laine épaisse.

– Bienvenue au Hatti ; heureux de vous revoir, Âcha.

– Puis-je vous avouer ma surprise de vous trouver ici, Hattousil ?

– Quelle est la mission du ministre des Affaires étrangères de Pharaon ?

– Offrir à l'empereur une grande quantité de présents.

– Nous sommes en guerre... Cette démarche est plutôt insolite.

– Le conflit entre nos deux pays doit-il durer éternellement ?

Hattousil ne dissimula pas sa surprise.

– Que dois-je comprendre ?

– Que j'aimerais être reçu par l'empereur pour lui parler des intentions de Ramsès.

Hattousil se chauffa les mains.

– Ce sera difficile... très difficile.

– Voulez-vous dire : impossible ?

– Retournez en Égypte, Âcha... Non, je ne peux pas vous laisser partir...

Face au désarroi de son hôte, Âcha leva le voile.

– Je suis venu proposer la paix à Mouwattali.

Hattousil se retourna.

– Est-ce un piège ou une plaisanterie ?

– Pharaon est convaincu qu'il s'agit du meilleur chemin pour l'Égypte comme pour le Hatti.

– Ramsès voudrait... la paix ? Invraisemblable !

– À moi de vous en convaincre et de mener les négociations.

– Renoncez-y, Âcha.

– Pour quelle raison ?

Hattousil jaugea la sincérité de son interlocuteur. Au point où il en était arrivé, que risquait-il à dire la vérité ?

– L'empereur a été victime d'une crise cardiaque. Privé de l'usage de la parole, paralysé, il est incapable de gouverner.

– Qui exerce le pouvoir ?

– Son fils, Ouri-Téchoup, commandant suprême des forces armées.

– Mouwattali ne vous faisait-il pas confiance ?

– Il m'a confié l'économie et la diplomatie.

– Vous êtes donc mon interlocuteur privilégié.

– Je ne suis plus rien, Âcha ; mon propre frère me fermait sa porte. Dès que j'ai été informé de son état de santé, je me suis réfugié ici, dans cette forteresse dont la garnison m'est fidèle.

– Ouri-Téchoup se proclamera-t-il empereur ?

– Dès le décès de Mouwattali.

– Pourquoi renoncer à lutter, Hattousil ?

– Je n'en ai plus les moyens.

– L'armée entière est-elle sous la coupe d'Ouri-Téchoup ?

– Certains officiers redoutent son tempérament de jusqu'au-boutiste, mais ils sont condamnés au silence.

– Je suis prêt à me rendre dans votre capitale et à faire des propositions de paix.

– Ouri-Téchoup ignore le mot « paix » ! Vous n'avez aucune chance de réussir.

– Où se trouve votre épouse, Poutouhépa ?

– Elle n'a pas quitté Hattousa.

– N'est-ce pas imprudent ?

Hattousil se tourna de nouveau vers l'âtre.

– Poutouhépa a un plan pour freiner l'ascension d'Ouri-Téchoup.

La noble et fière Poutouhépa méditait dans le temple d'Ishtar depuis trois jours. Quand le spécialiste de la divination déposa sur un autel le cadavre d'un vautour abattu par un archer, elle comprit que son heure était venue.

Un diadème d'argent dans les cheveux, drapée dans une longue robe grenat, Poutouhépa serra le manche du poignard qu'elle planterait dans le dos d'Ouri-Téchoup lorsqu'il se pencherait sur les entrailles du vautour, à l'invitation du devin.

La belle prêtresse avait rêvé d'une paix impossible, d'une réconciliation entre toutes les forces vives du Hatti et d'une trêve avec l'Égypte ; mais l'existence même d'Ouri-Téchoup réduisait à néant de tels projets.

Elle seule pouvait empêcher ce démon de mener à bien son œuvre de destruction, elle seule pouvait offrir le pouvoir à son mari Hattousil, qui ramènerait l'empire sur le chemin de la raison.

Ouri-Téchoup fit son entrée dans le sanctuaire.

Poutouhépa était dissimulée derrière une colonne massive, proche de l'autel.

Le fils de l'empereur n'était pas venu seul. Quatre soldats assuraient sa protection. Dépitée, Poutouhépa aurait dû renoncer et sortir du temple sans être vue ; mais bénéficierait-elle d'une meilleure occasion ? Désormais, Ouri-Téchoup ne prendrait plus le moindre risque. Si elle était assez rapide, l'épouse d'Hattousil parviendrait à supprimer le futur despote, mais serait abattue par ses gardes du corps.

Se soustraire à ce sacrifice eût été une lâcheté. Elle devait penser à l'avenir de son pays, non à sa propre existence.

Le devin ouvrit le ventre du vautour d'où se dégagea une épouvantable odeur. Plongeant les mains dans les entrailles, il les étala sur l'autel.

Ouri-Téchoup s'approcha, laissant quelques mètres entre lui et ses gardes du corps. Poutouhépa serra très fort le manche du poignard et se prépara à bondir ; elle devrait se montrer aussi prompte qu'un chat sauvage et placer toute son énergie dans son geste meurtrier.

Le cri du devin la figea sur place. Ouri-Téchoup recula.

– Seigneur, c'est horrible !

– Que vois-tu dans ces entrailles ?

– Il faut surseoir à vos projets... Le destin vous est défavorable.

Ouri-Téchoup eut envie de trancher la gorge de

l'augure, mais les membres de sa garde rapprochée répandraient partout la prédiction défavorable. Au Hatti, on ne passait pas outre aux conclusions des devins.

– Combien de temps devrai-je attendre ?

– Jusqu'à ce que les présages vous soient favorables, seigneur.

Furieux, Ouri-Téchoup quitta le temple.

28

La cour bruissait de rumeurs contradictoires à propos du départ du couple royal pour le Sud ; les uns affirmaient qu'il était imminent, les autres qu'il avait été retardé *sine die*, en raison de la situation incertaine dans les protectorats. Certains pensaient même que le roi, malgré la présence des « fils royaux » à la tête des régiments, serait contraint de repartir en guerre.

La lumière pénétrait à grands flots dans le bureau de Ramsès qui se recueillait devant la statue de son père. Sur la grande table, des dépêches en provenance de Canaan et de Syrie du Sud. Veilleur, le chien jaune or, dormait sur le fauteuil de son maître.

Améni fit irruption dans le bureau.

– Un message d'Âcha !

– L'as-tu authentifié ?

– C'est bien son écriture et il a mentionné mon nom en cryptographie.

– Mode d'acheminement ?

– L'un des membres de son réseau qui arrive du Hatti. Personne d'autre n'a eu le message entre les mains.

Ramsès lut le texte rédigé par Âcha et découvrit ainsi l'ampleur des troubles qui menaçaient de déchirer l'empire hittite. Il comprenait pourquoi les précédentes dépêches l'avaient amené à mettre en alerte les fortins de la frontière nord-est.

– Les Hittites sont dans l'incapacité de nous attaquer, Améni ; la reine et moi pouvons partir.

Équipé de son amulette et de son texte magique, Khâ recopiait un problème de mathématiques qui consistait à calculer l'angle idéal d'une pente pour hisser des pierres au sommet d'un édifice en construction, entouré de buttes de terre. Sa sœur Méritamon se perfectionnait chaque jour à la harpe et enchantait son petit frère Mérenptah qui commençait à marcher sous la surveillance d'Iset la belle et de Massacreur. L'énorme lion nubien, les yeux mi-clos, prenait plaisir à voir déambuler le petit d'homme, hésitant et malhabile.

Le fauve dressa la tête lorsque Serramanna se présenta sur le seuil du jardin. Percevant les intentions pacifiques du Sarde, il se contenta d'un grognement et reprit sa position de sphinx.

– J'aimerais m'entretenir avec Khâ, dit-il à Iset la belle.

– Aurait-il commis... une faute grave ?

– Non, bien sûr que non ; mais il pourrait m'aider dans mon enquête.

– Dès qu'il aura trouvé la solution de son problème, je vous l'envoie.

Serramanna avait progressé.

Il savait qu'un mage libyen, nommé Ofir, avait tué la malheureuse Lita, morte d'avoir cru en un mirage. Devenu le porte-parole de l'hérésie d'Akhénaton, il s'était dissimulé derrière cette doctrine pour mieux tromper certains esprits et masquer son rôle d'espion au service des Hittites. Il ne s'agissait plus d'hypothèses, mais de certitudes obtenues grâce à l'interrogatoire d'un marchand ambulant tombé dans les filets des hommes de Serramanna, alors qu'il se présentait à l'ancien domicile de Chénar où Ofir s'était caché pendant une longue période. Le personnage n'était, certes, qu'un modeste agent du réseau hittite ; comme il travaillait de manière occasionnelle pour le marchand syrien Raia, son supérieur direct retourné au Hatti, il n'avait pas été averti du démantèlement de l'organisation occulte et de la dispersion de ses membres. Redoutant des sévices physiques, l'interpellé avait dit tout ce qu'il savait, permettant à Serramanna de lever quelques zones d'ombre.

Mais Ofir demeurait introuvable, et Serramanna n'était pas persuadé que Chénar avait trouvé la mort dans le désert. Le mage avait-il pris la route du Hatti, en compagnie du frère de Ramsès ? L'expérience du Sarde lui avait appris que les êtres malfaisants n'en finissaient jamais de nuire et que leur imagination était sans bornes.

Khâ s'approcha du géant et leva les yeux vers lui.

– Tu es très grand et très fort.

– Acceptes-tu de répondre à mes questions ?

– Connais-tu les mathématiques ?

– Je sais compter mes hommes et les armes que je leur remets.

– Sais-tu construire un temple ou une pyramide ?

– Pharaon m'a confié un autre rôle : arrêter les criminels.

– Moi, j'aime écrire et lire les hiéroglyphes.

– Justement, je souhaitais te parler du pinceau qu'on t'a volé.

– C'était mon préféré. Je le regrette beaucoup.

– Depuis cet incident, tu as dû réfléchir. Je suis sûr que tu as des soupçons et que tu m'aideras à identifier le coupable.

– Oui, j'ai réfléchi, mais je ne suis certain de rien. Accuser quelqu'un de vol est trop grave pour parler à la légère.

La maturité du garçon stupéfia le Sarde ; s'il existait vraiment un indice, Khâ ne l'aurait pas négligé.

– Dans ton entourage, insista Serramanna, as-tu remarqué un comportement anormal ?

– Pendant quelques semaines, j'ai eu un nouvel ami.

– Qui donc ?

– Le diplomate Méba. Brusquement, il s'est intéressé à mon travail ; et tout aussi brusquement, il a disparu.

Un large sourire illumina le visage buriné du Sarde.

– Merci, prince Khâ.

À Pi-Ramsès, comme dans les autres villes d'Égypte, la fête des fleurs était un jour de liesse populaire. Supérieure de toutes les prêtresses, Néfertari n'oubliait pas que, dès la première dynastie, le gouvernement du pays avait reposé sur un calendrier des fêtes célébrant le mariage du ciel et de la terre. Par les rites que le couple royal mettait en œuvre, le peuple entier participait à la vie des dieux.

Sur les autels des temples comme devant chaque maison, l'art floral déployait ses fastes. Ici, de grands bouquets montés, des branches de palmier, des bottes de roseaux ; là, des lotus, des bleuets, des mandragores avec leurs tiges.

Dansant avec des tambourins ronds ou carrés, maniant des branches d'acacia, portant des guirlandes de bleuets et de pavots, les servantes de la déesse Hathor parcouraient les grandes artères de la capitale où leurs pieds foulaient des milliers de pétales.

La sœur de Ramsès, Dolente, avait tenu à se montrer près de la reine dont la beauté éblouissait ceux et celles qui avaient la chance de l'apercevoir. Néfertari songeait à son désir de jeune fille de devenir recluse au service d'une déesse, loin du monde ; comment aurait-elle imaginé les devoirs d'une grande épouse royale, dont le poids était chaque jour plus écrasant ?

La procession se dirigeait vers le temple d'Amon, saluée par des chants joyeux.

– La date de votre départ a-t-elle été fixée, Majesté ? demanda Dolente.

– Notre bateau appareillera dès demain, répondit Néfertari.

– La cour est inquiète ; on murmure que votre absence durera plusieurs mois.

– C'est possible.

– Irez-vous vraiment... jusqu'en Nubie ?

– Telle est la décision de Pharaon.

– L'Égypte a tellement besoin de vous !

– La Nubie fait partie de notre pays, Dolente.

– Une contrée parfois dangereuse...

– Il ne s'agit pas d'un voyage d'agrément.

– Quelle est la tâche assez urgente pour vous appeler loin de la capitale ?

Néfertari sourit, rêveuse.

– L'amour, Dolente. Uniquement l'amour.

– Je ne comprends pas, Majesté.

– Je réfléchissais à haute voix, dit la reine, lointaine.

– J'aimerais tellement vous aider... Quelle tâche pourrais-je accomplir pendant votre absence ?

– Secondez Iset, si elle le désire ; mon seul regret est de n'avoir pas assez de temps pour m'occuper de l'éducation de Khâ et de Méritamon.

– Que les divinités vous protègent comme elles les protègent.

Dès que la fête serait terminée, Dolente offrirait à Ofir les renseignements qu'elle avait glanés. En quittant la capitale pour une longue période, Ramsès et Néfertari commettaient une erreur que leurs ennemis sauraient exploiter.

Accompagné par son porteur de sandales, Méba avait l'intention de faire une longue promenade en barque sur le lac de plaisance de Pi-Ramsès. Le diplomate éprouvait le besoin de réfléchir en contemplant les eaux paisibles.

Pris dans un tourbillon, Méba n'était plus lui-même. À

quoi aspirait-il, sinon à une existence luxueuse et tranquille, à une place éminente dans la haute fonction publique où il mènerait quelques savantes intrigues pour asseoir sa position ? Mais il était membre d'un réseau d'espionnage hittite, travaillant à la destruction de l'Égypte... Non, il n'avait pas voulu cela.

Mais Méba avait peur. Peur d'Ofir, de son regard glacé, de sa violence à peine contenue. Non, il ne pouvait plus s'échapper du piège. Son avenir passait par la chute de Ramsès.

Le porteur de sandales héla un loueur de barques qui dormait sur la berge. Serramanna s'interposa.

– Puis-je vous aider, seigneur Méba ?

Le diplomate sursauta.

– Non, je ne crois pas...

– Moi si ! Je goûterais fort une promenade sur ce lac merveilleux. M'autorisez-vous à être votre rameur ?

La puissance physique du Sarde effrayait Méba.

– Comme vous voudrez.

Sous l'impulsion de Serramanna, la barque s'éloigna vite de la berge.

– Quel endroit délicieux ! Hélas, vous et moi sommes surchargés de travail et n'avons guère le temps de l'apprécier.

– Quelle est la raison de cet entretien ?

– Soyez rassuré, je n'ai nullement l'intention de vous interroger.

– M'interroger, moi !

– J'ai simplement besoin de votre avis éclairé sur un point délicat.

– Je ne suis pas sûr de pouvoir vous aider.

– Avez-vous été informé d'un vol étrange ? Quelqu'un a dérobé l'un des pinceaux de Khâ.

Méba évita le regard du Sarde.

– Dérobé... Est-ce une certitude ?

– Le témoignage du fils aîné du roi est formel.

– Khâ n'est qu'un enfant.

– Je me demande si vous n'avez pas une idée, même vague, sur l'identité du voleur.

– Cette question est insultante. Ramenez-moi immédiatement à la berge.

Le sourire de Serramanna fut celui d'un carnassier.

– Ce fut une promenade instructive, seigneur Méba.

29

À la proue du bateau royal, Ramsès serrait tendrement Néfertari contre lui. Le couple royal goûtait un moment de bonheur intense, communiant avec l'esprit du fleuve, le grand nourricier né aux confins de l'univers et descendu sur terre pour y transmettre le flux créateur.

Le niveau de l'eau était élevé, et la navigation rapide, grâce à un bon vent du nord. Le capitaine demeurait en permanence sur le qui-vive, car le courant créait de dangereux tourbillons ; une mauvaise manœuvre pouvait aboutir au naufrage.

Chaque jour, la beauté de Néfertari émerveillait davantage Ramsès. En elle s'unissaient la grâce et l'autorité souveraine, par elle s'accomplissait le mariage miraculeux d'un esprit lumineux et d'un corps parfait. Ce long voyage vers le Sud serait celui de l'amour que le roi éprouvait pour une femme sublime, dont la seule présence incarnait la sérénité, pour Pharaon comme pour son peuple. Depuis qu'il vivait avec Néfertari, Ramsès comprenait pourquoi les sages avaient exigé que l'Égypte fût dirigée par un couple royal, dont le regard était un.

Après neuf années de règne, Ramsès et Néfertari étaient enrichis par les épreuves, épris l'un de l'autre comme à l'instant où ils avaient perçu qu'ils parcourraient ensemble le chemin de la vie et de la mort.

Cheveux au vent, vêtue d'une simple robe blanche, Néfertari savourait les paysages de Moyenne-Égypte avec émerveillement ; palmeraies, cultures en bord d'eau, villages aux maisons blanches sur des buttes incarnaient la douceur d'un paradis que les justes découvriraient de l'autre côté du trépas et que le couple royal devait tenter de bâtir sur terre.

– Ne crains-tu pas que notre absence...

– J'ai consacré la majeure partie de mon règne au Nord, le temps est venu de me préoccuper du Sud ; sans l'union des Deux Terres, l'Égypte ne survivrait pas. Et cette guerre contre le Hatti m'a tenu trop longtemps éloigné de toi.

– Elle n'est pas finie.

– L'Asie va connaître de profonds bouleversements ; s'il existe une chance de paix, ne faut-il pas la saisir ?

– C'est la raison de la mission secrète d'Âcha, n'est-ce pas ?

– Les risques qu'il court sont immenses. Mais qui d'autre que lui pourrait mener à bien une mission si délicate ?

– Nous sommes ensemble, dans la joie comme dans la peine, dans l'espérance comme dans la crainte ; que la magie de ce voyage protège Âcha.

Le pas de Sétaou résonna sur le pont.

– Puis-je vous importuner ?

– Approche, Sétaou.

– J'aurais aimé rester auprès de Khâ ; ce garçon-là deviendra un fameux magicien. En ce qui concerne sa protection, soyez tranquille : personne ne pourra franchir les défenses que j'ai façonnées.

– Lotus et toi, n'avez-vous pas hâte de revoir votre chère Nubie ? demanda Néfertari.

– Elle abrite les plus beaux serpents de la création... Savez-vous que le capitaine s'inquiète des mouvements de l'eau ? Il pense que nous approchons d'une zone dangereuse et compte se diriger vers la berge lorsque nous aurons dépassé l'îlot herbeux, au milieu du fleuve.

Le Nil, après une série de méandres, passa devant un à-pic où nichaient des vautours, puis s'éloigna de la falaise. Bientôt se découvrit un demi-cercle montagneux, déployé sur une vingtaine de kilomètres.

Néfertari porta la main à sa gorge.

– Qu'y a-t-il ? s'inquiéta Ramsès.

– Une difficulté à respirer... Ce n'est rien.

Une violente secousse fit tanguer le bateau. L'écho d'un tourbillon.

Sur la rive, les bâtiments dégradés de la capitale abandonnée d'Akhénaton.

– Accompagne la reine jusqu'à notre cabine, ordonna Ramsès à Sétaou, et veille sur elle.

Affolés, certains marins perdirent la tête. L'un d'eux tomba du mât principal, alors qu'il tentait de ramener une voile, et percuta le capitaine. À demi assommé, les yeux dans le vague, il fut incapable de distribuer des consignes claires. Des ordres contradictoires fusèrent.

– Silence ! imposa Ramsès. Chacun à son poste, je dirige la manœuvre.

En quelques minutes, le danger avait surgi. Les bateaux d'escorte, pris dans un courant contraire et ne comprenant pas les raisons des soubresauts du navire royal, s'en trouvèrent brusquement éloignés et incapables de lui porter secours.

Alors que ce dernier redressait sa course, le roi aperçut le double obstacle.

Infranchissable.

Au milieu du fleuve, un large tourbillon ; du côté du débarcadère de la Cité du Soleil, où le passage eût été navigable, un barrage de radeaux sur lesquels avaient été disposés des braseros. Le roi avait le choix entre le naufrage et l'incendie qui ne manquerait pas de détruire son navire s'il heurtait les radeaux à pleine vitesse.

Qui avait tendu un tel piège à la hauteur de la ville

abandonnée ? Ramsès s'expliquait le malaise de Néfertari ; avec ses dons de voyante, elle avait pressenti le péril.

Le roi n'avait que quelques secondes pour réfléchir. Cette fois, son lion ne pouvait rien pour lui.

– Le voilà ! hurla le guetteur.

Jetant au loin la cuisse d'oie rôtie qu'il grignotait, Chénar bondit sur son arc et son épée. Lui, le grand dignitaire amoureux de son confort, s'était forgé une âme de guerrier.

– Le bateau de Pharaon est-il isolé ?

– Exactement comme vous l'aviez prévu... Les suiveurs sont à bonne distance.

Le mercenaire en salivait. À lui, comme à ses compagnons qui formaient le petit groupe de combat rassemblé par Ofir, Chénar avait promis un beau butin. Le frère du roi s'était montré d'une rare éloquence et avait fait passer, dans son discours, le feu de la haine qui lui rongeait le cœur.

Nul mercenaire n'oserait frapper Ramsès, de peur d'être foudroyé par l'énergie divine qui habitait le pharaon. Depuis sa victoire de Kadesh, chacun redoutait les pouvoirs surnaturels du maître des Deux Terres. Chénar avait haussé les épaules et promis de tuer lui-même le tyran.

– La moitié des hommes aux radeaux, les autres avec moi.

Ainsi Ramsès allait-il périr à proximité de la Cité du Soleil, comme si l'hérésie d'Akhénaton venait enfin à bout d'Amon et des autres divinités que vénérait le roi d'Égypte. Néfertari prise en otage, Chénar se faisait fort de convaincre l'escorte du monarque de le reconnaître comme roi. La mort de Ramsès provoquerait une brèche énorme dans laquelle son frère s'engouffrerait sans perdre une seconde.

Plusieurs mercenaires sautèrent du débarcadère sur les

radeaux et se préparèrent à lancer des flèches enflammées sur le bateau royal que leurs compagnons, commandés par Chénar, attaquaient par l'arrière.

La victoire ne pouvait leur échapper.

– Tous les rameurs à tribord ! ordonna Ramsès.

Une première flèche enflammée se ficha dans la paroi en bois de la cabine centrale ; la jolie Lotus, souple et rapide, étouffa le début d'incendie avec un morceau d'étoffe grossière.

Ramsès monta sur le toit de la cabine, banda son arc, visa l'un de ses adversaires, bloqua sa respiration et tira. La flèche transperça la gorge du mercenaire, ses camarades s'accroupirent derrière les braseros pour se protéger des traits meurtriers du monarque ; leurs propres flèches, manquant de précision, se perdirent dans les eaux tourbillonnantes que frôlait le navire.

La manœuvre brutale exigée par Ramsès avait modifié la trajectoire ; la proue s'était cabrée à la manière d'un cheval furieux, et le bâtiment s'était mis en travers, agressé à bâbord par le flot furieux. Il avait une chance de dériver vers la berge, à condition de ne pas être aspiré par le tourbillon et rejoint par les barques rapides des hommes de Chénar qui avaient déjà abattu deux marins se tenant à la poupe ; la poitrine percée de flèches, les malheureux avaient basculé dans le fleuve.

Sétaou courut vers la proue, portant un œuf en argile qu'il maniait avec précaution. Couvert de hiéroglyphes, le talisman était la réplique de l'œuf du monde conservé dans le naos du grand temple de Thot, à Hermopolis ; seuls les magiciens d'État, tel Sétaou, étaient autorisés à utiliser un symbole chargé d'ondes d'une redoutable efficacité.

Sétaou était de méchante humeur. Il avait prévu d'employer le talisman en Nubie, si un danger imprévu menaçait le couple royal ; se priver d'une telle arme le faisait enrager, mais il lui fallait vaincre ce maudit tourbillon.

D'un geste ample, le charmeur de serpents jeta l'œuf du monde au cœur des eaux. Elles bouillonnèrent, comme portées à ébullition ; une spirale se creusa, une vague déferla sur les radeaux, recouvrant plusieurs braseros et noyant deux mercenaires.

Le bateau royal ne risquait plus à présent de sombrer ni d'être incendié mais, à la poupe, la situation se dégradait. Les hommes de Chénar avaient jeté des grappins et commençaient à grimper le long des cordages ; déchaîné, leur chef tirait flèche sur flèche, empêchant les marins égyptiens d'intervenir.

Deux traits enflammés se fichèrent dans la voile, entraînant un début d'incendie que Lotus éteignit à nouveau. Bien qu'il fût exposé au tir ennemi, Ramsès ne changeait pas de position et continuait à éliminer les mercenaires. Alerté par les cris provenant de l'arrière du bateau, il se retourna et vit un pirate lever sa hache au-dessus de la tête d'un marin désarmé.

La flèche du souverain transperça le poignet de l'assaillant qui recula en criant de douleur ; Massacreur enfonça ses crocs dans le crâne d'un autre mercenaire qui avait réussi à monter sur le pont.

Un instant, le regard de Pharaon croisa celui du chef de la bande, un homme barbu et surexcité qui le visait. D'un mouvement presque imperceptible, le monarque se déplaça sur sa gauche ; la flèche de l'enragé frôla sa joue. Dépité, l'agresseur donna aux rescapés l'ordre de se retirer.

Un retour de flamme surprit Lotus dont la robe prit feu ; la Nubienne plongea, mais eut la malchance d'être aspirée par la spirale mourante du tourbillon. Incapable de nager, elle leva le bras pour appeler à l'aide.

Ramsès plongea à son tour.

Sortant de la cabine centrale, Néfertari vit le roi disparaître dans le Nil.

30

Les minutes s'écoulaient.

Le bateau royal et ses suivants avaient jeté l'ancre à la hauteur de la Cité du Soleil, dans des eaux redevenues calmes. Trois ou quatre mercenaires avaient réussi à s'enfuir, mais leur sort ne préoccupait ni Néfertari ni Sétaou. Comme Massacreur, ils gardaient les yeux braqués sur l'endroit où avaient disparu Ramsès et Lotus.

La reine avait offert de l'encens à Hathor, maîtresse de la navigation ; d'un calme et d'une dignité qui conquirent le cœur des marins, Néfertari attendait le rapport des envoyés partis à la recherche des disparus. Les uns sillonnaient le fleuve, les autres empruntaient les chemins de halage pour mieux explorer les hautes herbes bordant les rives. Sans doute le courant avait-il entraîné loin vers le sud le roi et la Nubienne.

Sétaou demeurait auprès de la reine.

– Pharaon reviendra, murmura-t-elle.

– Majesté... Le fleuve est parfois impitoyable.

– Il reviendra, et il a sauvé Lotus.

– Majesté...

– Ramsès n'a pas achevé son œuvre. Un pharaon qui n'a pas achevé son œuvre ne peut pas mourir.

Sétaou comprit qu'il n'entamerait pas les certitudes poignantes de la reine ; mais comment réagirait-elle lorsqu'elle serait contrainte d'accepter l'inéluctable ? Le magicien oubliait sa propre douleur pour partager celle de Néfertari. Il imaginait déjà l'horrible retour vers Pi-Ramsès et l'annonce à la cour de la disparition de Ramsès.

Chénar et ses compagnons attendirent d'avoir parcouru un nombre imposant de kilomètres vers le nord, poussés par un fort courant, avant de reprendre leur souffle. Ils coulèrent alors leur barque et s'enfoncèrent dans une campagne verdoyante où ils troquèrent des améthystes contre des ânes.

– Où allons-nous ? demanda un mercenaire crétois.

– Toi, tu te rends à Pi-Ramsès et tu vas prévenir Ofir.

– Il ne me félicitera pas.

– Nous n'avons rien à nous reprocher.

– Ofir n'apprécie pas les échecs.

– Il sait que nous avons affaire à forte partie et que je ne ménage pas mes efforts. Et tu lui donneras deux bonnes nouvelles. La première : j'ai vu Sétaou à bord du bateau royal, Khâ ne bénéficie donc plus de sa protection. La seconde : je me rends en Nubie, comme prévu, et j'y tuerai Ramsès.

– Je préfère aller avec vous, dit le Crétois ; mon camarade sera un excellent courrier. Moi, je sais me battre et traquer le gibier.

– Entendu.

Chénar n'éprouvait aucun découragement. L'action violente l'avait métamorphosé en chef de guerre, sa rage contenue pendant trop d'années s'exprimait enfin librement. Avec peu d'hommes et une stratégie inventive, n'avait-il pas surpris Ramsès le grand, n'avait-il pas touché la lisière du triomphe ?

À sa persévérance, le destin finirait par répondre de manière favorable.

Sur tous les bateaux de la flottille royale régnait le silence. Personne n'osait engager une conversation, de peur de troubler la douloureuse méditation de la reine. À l'approche du soir, elle demeurait immobile à la proue du navire de Pharaon.

Sétaou se taisait, lui aussi, afin de préserver l'ultime espoir qui la reliait à l'ombre de Ramsès. Mais, avec le coucher du soleil, Néfertari devrait admettre l'atroce réalité.

– Je le savais, dit-elle d'une voix douce qui étonna Sétaou.

– Majesté...

– Ramsès se trouve là-bas, sur le toit du palais blanc.

– Majesté, la nuit tombe, et...

– Regarde bien.

Sétaou fixa l'endroit que lui désignait Néfertari.

– Non, ce n'est qu'une illusion.

– Mes yeux le voient, rapprochons-nous.

Sétaou n'osa pas s'opposer aux exigences de la reine. Le bateau royal leva l'ancre et se dirigea vers la Cité du Soleil que les ténèbres ne tarderaient pas à recouvrir.

Le charmeur de serpents fixa de nouveau le toit du palais blanc où avaient habité Akhénaton et Néfertiti. Un instant, il crut discerner un homme debout; il se frotta les paupières, regarda mieux. Le mirage n'avait pas disparu.

– Ramsès est vivant, répéta Néfertari.

– Accélérez l'allure! exigea Sétaou.

Et la silhouette de Ramsès se rapprochait, plus grande de minute en minute, dans les derniers rayons du soleil.

Sétaou ne décolérait pas.

– Pourquoi le maître des Deux Terres n'a-t-il pas tout tenté pour nous signaler sa présence et nous appeler au secours? Ce n'était tout de même pas déchoir!

– J'avais mieux à faire, répondit le roi. Lotus et moi avons nagé sous l'eau, mais elle a perdu connaissance, et j'ai cru qu'elle s'était noyée. Nous avons atteint la rive à l'extrémité méridionale de la cité abandonnée, et j'ai magnétisé longuement Lotus, jusqu'à ce qu'elle revienne à la vie. Puis nous avons marché en direction du centre de la ville, et j'ai cherché le point le plus élevé pour manifester notre présence. Je savais que l'esprit de Néfertari nous suivait pas à pas, et qu'elle regarderait dans la bonne direction.

D'un calme lumineux, la reine manifestait discrètement son émotion en serrant contre elle le bras droit de Ramsès qui caressait son lion.

– J'ai cru que l'œuf du monde avait été incapable de te sauver, marmonna Sétaou ; si tu avais disparu, ma réputation aurait été ternie.

– Comment se porte Lotus ? s'enquit la reine.

– Je lui ai administré une potion sédative ; après une longue nuit de sommeil, elle oubliera cette mésaventure.

Un échanson versa du vin blanc frais dans des coupes.

– Il était temps, dit Sétaou ; je me demandais si nous nous trouvions encore dans un pays civilisé.

– Pendant le combat, questionna Ramsès, as-tu observé le chef des agresseurs ?

– Ils me semblaient aussi hargneux les uns que les autres ; je n'ai même pas remarqué la présence d'un chef.

– C'était un barbu, surexcité, au regard plein de hargne... L'espace d'un instant, j'ai cru reconnaître Chénar.

– Chénar est mort dans le désert, sur la route du bagne. Même les scorpions finissent par trépasser.

– Et s'il avait survécu ?

– Si tel était le cas, il ne songerait qu'à se cacher et n'aurait pas lancé un commando de mercenaires contre toi.

– Ce piège n'était pas improvisé, et il a failli réussir.

– La haine peut-elle ronger un être au point de transformer un notable en guerrier, prêt à tout pour tuer son propre frère et agresser la personne sacrée de Pharaon ?

– S'il s'agit de Chénar, il vient de te donner la réponse.

Sétaou s'assombrit.

– Si ce monstre est encore vivant, nous ne devons pas rester passifs. La folie qui l'anime est celle des démons du désert.

– Cet attentat n'a pas été perpétré au hasard, jugea Ramsès ; convoque au plus vite les tailleurs de pierre des villes les plus proches.

Les uns vinrent d'Hermopolis, la cité de Thot, les autres d'Assiout, celle d'Anubis ; plusieurs dizaines de tailleurs de pierre s'installèrent dans un camp de tentes et, quelques heures après leur arrivée, commencèrent à travailler sous les ordres de deux maîtres d'œuvre, après avoir écouté un discours bref et ferme de Ramsès.

Devant le palais de la ville abandonnée, Pharaon avait formulé ses exigences : la Cité du Soleil, vouée au dieu Aton, devait disparaître. L'un des prédécesseurs de Ramsès, Horemheb, avait démantelé certains temples et s'était servi de leurs pierres comme remplissage de ses pylônes, à Karnak. Une fois qu'il aurait fait disparaître les palais, maisons, ateliers, quais et autres constructions de la ville morte, Ramsès aurait achevé son œuvre. Pierres et briques seraient réutilisées dans d'autres agglomérations. Les tombeaux, qui n'abritaient aucune momie, resteraient intacts.

Le bateau royal demeura à l'ancre jusqu'à ce que seules subsistent les fondations des édifices ; bientôt, les vents de sable les recouvriraient, rejetant dans le néant la capitale égarée, devenue un foyer de forces négatives.

Des manœuvres transportèrent les matériaux dans des bateaux de charge ; ils seraient répartis en fonction des besoins des agglomérations voisines. Des suppléments de viande, d'huile, de bière et de vêtements incitèrent les ouvriers à s'acquitter de leur tâche avec diligence.

Ramsès et Néfertari visitèrent une dernière fois le palais

de la Cité du Soleil avant sa démolition ; le pavement décoré serait réemployé dans le palais royal d'Hermopolis.

– Akhénaton s'est trompé, estima Ramsès ; la religion qu'il préconisait aboutissait à la doctrine et à l'intolérance. C'était l'esprit même de l'Égypte qu'il trahissait. Malheureusement, Moïse a pris le même chemin.

– Akhénaton et Néfertiti furent un couple royal, rappela Néfertari ; ils respectèrent nos lois et eurent la sagesse de limiter leur expérience dans le temps et dans l'espace. Par l'implantation de bornes frontières, ils avaient enfermé le culte d'Aton dans sa cité.

– Mais le poison s'est répandu... Et je ne suis pas certain que la disparition de cette cité, où les ténèbres avaient remplacé la lumière, en dissipera les effets. Au moins, ce site retourne à la montagne et au désert, et plus aucun révolté ne s'en servira comme base de départ.

Lorsque le dernier tailleur de pierre quitta la ville rasée, désormais enfouie dans le silence et l'oubli, Ramsès donna l'orde de naviguer en direction d'Abydos.

31

À l'approche d'Abydos, le cœur de Ramsès se serra. Il savait à quel point son père avait aimé ce site, quelle importance il avait attachée à la construction du grand temple d'Osiris, et se reprochait de ne pas être revenu ici depuis longtemps. Certes, la guerre contre les Hittites et la sauvegarde de l'Égypte avaient occupé son esprit et son bras, mais nulle excuse ne trouverait grâce devant le dieu de la résurrection, lors du jugement.

Sétaou s'était imaginé qu'une foule de « prêtres purs », le crâne rasé, parfumés et vêtus de robes blanches immaculées, de paysans chargés d'offrandes, de prêtresses jouant de la lyre et du luth, se serait pressée là pour accueillir le roi. Or, le débarcadère était désert.

– C'est anormal, déclara-t-il ; ne descendons pas du bateau.

– Que redoutes-tu ? demanda Ramsès.

– Suppose que d'autres mercenaires se soient emparés du temple et te tendent un nouveau guet-apens.

– Ici, sur la terre sacrée d'Abydos ?

– Inutile de prendre des risques ; continuons vers le Sud et envoyons l'armée.

– Comment admettrais-je qu'un seul pouce de terrain de mon pays me fût inaccessible ? Et qui plus est Abydos !

La colère de Ramsès avait la violence d'un orage du dieu Seth. Néfertari elle-même ne chercha pas à l'apaiser.

La flottille accosta, Pharaon en personne prit la tête d'une escouade de chars dont les pièces détachées, transportées par bateau, avaient été assemblées à la hâte.

La voie processionnelle, menant du débarcadère au parvis du temple, était, elle aussi, déserte, comme si la cité sainte avait été abandonnée. Devant le pylône, des blocs de calcaire, portant la marque des tailleurs de pierre, des outils rangés dans des caisses. Sous les tamaris ombrageant le parvis, de grands traîneaux en bois chargés de blocs de granit qui provenaient des carrières d'Assouan.

Stupéfait, Ramsès se rendit au palais jouxtant le temple. Sur les marches menant à l'entrée principale, un vieillard étalait du fromage de chèvre sur des tranches de pain. L'apparition de cette armée lui coupa l'appétit ; en proie à la panique, il abandonna son repas et tenta de s'enfuir, mais fut rattrapé par un fantassin qui le conduisit devant le monarque.

– Qui es-tu ?

La voix du vieillard tremblait.

– Je suis l'un des blanchisseurs du palais.

– Pourquoi n'es-tu pas au travail ?

– Ben... Il n'y a rien à faire, puisqu'ils sont tous partis. Enfin, presque tous... Il reste quelques prêtres, aussi vieux que moi, près du lac sacré.

Malgré une intervention vigoureuse de Ramsès, au début de son règne, le temple était encore inachevé. Le pylône franchi, le roi et quelques soldats traversèrent l'enclave administrative, composée de bureaux, d'ateliers, d'une boucherie, d'une boulangerie et d'une brasserie, vides de tout personnel, et se dirigèrent à pas pressés vers les demeures des prêtres permanents.

Assis sur un banc de pierre, les mains appuyées sur le pommeau de sa canne en bois d'acacia, un vieillard au crâne rasé tenta de se lever à l'approche du roi.

– Ne te donne pas cette peine, serviteur du dieu.

– Vous êtes Pharaon... On m'avait tant parlé du Fils de la Lumière dont la puissance rayonne comme un soleil ! Mes yeux sont faibles, mais je ne peux pas me tromper... Comme je suis heureux de vous voir avant de mourir. À quatre-vingt-douze ans, les dieux m'offrent une joie immense.

– Que se passe-t-il, ici ?

– C'est la quinzaine de réquisition.

– Réquisition... Mais qui s'est permis ?

– Le maire de la ville voisine... Il a estimé que le personnel du temple était trop nombreux et qu'il serait plus utile à réparer les canaux qu'à célébrer les rites.

Le maire était un bon vivant, aux joues rebondies et aux lèvres épaisses ; sa bedaine le gênant pour marcher, il ne se déplaçait qu'en chaise à porteurs. Mais ce fut en char, et à vive allure, qu'un officier le conduisit au palais d'Abydos.

Au prix d'un effort douloureux, le maire se prosterna devant le roi, assis sur un trône en bois doré aux pieds en forme de pattes de lion.

– Pardonnez-moi, Majesté, je n'avais pas été prévenu de votre arrivée ! Si j'avais su, j'aurais organisé une réception digne de vous, et j'aurais...

– Es-tu le responsable de la réquisition du personnel d'Abydos ?

– Oui, mais...

– As-tu oublié qu'elle est formellement interdite ?

– Non, Majesté, mais j'ai pensé que tous ces gens étaient inoccupés et qu'il vaudrait mieux leur donner un travail utile à la province.

– Tu les as détournés des tâches que mon père leur avait assignées et que j'avais moi-même confirmées.

– J'avais quand même pensé...

– Tu as commis une faute très grave, dont la sanction

est prévue par décret : cent coups de bâton, le nez et les oreilles coupés.

Blême, le maire bredouilla.

– Ce n'est pas possible, Majesté, c'est inhumain !

– Tu étais conscient de ta faute et tu connaissais le châtiment ; il n'est même pas besoin de jugement.

Certain que le tribunal prononcerait la peine, peut-être même en l'aggravant, le maire se répandit en lamentations.

– J'ai mal agi, c'est vrai, ce n'était pas pour mon bénéfice personnel ! Grâce au personnel d'Abydos, les digues ont été vite réparées et les canaux curés en profondeur.

– Dans ce cas, je te laisse le choix d'une autre sanction : toi et tes fonctionnaires servirez comme manœuvres sur le chantier du temple, jusqu'à son achèvement.

Chaque prêtresse et chaque prêtre accomplirent leur devoir rituel, de sorte que le temple d'Osiris fut semblable à l'horizon du ciel, illuminant tous les visages. Ramsès avait consacré une statue d'or à l'effigie de son père et célébré, en compagnie de Néfertari, le cérémonial d'offrande à la Règle de Maât. Les portes en cèdre du Liban, recouvertes d'électrum, le sol recouvert d'argent, les seuils de granit, les bas-reliefs multicolores faisaient du temple un lieu de l'autre monde où les puissances divines prenaient plaisir à résider. Sur les autels, des fleurs, des vases de parfum et des nourritures destinées à l'invisible.

Le trésor fut rempli d'or, d'argent, de lin royal, d'huiles de fête, d'encens, de vin, de miel, de myrrhe et d'onguents ; dans les étables cohabitèrent bœufs gras, vaches et veaux vigoureux, dans les greniers s'entassèrent des grains de première qualité. Comme le proclama une inscription hiéroglyphique, « Pharaon multiplie pour Dieu toutes les espèces ».

Dans un discours prononcé devant les notables de la province, réunis dans la salle d'audience du palais d'Abydos,

Ramsès décréta que les bateaux, les champs, les terrains, le bétail, les ânes et tous autres biens propres du temple ne pourraient lui être ôtés sous aucun prétexte. Quant aux gardiens des champs, aux oiseleurs, aux pêcheurs, aux cultivateurs, aux apiculteurs, aux jardiniers, aux vignerons, aux chasseurs et autres personnels affectés au domaine d'Osiris pour le rendre prospère, aucun d'eux ne pourrait être réquitionné pour effectuer une tâche quelconque en un autre lieu.

Quiconque transgresserait les directives du décret royal subirait un châtiment corporel, serait déchu de toutes ses fonctions et condamné à plusieurs années de corvée.

Sous l'impulsion de Ramsès, les travaux avancèrent rapidement ; les rites illuminèrent les corps des dieux installés dans leurs chapelles, le mal fut banni, et le temple se nourrit de Maât.

Néfertari vivait des jours heureux. Ce séjour à Abydos lui offrait l'occasion inespérée de réaliser son rêve d'adolescente, de vivre dans l'intimité des divinités, de méditer devant leur beauté et de percevoir leurs secrets en pratiquant les rites.

Alors qu'approchait le moment de fermer les portes du naos pour la nuit, Ramsès ne se trouvait pas auprès d'elle. La reine partit à sa recherche et le découvrit dans le couloir des ancêtres, où il contemplait la liste des pharaons qui l'avaient précédé, depuis la première dynastie. Par la puissance des hiéroglyphes, leur nom serait à jamais présent dans la mémoire des hommes ; celui de Ramsès le grand suivrait celui de son père.

– Comment se montrer digne de ces êtres d'exception ? s'interrogea le roi à haute voix. Prévarication, lâcheté, mensonge... Quel pharaon parviendra-t-il jamais à extirper ces maux du cœur des hommes ?

– Aucun, répondit Néfertari. Mais ils ont tous mené ce combat perdu d'avance et ont parfois remporté la victoire.

– Si même le territoire sacré d'Abydos n'est pas respecté, est-il utile de prendre des décrets ?

– Ce moment de découragement ne te ressemble pas.

– C'est pourquoi je suis venu consulter mes ancêtres.

– Ils n'ont pu te donner qu'un seul conseil : continuer, tirer profit des épreuves afin d'accroître ta puissance.

– Nous sommes si bien, dans ce temple ; ici règne la paix que je ne parviens pas à faire régner dans le monde profane.

– J'ai le devoir de t'arracher à cette tentation, même si je parle contre mon souhait le plus cher.

Ramsès prit la reine dans ses bras.

– Sans toi, mes actions ne seraient que des gestes dérisoires. Dans une quinzaine de jours, seront célébrés les mystères d'Osiris. Nous y participerons, et j'ai une proposition à te faire : la décision te revient.

Armée de bâtons et vociférant, une bande de gredins s'attaqua à la tête de la procession. Portant le masque du dieu chacal, « l'ouvreur des chemins », le prêtre d'Abydos repoussa les assaillants en prononçant des formules de malédiction, afin d'écarter les êtres ténébreux de la barque d'Osiris.

Les initiés aux mystères prêtèrent main-forte à l'ouvreur des chemins et dispersèrent ceux qui s'étaient révoltés contre la lumière.

La procession reprit son chemin vers l'île du premier matin où Ramsès, identifié à Osiris assassiné par son frère Seth, reposait sur un lit à tête de lion. Les eaux du Nil entouraient cette butte primordiale que les deux sœurs divines, Isis et Nephtys, gagnèrent en utilisant une passerelle.

L'île se trouvait au cœur d'un édifice colossal, formé de dix piliers monolithes supportant un plafond digne des bâtisseurs du temps des pyramides. Le sanctuaire secret d'Osiris se terminait par une chambre transversale, de vingt mètres sur six ; là était conservé le sarcophage du dieu.

Néfertari jouait le rôle d'Isis, l'épouse d'Osiris, et Iset la belle celui de Nephtys, dont le nom signifiait « la souveraine du temple ». Sœur d'Isis, elle l'assistait lors des rites qui faisaient sortir Osiris du domaine de la mort.

Néfertari avait accepté la proposition de Ramsès ; la présence rituelle d'Iset lui avait paru souhaitable.

Les deux femmes s'agenouillèrent, Néfertari à la tête du lit, Iset la belle au pied ; une aiguière d'eau fraîche dans la main droite, un pain rond dans la gauche, elles récitèrent de longues et émouvantes litanies, nécessaires pour faire circuler une énergie nouvelle dans les veines de l'être inerte.

Leurs voix s'unirent dans la même mélodie, sous la protection de la déesse du ciel dont le corps immense, peuplé d'étoiles et de décans, se déployait au plafond, au-dessus du lit de résurrection.

À l'issue d'une longue nuit, l'Osiris Ramsès s'éveilla. Et il prononça les paroles qu'avaient prononcées ses prédécesseurs en vivant les mêmes mystères : « Que me soient données la lumière dans le ciel, la puissance créatrice sur la terre, la justesse de voix dans le royaume de l'autre monde et la capacité de voyager à la tête des étoiles ; puissé-je saisir la corde de proue dans la barque de la nuit et la corde de poupe dans la barque du jour. »

32

Ouri-Téchoup enrageait.

La consultation d'un autre devin, dans le temple du dieu de l'Orage, avait abouti au même résultat : prévisions pessimistes, interdiction de lancer une offensive. La majorité des soldats était si superstitieuse qu'Ouri-Téchoup ne pouvait passer outre. Et nul devin n'était capable de donner la date à laquelle le pronostic deviendrait favorable.

Bien que les médecins de la cour fussent incapables d'améliorer l'état de Mouwattali, l'empereur ne consentait pas à mourir. À dire vrai, cette longue agonie satisfaisait Ouri-Téchoup : nul ne l'accuserait d'assassinat. Les praticiens avaient constaté la crise cardiaque et appréciaient le dévouement de son fils qui, chaque jour, rendait visite au malade. Ouri-Téchoup critiquait l'absence d'Hattousil, comme si ce dernier se moquait de la santé de son frère.

Lorsqu'il croisa la noble et fière Poutouhépa, l'épouse d'Hattousil, le fils de l'empereur ne se priva pas d'ironiser.

– Votre mari se cacherait-il ?

– Hattousil est en mission, sur ordre de l'empereur.

– Mon père ne m'en a pas parlé.

– D'après les médecins, Mouwattali ne peut plus prononcer un seul mot.

– Vous semblez bien renseignée.

– Pourtant, vous avez interdit la chambre de l'empereur et vous vous arrogez, à vous seul, le droit d'y pénétrer.

– Mouwattali a besoin de repos.

– Nous souhaitons tous qu'il soit bientôt capable d'exercer la plénitude de ses fonctions.

– Bien entendu, mais supposez que cette incapacité se prolonge... Il faudra bien prendre une décision.

– Hors de la présence d'Hattousil, impossible.

– Faites-le revenir au palais.

– Est-ce un ordre ou un conseil ?

– Ce qu'il vous plaira de croire, Poutouhépa.

Poutouhépa avait quitté la capitale de nuit, avec une escorte très réduite, et s'était assurée à plusieurs reprises qu'Ouri-Téchoup ne l'avait pas fait suivre.

À la vue de la sinistre forteresse où s'était réfugié Hattousil, elle frissonna ; la garnison n'avait-elle pas emprisonné son mari pour plaire au général en chef ? En ce cas, son existence, comme celle d'Hattousil, prendrait fin de manière brutale derrière ces murs gris.

Poutouhépa n'avait pas envie de mourir. Elle se sentait capable de servir son pays, désirait vivre de nombreux étés brûlants, parcourir mille fois encore les sentiers sauvages d'Anatolie et voir Hattousil régner sur le Hatti. S'il existait une chance, si mince fût-elle, de vaincre Ouri-Téchoup, elle la saisirait à pleines mains.

L'accueil des soldats de la forteresse rassura la prêtresse ; elle fut aussitôt conduite à la tour centrale, dans les appartements du commandant.

Hattousil courut vers elle, ils s'étreignirent.

– Poutouhépa, enfin ! Tu as réussi à t'échapper...

– Ouri-Téchoup règne déjà sur la capitale.

– Ici, nous sommes en sécurité ; tous les hommes de cette garnison le détestent. Trop de soldats ont eu à subir ses injustices et ses violences.

Poutouhépa remarqua la présence d'un homme assis devant la cheminée.

– Qui est-ce ? demanda-t-elle à voix basse.

– Âcha, le ministre des Affaires étrangères de Pharaon et ambassadeur extraordinaire.

– Lui, ici !

– Il est peut-être notre chance.

– Mais... que propose-t-il ?

– La paix.

Hattousil assista à un phénomène extraordinaire. Le marron foncé des yeux de son épouse s'éclaircit, comme si une lumière intérieure les éclairait.

– La paix avec l'Égypte, répéta-t-elle, stupéfaite. Nous savons que c'est impossible !

– Ne devons-nous pas utiliser cet allié inattendu au mieux de nos intérêts ?

Poutouhépa se détacha d'Hattousil et alla à la rencontre d'Âcha. Le diplomate se leva et salua la belle Hittite.

– Pardonnez-moi, Âcha, j'aurais dû vous saluer plus tôt.

– Qui n'applaudirait aux retrouvailles d'une épouse avec son mari ?

– Vous courez de bien grands risques en demeurant ici.

– Je comptais me rendre dans la capitale, mais Hattousil m'a persuadé d'attendre votre arrivée.

– La maladie de l'empereur ne vous est plus inconnue.

– Je tâcherai quand même de lui parler.

– Inutile, il se meurt ; l'empire appartient déjà à Ouri-Téchoup.

– Je suis venu proposer la paix et je l'obtiendrai.

– Oubliez-vous que le seul but d'Ouri-Téchoup est la destruction de l'Égypte ? Je désapprouve son obstination, mais je suis consciente que la cohérence de notre empire est fondée sur la guerre.

– Avez-vous songé au véritable danger qui vous menace ?

– Une attaque de l'armée égyptienne au grand complet, Ramsès à sa tête !

– Ne négligez pas une autre possibilité : l'irrésistible montée de la puissance assyrienne.

Hattousil et Poutouhépa dissimulèrent mal leur stupeur. Les services de renseignements d'Âcha étaient plus efficaces qu'ils ne le supposaient.

– L'Assyrie finira par vous agresser, et vous serez pris entre deux feux, incapables de tenir sur deux fronts. Croire que l'armée hittite détruira l'Égypte est utopique ; forts des leçons du passé, nous avons installé un rideau défensif dans nos protectorats. Le franchir vous sera malaisé, sa résistance permettra au gros de nos troupes de contre-attaquer très vite. Et vous avez appris, à vos dépens, qu'Amon protège Ramsès et rend son bras plus efficace que des milliers de soldats.

– Ainsi, vous nous annoncez la déchéance de l'empire hittite !

– Non, dame Poutouhépa, car l'Égypte n'a aucun intérêt à voir disparaître son vieil ennemi. Ne commençons-nous pas à bien nous connaître ? Contrairement à sa réputation, Ramsès est épris de paix, et ce n'est pas la grande épouse royale Néfertari qui le dissuadera de s'engager sur ce chemin.

– Qu'en pense la reine mère Touya ?

– Elle partage mes vues, à savoir que l'Assyrie représentera bientôt un péril redoutable. Les Hittites seront les premiers concernés, puis viendra le tour des Égyptiens.

– Une alliance contre l'Assyrie... C'est bien cela que vous nous proposez ?

– La paix et l'alliance, afin de protéger nos peuples de l'invasion. Le prochain empereur du Hatti devra donc prendre une décision très lourde de conséquences.

– Jamais Ouri-Téchoup ne renoncera à affronter Ramsès !

– Quelle est la réponse d'Hattousil ?

– Hattousil et moi n'avons plus aucun pouvoir.

– Votre réponse, insista Âcha.

– Nous accepterions d'entamer des négociations, déclara Hattousil, mais cette discussion a-t-elle un sens ?

– Seul l'irréalisable m'amuse, dit l'Égyptien en souriant ; aujourd'hui, vous n'êtes rien, mais c'est avec vous que je veux négocier afin d'ensoleiller l'avenir de mon pays. Qu'Hattousil devienne empereur, et nos propos prendront une valeur inestimable.

– Ce n'est qu'un rêve, objecta Poutouhépa.

– Ou vous fuyez, ou vous vous battez.

L'orgueil de la belle Hittite s'enflamma.

– Nous ne fuirons pas.

– Hattousil et vous devez gagner ou acheter la confiance du plus grand nombre possible d'officiers supérieurs. Les commandants de forteresse passeront dans votre camp, car Ouri-Téchoup les méprise et bloque leur avancement, sous prétexte qu'ils ne jouent qu'un rôle défensif. Par le biais des marchands qui vous sont presque tous favorables, répandez le bruit que l'économie hittite ne supportera pas un nouvel effort de guerre et qu'un conflit avec l'Égypte amènera ruine et misère. Ouvrez de larges brèches et ne cessez plus de les élargir jusqu'à ce qu'Ouri-Téchoup apparaisse comme un fauteur de troubles, incapable de régner.

– C'est un travail de longue haleine.

– Votre succès et l'obtention de la paix sont à ce prix.

– De votre côté, comment comptez-vous agir ? demanda Poutouhépa.

– Ce sera un peu risqué, mais j'ai bien l'intention de séduire Ouri-Téchoup.

Âcha contemplait les remparts d'Hattousa et il se plaisait à imaginer la capitale hittite peinte de couleurs vives, ornée de banderoles et peuplée de magnifiques jeunes femmes dansant sur les créneaux. Mais cette belle vision s'estompa pour céder la place à une sinistre ville fortifiée, agrippée à la montagne.

Le ministre des Affaires étrangères n'était accompagné que de deux compatriotes, un écuyer et un porte-sandales. Les autres membres de l'expédition avaient regagné l'Égypte. Quand Âcha montra son sceau au premier poste de garde de la ville basse, le gradé fut stupéfait.

– Veuillez avertir l'empereur de ma présence.

– Mais... Vous êtes égyptien !

– Ambassadeur exceptionnel. Hâtez-vous, je vous prie.

Désemparé, le gradé maintint Âcha sous haute surveillance et envoya l'un de ses subordonnés au palais.

Âcha ne fut pas autrement surpris de voir arriver, au pas cadencé, une escouade de fantassins armés de lances et commandés par une brute dont la seule forme de pensée était l'obéissance absolue aux ordres.

– Le général en chef veut voir l'ambassadeur.

Âcha salua Ouri-Téchoup et déclina ses titres.

– Le plus brillant ministre de Ramsès à Hattousa... Quelle surprise !

– Vous voilà à la tête d'une immense armée ; acceptez mes félicitations.

– L'Égypte devrait me redouter.

– Elle connaît votre vaillance et vos qualités de guerrier, et nous en avons peur ; c'est pourquoi j'ai fait masser des forces de sécurité dans nos protectorats.

– Je les exterminerai.

– Elles se préparent au choc, si rude s'annonce-t-il.

– Trêve de bavardages. Quelle est la raison de votre venue ?

– J'ai entendu dire que l'empereur Mouwattali était souffrant.

– Contentez-vous de rumeurs ; la santé de notre chef est un secret d'État.

– Le maître du Hatti est notre ennemi, mais nous respectons sa grandeur ; c'est pourquoi je suis ici.

– Que signifie votre présence ici, Âcha ?

– Je dispose des remèdes nécessaires pour soigner l'empereur Mouwattali.

33

Âgé de sept ans, le garçon s'appliquait à lui-même le précepte que son père, qui l'avait reçu de son propre père, avait lui-même appliqué : donner un poisson à quiconque a faim est moins utile que de lui apprendre à pêcher.

Aussi voulait-il prouver son habileté à frapper l'eau avec un bâton de façon à diriger sa proie vers le filet que tendait, près de hauts papyrus, son camarade aussi affamé que lui.

Soudain, le gamin les aperçut.

Une flotte de bateaux arrivait du nord avec, à leur tête, un navire à la proue duquel trônait un sphinx d'or. Oui, c'était bien le navire de Pharaon !

Oubliant poissons et filet, l'apprenti pêcheur plongea dans le Nil et nagea en direction de la berge afin de prévenir le village. Pendant plusieurs jours, ce serait la fête.

L'immense salle à colonnes du temple de Karnak se déployait dans toute sa magnificence ; hautes de vingt-cinq mètres, les douze colonnes de la nef centrale manifestaient la puissance de la création naissant de l'océan primordial.

C'est là que Nébou, grand prêtre d'Amon, marchant à l'aide de sa canne dorée à l'or fin, vint à la rencontre du couple royal. Malgré ses rhumatismes, il réussit à s'incliner. Ramsès l'aida à se redresser.

– Je suis heureux de vous revoir, Majesté, et enchanté d'admirer la beauté de la reine.

– Deviendrais-tu un parfait courtisan, Nébou ?

– Aucun espoir de ce côté-là, Majesté ; je continuerai à dire ce que je pense, comme je viens de le faire.

– Ta santé ?

– Il faut s'accommoder de la vieillesse, bien qu'elle rende mes articulations douloureuses ; mais le médecin du temple me donne un remède à base de saule qui me soulage. J'avoue que je n'ai guère le temps de penser à mon bien-être... Vous m'avez confié une tâche si lourde !

– D'après les résultats, j'ai de bonnes raisons d'être satisfait de mon choix.

Quatre-vingt mille employés dont le grand prêtre répartissait les activités, près d'un million de têtes de bétail, une centaine de bateaux de charge, une cinquantaine de chantiers en perpétuelle activité, une immense surface de terres cultivables, de jardins, de bocages, de vergers et de vignes, tel était l'univers de Karnak, le riche domaine d'Amon.

– Le plus difficile, Majesté, est d'harmoniser les efforts des scribes des domaines, de ceux des greniers, de ceux de la comptabilité et de leurs autres collègues... Sans une autorité supérieure, ce petit monde ressemblerait vite au chaos, chacun ne songeant qu'à son avantage.

– Ton sens de la diplomatie fait merveille.

– Je ne connais que deux vertus : obéir et servir. Le reste n'est que bavardage. Et à mon âge, on n'a plus le temps de bavarder.

Ramsès et Néfertari admirèrent, une à une, les cent trente-quatre colonnes dont le décor révélait le nom des divinités auxquelles, sans cesse, la figure de Pharaon faisait offrande. Ces tiges végétales, rendues éternelles par la pierre, reliaient le sol, symbole du marais primordial, au plafond peint en bleu où brillaient des étoiles d'or.

Comme l'avait souhaité Séthi, l'immense salle à

colonnes de Karnak incarnerait à jamais la gloire du dieu caché, tout en révélant ses mystères.

– Thèbes sera-t-elle une simple escale, demanda Nébou, ou bénéficiera-t-elle d'un long séjour du couple royal ?

– Pour mener l'Égypte vers la paix, répondit Ramsès, je dois satisfaire les dieux en leur offrant les temples où ils aimeront résider, et en achevant ma demeure d'éternité et celle de Néfertari. La vie qu'ils ont déposée dans notre cœur, ils la reprendront à leur heure ; nous devons être prêts à comparaître devant eux, afin que le peuple d'Égypte ne souffre pas de notre mort.

Ramsès éveilla la force divine dans le secret du naos de Karnak et salua sa présence :

– Salut à toi qui engendres la vie, les dieux et les humains, le créateur de mon pays et des terres lointaines, toi qui façonnes les prairies verdoyantes et l'inondation. Tout être est rempli de ta perfection.

Karnak s'éveillait.

La lumière du jour remplaçait celle des lampes à huile, les ritualistes remplissaient les vases de purification avec l'eau du lac sacré, renouvelaient les pastilles d'encens qui embaumaient les chapelles, garnissaient les autels de fleurs, de fruits, de légumes et de pain frais, des processions s'organisaient pour faire circuler les offrandes qui, toutes, s'élèveraient vers Maât. Elle seule ressuscitait les diverses formes de vie, elle seule vivifiait grâce au parfum de sa rosée qui inondait la terre au lever du soleil.

En compagnie de Néfertari, Ramsès emprunta la voie processionnelle, bordée de sphinx, qui conduisait au temple de Louxor.

Devant le pylône, un homme attendait le couple royal. Un homme au visage carré, solide, ancien contrôleur des écuries du royaume.

– Nous nous sommes affrontés et battus, rappela le roi à son épouse, et je n'étais pas peu fier de lui avoir résisté, alors que je n'étais qu'un jeune homme.

Après avoir abandonné la carrière des armes, le rugueux Bakhen avait beaucoup changé. Parvenu au quatrième rang de la hiérarchie sacerdotale de Karnak, il était ému aux larmes. Revoir le pharaon lui offrait une si grande joie qu'il ne savait plus quels mots prononcer. Préférant que son œuvre parle pour lui, il fit admirer l'impressionnante façade de Louxor, précédée par deux obélisques élancés et plusieurs colosses représentant Ramsès. Sur la belle pierre de grès, des scènes narrant les épisodes de la bataille de Kadesh et la victoire du roi d'Égypte.

– Majesté, déclara Bakhen avec flamme, l'édifice est achevé !

– Mais l'œuvre doit se poursuivre.

– Je suis prêt.

Le couple royal et Bakhen pénétrèrent dans la grande cour située derrière le pylône et bordée de portiques à colonnes entre lesquelles avaient été dressées des statues de Ramsès, contenant son *ka*, l'énergie immortelle qui le rendait apte à régner.

– Le travail des taillleurs de pierre et des sculpteurs est admirable, Bakhen, mais je ne peux leur accorder aucun repos, et je compte même les emmener sur un terrain difficile, voire dangereux.

– Puis-je connaître votre projet, Majesté ?

– Édifier plusieurs sanctuaires en Nubie, dont un grand temple. Rassemble les artisans et consulte-les ; je n'accepterai que des volontaires.

Le Ramesseum, le temple des millions d'années de Ramsès le grand, construit sur les plans du roi lui-même, était devenu un monument grandiose, le plus vaste de la rive d'Occident. Granit, grès et basalte avaient été utilisés pour créer pylônes, cours et chapelles ; plusieurs portes de bronze doré délimitaient les différentes parties du monument, protégé par une enceinte de briques.

Chénar avait réussi à s'introduire dans un entrepôt vide, à la nuit tombée. Muni d'une arme que lui avait confiée Ofir et qu'il espérait décisive, le frère de Ramsès attendit que les ténèbres fussent épaisses pour s'aventurer dans l'espace sacré.

Il longea le mur du palais en construction et traversa une cour. À quelques mètres de la chapelle dédiée à Séthi, il hésita.

Séthi, son père...

Mais un père qui l'avait trahi en choisissant Ramsès comme pharaon ! Un père qui l'avait méprisé et rejeté, en favorisant l'ascension d'un tyran.

Après avoir accompli ce qu'il projetait, Chénar ne serait plus le fils de Séthi. Mais quelle importance ? Contrairement à ce qu'affirmaient les initiés aux mystères, personne ne franchissait l'obstacle de la mort. Le néant avait absorbé Séthi comme il absorberait Ramsès. La vie n'avait qu'un sens : obtenir le maximum de pouvoir, par n'importe quel moyen, et l'exercer sans contrainte, en piétinant les médiocres et les inutiles.

Et dire que des milliers d'imbéciles commençaient à prendre Ramsès pour un dieu ! Quand Chénar aurait renversé l'idole, la voie serait ouverte vers un nouveau régime. Il supprimerait les rites désuets et gouvernerait en fonction des deux seuls axes dignes d'intérêt : la conquête territoriale et le développement économique.

Aussitôt monté sur le trône, Chénar ferait raser le Ramesseum et détruire toutes les représentations de Ramsès. Bien qu'il fût inachevé, le temple des millions d'années produisait déjà une énergie contre laquelle Chénar lui-même éprouvait quelque difficulté à lutter. Hiéroglyphes, scènes sculptées et peintes vivaient, affirmant dans chaque pierre la présence et la puissance de Ramsès. Non, ce n'était qu'une illusion engendrée par la nuit!

Chénar s'arracha à la léthargie qui le gagnait. Il mit en place le dispositif prévu par Ofir et sortit de l'enceinte du Ramesseum.

Il prenait forme, il croissait comme un être plein de vigueur, ce temple des millions d'années grâce auquel le règne de Ramsès se bâtissait. Le roi rendit hommage à l'édifice où, désormais, il viendrait puiser la force dont se nourrissaient sa pensée et son action.

Comme à Karnak et à Louxor, maîtres d'œuvre, tailleurs de pierre, sculpteurs, peintres et dessinateurs avaient fait merveille. Le sanctuaire, plusieurs chapelles et leurs annexes, une petite salle à colonnes étaient achevés, de même que l'édifice réservé au culte de Séthi. Et toutes les autres parties du domaine sacré étaient en chantier, sans compter les entrepôts en briques, la bibliothèque et les demeures des prêtres.

Planté en l'an 2 du règne, l'acacia du Ramesseum avait grandi, lui aussi, avec une rapidité surprenante. En dépit de sa finesse, son feuillage dispensait déjà une ombre bienfaisante. Néfertari caressa le tronc de l'arbre.

Le couple royal traversa la grande cour, sous le regard respectueux et émerveillé des tailleurs de pierre qui avaient posé maillet et ciseau.

Après s'être entretenu avec leur chef d'équipe, Ramsès interrogea chacun sur les difficultés rencontrées. Le roi n'oubliait pas les heures exaltantes passées dans les carrières du Gebel Silsileh, à une époque où il désirait devenir tailleur de pierre. Aux artisans, le monarque promit une prime exceptionnelle : vin et vêtements de première qualité.

Alors que le couple royal progressait vers la chapelle de Séthi, Néfertari porta la main à son cœur et s'immobilisa.

– Un danger... un danger tout proche.

– Ici, dans ce temple ? s'étonna Ramsès.

Le malaise se dissipa. Le couple royal s'approcha du sanctuaire où serait à jamais vénérée l'âme de Séthi.

– Ne pousse pas la porte de ce sanctuaire, Ramsès. Le danger est là, derrière elle. Laisse-moi agir.

Néfertari ouvrit la porte en bois doré.

Sur le seuil, un œil en cornaline brisé en plusieurs fragments ; devant la statue de Séthi, au fond de la chapelle, une boule rouge, composée de poils d'animaux du désert.

Investie du pouvoir d'Isis, la grande magicienne, la reine reconstitua l'œil. Si le pied du roi avait touché les fragments du symbole profané, il aurait été paralysé. Puis Néfertari emprisonna la boule rouge dans le bas de sa robe, sans la toucher de ses doigts, et l'emporta au-dehors, afin qu'elle fût brûlée.

Le mauvais œil, constata le couple, voilà ce qu'avaient osé utiliser des êtres venus des ténèbres, désireux de rompre le lien qui unissait Séthi à son fils, et de réduire le maître des Deux Terres à l'état d'un simple despote, privé de l'enseignement surnaturel de son prédécesseur.

Qui d'autre que Chénar, pensa Ramsès, serait allé aussi loin sur le chemin du mal, avec l'aide du mage vendu aux Hittites ? Qui d'autre que Chénar s'acharnait à détruire ce que son cœur trop étroit ne pouvait contenir ?

34

Moïse hésitait.

Certes, il devait accomplir la mission que Dieu lui avait fixée, mais l'obstacle ne dépassait-il pas ses capacités ? À présent, il ne se berçait plus d'illusions : Ramsès ne céderait pas. Moïse connaissait assez le roi d'Égypte pour savoir qu'il n'avait pas prononcé de paroles à la légère et qu'il considérait bien les Hébreux comme une partie intégrante du peuple égyptien.

Pourtant, l'idée de l'exode cheminait dans les esprits, et l'opposition au prophète s'affaiblissait de jour en jour. Beaucoup pensaient que les relations privilégiées de Moïse avec Ramsès faciliteraient l'obtention d'un accord. Un à un, les chefs de tribus s'étaient effacés ; sans être contredit, Aaron avait pu, lors du dernier conseil des anciens, présenter Moïse comme le chef du peuple hébreu, réuni dans une même foi et une même volonté.

Les déchirures oubliées, il ne restait plus au prophète qu'un seul ennemi à vaincre : Ramsès le grand.

Aaron troubla la méditation de Moïse.

– Un briquetier demande à te voir.

– Occupe-t'en.

– C'est toi qu'il veut consulter, personne d'autre.

– Pour quel motif ?

– Des promesses que tu lui aurais faites dans le passé. Il a foi en toi.

– Amène-le.

Portant une courte perruque noire serrée par un bandeau blanc qui dissimulait son front et lui laissait les oreilles dégagées, le visage hâlé, orné d'une petite barbe et d'une moustache aux poils inégaux, le solliciteur ressemblait à n'importe quel briquetier hébreu.

Pourtant, la silhouette éveilla la suspicion de Moïse ; cet homme-là ne lui était pas inconnu.

– Que me veux-tu ?

– Nos idéaux convergeaient, naguère.

– Ofir !

– C'est bien moi, Moïse.

– Tu as beaucoup changé.

– La police de Ramsès me recherche.

– N'a-t-elle pas de bonnes raisons ? Si je ne m'abuse, tu es un espion hittite.

– J'ai travaillé pour eux, c'est vrai, mais mon réseau est anéanti, et les Hittites ne sont plus en mesure de détruire l'Égypte.

– Ainsi, tu m'as menti, et tu cherchais à m'utiliser contre Ramsès !

– Non, Moïse. Toi et moi croyons en un dieu unique et tout-puissant, et mon contact avec les Hébreux m'a convaincu que ce dieu était Yahvé, et nul autre.

– M'imagines-tu assez stupide pour me laisser séduire par ces belles paroles ?

– Même si tu refuses d'admettre ma sincérité, je servirai ta cause, car elle est la seule qui mérite d'être servie. Sache que je n'attends aucun bénéfice personnel, mais le salut de mon âme.

Moïse fut troublé.

– As-tu renoncé à ta croyance en Aton ?

– J'ai compris qu'Aton n'était qu'une préfiguration du vrai Dieu. Puisque la vérité m'est apparue, je renonce à mes erreurs.

– Qu'est devenue la jeune femme que tu voulais amener au pouvoir ?

– Elle est morte brutalement, et j'ai éprouvé une peine immense ; pourtant, la police égyptienne m'accuse d'un crime horrible que je n'ai pas commis. Dans cette tragédie, j'ai vu un signe du destin. Tu es le seul, aujourd'hui, à pouvoir t'opposer à Ramsès. C'est pourquoi je te soutiendrai de toutes mes forces.

– Que désires-tu, Ofir ?

– T'aider à imposer la croyance en Yahvé, rien de plus.

– Sais-tu que Yahvé exige l'exode de mon peuple ?

– J'approuve ce projet grandiose. S'il s'accompagne de la chute de Ramsès et de l'avènement de la vraie foi en Égypte, je serai comblé.

– Un espion ne reste-t-il pas un espion ?

– Je n'ai plus aucun contact avec les Hittites, en proie à des querelles de succession ; cet épisode de mon existence est effacé. L'avenir et l'espoir, c'est toi, Moïse.

– Comment comptes-tu m'aider ?

– Lutter contre Ramsès ne sera pas facile ; mon expérience du combat clandestin te sera utile.

– Mon peuple veut sortir d'Égypte, non se révolter contre Ramsès.

– Quelle différence, Moïse ? Ton attitude apparaîtra insurrectionnelle aux yeux de Ramsès, et il la réprimera comme telle.

En son for intérieur, l'Hébreu dut admettre que le mage libyen avait raison.

– Je dois réfléchir, Ofir.

– Tu es le maître, Moïse ; permets-moi de te donner un seul conseil : n'entreprends rien pendant l'absence de Ramsès. Avec lui, tu pourras peut-être négocier ; mais ses sbires, Améni et Serramanna, sans compter la reine mère Touya, n'auront aucune indulgence envers ton peuple. Pour maintenir l'ordre public, ils ordonneront une répression sanglante.

Mettons à profit le voyage du couple royal pour développer notre cohésion, convaincre les hésitants et nous préparer à un conflit inéluctable.

La détermination d'Ofir impressionna Moïse. Bien qu'il ne fût pas décidé à s'allier avec le mage, pouvait-il nier la pertinence de ses propos ?

Le chef de la police thébaine affirma que ses hommes n'avaient pas ménagé leurs efforts pour retrouver Chénar et ses éventuels complices. Ramsès leur avait donné le signalement de l'agresseur qui, sur le Nil, avait tenté de le transpercer d'une flèche, mais les investigations des forces de l'ordre s'étaient révélées vaines.

– Il a quitté Thèbes, affirma Néfertari.

– Comme moi, tu es persuadée qu'il est vivant.

– Je perçois une présence dangereuse, une force ténébreuse... Est-ce Chénar, le mage ou l'un de leurs séides ?

– C'est lui, estima Ramsès ; il a tenté de couper à jamais le lien qui m'unissait à Séthi pour me priver de la protection de mon père.

– Le mauvais œil n'aura aucune efficacité ; le feu l'a empêché de nuire. Grâce à une colle à base de résine, nous avons reconstitué le bon œil, dérobé dans le trésor du temple de Seth, à Pi-Ramsès.

– Les animaux du désert, dont les poils formaient l'œil rouge, sont des créatures de Seth... Chénar avait l'intention de détruire en utilisant son énergie redoutable.

– Il a sous-estimé la qualité de tes liens avec Seth.

– Une harmonie à recréer chaque jour... À la moindre erreur d'inattention, le feu de Seth anéantit celui qui croyait s'en être rendu maître.

– Quand partons-nous pour le Grand Sud ?

– Après avoir rencontré notre mort.

Le couple royal se dirigea vers le vallon le plus méridional de la montagne thébaine, qui portait le nom de « place de régénération » et de « place des lotus ». C'est dans cette Vallée des Reines que reposeraient pour l'éternité Touya, la mère de Ramsès, et Néfertari, la grande épouse royale. Leurs tombes avaient été creusées sous la protection de la cime, domaine de la déesse du silence. Sur ce désert écrasé de soleil, régnait Hathor, la souriante déesse du ciel, qui faisait briller les étoiles et danser le cœur de ses fidèles.

Hathor, que Néfertari découvrit sur les murs de son tombeau, dans l'attitude de la magnétiseuse offrant l'énergie de la résurrection à une grande épouse royale éternellement jeune, qui portait une coiffe d'or en forme de dépouille de vautour. Elle symbolisait ainsi la mère divine. Les peintres avaient réussi à transcrire la beauté de « la douce d'amour » dans des formes d'une incroyable perfection.

– Cette demeure te convient-elle, Néfertari ?

– Tant de splendeurs... Je n'en suis pas digne.

– Jamais il n'y eut de semblable demeure d'éternité, jamais il n'y en aura de semblable ; toi dont l'amour est le souffle de vie, tu régneras à jamais dans le cœur des dieux et des hommes.

Osiris au visage vert, enveloppé dans un manteau blanc ; Râ le lumineux, couronné d'un énorme soleil ; Khépri, le principe des métamorphoses à tête de scarabée ; Maât, la Règle universelle, belle et fine jeune femme ayant comme seul emblème une plume d'autruche, légère comme la vérité... Les puissances divines s'étaient assemblées pour régénérer Néfertari, dans le temps et au-delà des temps. Bientôt, dans des colonnes encore vides, un scribe de la Maison de Vie tracerait les hiéroglyphes du « Livre de sortir dans la lumière » et du « Livre des Portes » qui permettraient à la reine de voyager sur les beaux chemins de l'autre monde, en évitant ses dangers.

Ce n'était plus la mort, mais le sourire du mystère.

Plusieurs journées durant, Néfertari examina les figures divines qui habitaient la demeure d'éternité dont elle deviendrait, au moment de la grande traversée, l'hôte privilégiée. Elle se familiarisa avec l'au-delà de sa propre existence et partagea un silence qui, au cœur de la terre, avait la saveur du ciel.

Lorsque Néfertari se résolut à quitter « la place des lotus », Ramsès l'emmena dans « la grande prairie », la Vallée des Rois où les pharaons reposaient depuis le début de la dix-huitième dynastie. Le couple royal demeura de longues heures dans les tombes de Ramsès, premier du nom, et de Séthi. Chaque peinture était un chef-d'œuvre, et la reine lut colonne par colonne le « Livre de la chambre cachée » qui dévoilait les phases de la transmutation du soleil mourant en jeune soleil, modèle de la résurrection de Pharaon.

Avec émotion, Néfertari découvrit la demeure d'éternité de Ramsès le grand. Dans de petits pots, les peintres délayaient des pigments minéraux finement broyés, avant d'animer les parois de figures symboliques qui préserveraient la survie du monarque. La poudre colorée, mélangée à l'eau et à la résine d'acacia, leur offrait une extraordinaire précision d'exécution.

« La demeure de l'or », la salle du sarcophage à huit piliers, était presque achevée. La mort pouvait accueillir Ramsès.

Le roi appela le maître d'œuvre.

– Comme dans la tombe de certains de mes ancêtres, tu creuseras un couloir qui s'enfoncera dans la roche et tu y laisseras la pierre brute. Il évoquera l'ultime secret, que nul esprit humain ne peut connaître.

Néfertari et Ramsès eurent le sentiment qu'ils venaient de franchir une étape décisive ; à leur amour s'ajoutait désormais la conscience de leur propre mort, éveil et non trépas.

35

Serramanna dut se montrer patient.

Méba était sorti de chez lui depuis plus d'une heure pour assister au banquet qu'avait organisé la reine mère Touya, soucieuse de maintenir la cohésion de la cour en l'absence du couple royal. En contact régulier avec Ramsès, grâce au courrier, la veuve de Séthi était satisfaite du travail méticuleux d'Améni et de la rigueur de Serramanna qui maintenait l'ordre sans état d'âme. Chez les Hébreux, l'agitation semblait retombée.

Mais l'ancien pirate, se fiant à son flair, était persuadé que ce calme précédait une tempête. Certes, Moïse se contentait de s'entretenir avec les notables de son peuple, mais il était devenu le chef incontesté des Hébreux. De plus, quantité de dignitaires égyptiens, connaissant la fidélité de Ramsès en amitié, jugeaient bon de ménager Moïse. Un jour ou l'autre, croyaient-ils, ce dernier obtiendrait un nouveau poste important et abandonnerait ses théories fumeuses.

Au premier rang des préoccupations de Serramanna, il y avait Méba. Le Sarde était persuadé que le diplomate avait volé le pinceau de Khâ, mais avec quelle intention ? L'ancien pirate détestait les diplomates en général et Méba en particulier, trop mondain, trop élégant et trop accommodant ; un gaillard comme celui-là avait des dons naturels pour le mensonge.

Et si le pinceau de Khâ était caché chez Méba ? Serramanna le ferait accuser de vol, et l'aristocrate serait obligé d'expliquer les raisons de son geste devant un tribunal.

Le jardinier de Méba alla se coucher, ses domestiques se retirèrent dans leur demeure de fonction. Le Sarde escalada l'arrière de la maison et atteignit la terrasse ; marchant avec la légèreté d'un chat, il souleva la trappe qui donnait accès à un grenier. De là, il descendit aisément dans les pièces principales.

Serramanna disposait d'une bonne partie de la nuit pour mener à bien son exploration.

– Rien, déclara le Sarde, bougon et mal rasé.

– Cette fouille était illégale, rappela Améni.

– Si elle avait réussi, ce Méba aurait cessé de nuire.

– Pourquoi t'acharner sur lui ?

– Parce qu'il est dangereux.

– Dangereux, Méba ? Il ne se préoccupe que de sa carrière, et ce souci constant exclut tout pas de côté.

Le Sarde dévora à belles dents un morceau de poisson séché, trempé dans une sauce épicée.

– Tu as peut-être raison, dit-il la bouche pleine, mais mon instinct m'affirme que c'est un mauvais bougre. J'ai envie de le placer sous surveillance constante ; il finira bien par commettre une faute.

– À ta guise... Mais pas d'impair !

– Moïse lui aussi aurait dû être placé sous surveillance.

– Il fut mon camarade d'université, rappela Améni, et celui de Ramsès.

– Cet Hébreu est un redoutable agitateur ! Tu es le serviteur de Pharaon, et Moïse se révoltera contre Pharaon.

– Il n'ira pas jusque-là.

– Bien sûr que si ! Dans les équipages que j'ai commandés, je repérais vite les types dans son genre... Comme fauteur de troubles, on ne trouve pas mieux. Mais Pharaon et toi refusez de m'écouter !

– Nous connaissons Moïse et sommes moins pessimistes que toi.

– Un jour, vous regretterez votre aveuglement.

– Va te coucher et prends soin de ne pas bousculer les Hébreux. Notre rôle est de maintenir l'ordre, non de semer la perturbation.

Âcha était logé au palais, mangeait une nourriture rustique mais convenable, buvait un vin de qualité moyenne et jouissait de la tendresse très professionnelle d'une blonde Hittite que le chambellan avait eu l'excellente idée de lui proposer. Dépourvue de la moindre pudeur, elle désirait vérifier par elle-même la réputation qu'on prêtait aux Égyptiens d'être des amants merveilleux. Coopératif, Âcha s'était prêté à l'expérience, tantôt actif, tantôt passif, mais toujours enthousiaste.

Était-il façon plus agréable de passer le temps ? Ouri-Téchoup, étonné par la démarche d'Âcha, était pourtant flatté par la présence du ministre des Affaires étrangères de Pharaon ; ne signifiait-elle pas que Ramsès le reconnaissait déjà comme futur empereur, lui, le fils de Mouwattali ?

Ouri-Téchoup fit irruption dans la chambre d'Âcha, au moment où la blonde Hittite embrassait l'Égyptien avec une belle avidité.

– Je reviendrai, dit Ouri-Téchoup.

– Restez, le pria Âcha ; cette jeune personne comprendra que les affaires d'État passent parfois avant le plaisir.

La ravissante Hittite s'éclipsa, Âcha se vêtit d'une tunique raffinée.

– Comment se porte l'empereur ? demanda-t-il à Ouri-Téchoup.

– Son état est stationnaire.

– Je vous renouvelle mon offre : laissez-moi le soigner.

– Pourquoi venir en aide à votre pire ennemi ?

– Votre question m'embarrasse.

Le ton d'Ouri-Téchoup devint cassant.

– Il faut pourtant me répondre, et tout de suite.

– Les diplomates n'aiment guère dévoiler leurs secrets de manière si directe... Le caractère humanitaire de ma mission ne vous satisfait-il pas ?

– J'exige une véritable réponse.

Âcha parut ennuyé.

– Eh bien... Ramsès a appris à connaître Mouwattali. Il éprouve pour lui une grande estime, et même une certaine admiration. Sa maladie le navre.

– Vous moquez-vous de moi ?

– Je crois savoir, avança Âcha, que vous n'aimeriez pas être accusé d'avoir assassiné votre propre père.

Malgré la colère qui montait en lui, Ouri-Téchoup ne protesta pas. Âcha poussa son avantage.

– Tout ce qui se passe à la cour hittite nous passionne ; nous savons que l'armée désire que la passation des pouvoirs s'effectue dans le calme et que l'empereur désigne lui-même son successeur. C'est pourquoi je désire l'aider à recouvrer la santé, en utilisant les ressources de notre médecine.

Ouri-Téchoup ne pouvait souscrire à cette demande-là. Si Mouwattali recouvrait l'usage de la parole, il ferait jeter son fils en prison et confierait l'empire à Hattousil.

– Comment pouvez-vous être aussi bien informé ? demanda-t-il à Âcha.

– Il m'est difficile...

– Répondez.

– Désolé, je dois garder le silence.

– Vous n'êtes pas en Égypte, Âcha, mais dans ma capitale !

– En tant qu'ambassadeur en mission officielle, qu'ai-je à redouter ?

– Je suis un soldat, non un diplomate. Et nous sommes en guerre.

– Serait-ce une menace ?

– La patience m'est inconnue, Âcha. Hâtez-vous de parler.

– Iriez-vous... jusqu'à la torture ?

– Je n'hésiterai pas un instant.

Tremblant, Âcha s'enveloppa dans une couverture de laine.

– Si je parle, m'épargnerez-vous ?

– Nous resterons bons amis.

Âcha baissa les yeux.

– Je dois vous avouer que ma véritable mission consiste à proposer une trêve à l'empereur Mouwattali.

– Une trêve ! Pour combien de temps ?

– Le plus longtemps possible...

Ouri-Téchoup jubila. Ainsi, l'armée de Pharaon était à bout de souffle ! Aussitôt que ces maudits oracles deviendraient favorables, le nouveau maître du Hatti se ruerait à l'assaut du Delta.

– Ensuite..., reprit Âcha, hésitant.

– Ensuite ?

– Nous savons que l'empereur, pour sa succession, hésite entre vous et son frère Hattousil.

– Qui vous renseigne, Âcha ?

– Nous accorderiez-vous cette trêve, si vous aviez le pouvoir ?

« Pourquoi, pensa Ouri-Téchoup, ne pas utiliser la ruse si chère à mon père ? »

– Je suis un homme de guerre, mais je n'élimine pas cette possibilité, à condition qu'elle n'affaiblisse pas le Hatti.

Âcha se détendit.

– J'avais dit à Ramsès que vous étiez un homme d'État, et je ne me suis pas trompé. Si vous le souhaitez, nous parviendrons à la paix.

– La paix, bien sûr... Mais vous ne m'avez pas donné la réponse que j'exige : qui vous renseigne ?

– Des officiers supérieurs qui font mine de vous soutenir. En réalité, ils vous trahissent au profit d'Hattousil.

La révélation fit à Ouri-Téchoup l'effet d'un coup de tonnerre.

– Avec Hattousil, poursuivit Âcha, nous n'obtiendrons ni paix ni trêve ; son unique but est de prendre la tête d'une vaste coalition, comme à Kadesh, et d'écraser nos troupes.

– Je veux des noms, Âcha.

– Devenons-nous alliés contre Hattousil ?

Ouri-Téchoup sentit soudain ses muscles se raidir comme à l'approche du combat. Utiliser un Égyptien pour se débarrasser de son rival, quel étrange détour du destin ! Mais il ne laisserait pas passer pareille occasion.

– Aidez-moi à éliminer les traîtres, Âcha, et vous obtiendrez votre trêve, et peut-être davantage.

Le diplomate parla.

Chacun des noms qu'il donna ressemblait à un coup de poignard. Dans la liste, il y avait quelques-uns des plus chauds partisans d'Ouri-Téchoup, du moins en paroles. Et même des officiers supérieurs qui avaient combattu à ses côtés, en lui affirmant qu'ils le considéraient déjà comme le nouveau maître du Hatti.

Livide, Ouri-Téchoup marcha d'un pas lourd vers la porte de la chambre.

– Encore un détail, intervint Âcha ; pourriez-vous demander à ma jeune amie de revenir ?

36

En parcourant les carrières de granit d'Assouan avec Bakhen, Ramsès revit son père choisir les bonnes pierres qui se transformeraient en obélisques et en statues. À dix-sept ans, le fils de Séthi avait eu le bonheur de découvrir cet espace magique sous la conduite de Pharaon, à la recherche de veines de granit d'une qualité parfaite ; aujourd'hui, c'était lui, Ramsès, qui conduisait cette exploration et devait faire preuve des mêmes qualités de perception.

Ramsès utilisa la baguette de sourcier de Séthi qui lui permettait de ressentir, dans les mains, les courants secrets de la terre. Le monde des hommes n'était qu'une émergence jaillie, lors de la « première fois », hors de l'océan d'énergie, dans lequel il retournerait quand les dieux créeraient un nouveau cycle de vie ; dans le sous-sol comme dans le ciel se produisaient sans cesse des métamorphoses dont un esprit aiguisé discernait l'écho.

En apparence, les carrières étaient un univers immobile, clos et hostile où la chaleur était insupportable une bonne partie de l'année ; mais le ventre de la terre s'y montrait d'une extraordinaire générosité, faisant éclore à sa surface un granit d'une splendeur inégalable. Il était, par excellence, le matériau inusable qui ferait vivre à jamais les demeures d'éternité.

Ramsès s'immobilisa.

– Tu creuseras ici, ordonna-t-il à Bakhen, et tu dégageras un monolithe dans lequel tu façonneras un colosse pour le Ramesseum. As-tu consulté les artisans ?

– Ils se portaient tous volontaires pour la Nubie ; j'ai dû choisir une équipe restreinte. Majesté... Ce n'est pas dans mes habitudes, mais j'ai une requête à vous adresser.

– Je t'écoute, Bakhen.

– Accepteriez-vous ma présence dans cette expédition ?

– J'ai une bonne raison pour refuser : ta nomination comme troisième prophète d'Amon de Karnak t'oblige à demeurer à Thèbes.

– Je... je ne souhaitais pas cette promotion.

– Je sais, Bakhen, mais le grand prêtre Nébou et moi-même avons estimé que nous pouvions poser un poids plus lourd sur tes épaules. Tu assisteras le grand prêtre, maintiendras la prospérité de ses domaines et veilleras sur la construction de mon temple des millions d'années. Grâce à toi, Nébou affrontera d'un cœur léger les difficultés du quotidien.

Le poing fermé sur le cœur, Bakhen jura qu'il assumerait les devoirs de sa nouvelle charge.

De forte intensité, mais sans excès dommageable pour les digues, les canaux et les cultures, la crue facilitait le voyage du couple royal, de son escorte et des tailleurs de pierre. Le chaos rocheux de la première cataracte avait disparu sous les eaux agitées de courants et de tourbillons qui rendaient la navigation dangereuse. Il fallait notamment se méfier de brusques dénivelés, visibles au dernier moment, et de vagues violentes capables de faire chavirer tout bateau au chargement mal équilibré. Aussi prit-on un luxe de précautions pour préparer le chenal grâce auquel la flottille royale franchirait sans risque la cataracte.

D'ordinaire placide et indifférent aux agitations humaines, Massacreur manifestait quelque nervosité ; l'énorme lion avait hâte de partir pour sa Nubie natale. Ramsès le calma en caressant son épaisse crinière.

Deux hommes demandèrent à monter à bord et à s'entretenir avec le monarque. Le premier, un scribe chargé de la surveillance du nilomètre, présenta son rapport.

– Majesté, la crue atteint vingt et une coudées et trois paumes un tiers *.

– C'est excellent, me semble-t-il.

– Tout à fait satisfaisant, Majesté ; cette année, l'Égypte ne connaîtra aucun problème d'irrigation.

Le second personnage était le chef de la police d'Éléphantine ; son intervention fut beaucoup moins rassurante.

– Majesté, la douane a signalé le passage d'un homme correspondant au signalement que vous avez donné.

– Pourquoi n'a-t-il pas été interpellé ?

– Le chef de poste étant absent, personne n'a voulu prendre cette responsabilité, d'autant plus qu'aucune infraction n'avait été commise.

Ramsès contint sa colère.

– Quoi d'autre ?

– L'homme a affrété un bateau rapide pour le Sud ; il a déclaré être commerçant.

– Nature de son chargement ?

– Des jarres contenant du bœuf séché pour les forts de la deuxième cataracte.

– Quand est-il parti ?

– Il y a une semaine.

– Transmets son signalement aux commandants des places fortes et ordonne-leur de l'arrêter s'il se présente à leur porte.

Soulagé d'avoir échappé à une sanction, le policier courut exécuter les ordres.

– Chénar nous précède en Nubie, constata Néfertari ; crois-tu prudent de poursuivre notre voyage ?

---

* Environ 11,275 m.

– Qu'avons-nous à redouter d'un fugitif?

– Il est prêt à tout... Sa haine ne le conduira-t-elle pas à la folie ?

– Ce n'est pas Chénar qui nous empêchera d'avancer. Je ne sous-estime pas sa capacité de nuire, Néfertari, mais ne la redoute pas. Un jour, nous serons face à face, et il s'inclinera devant son roi avant d'être châtié par les dieux.

Ils s'étreignirent, et ce moment de communion renforça la détermination de Ramsès.

Méfiant, Sétaou sautait d'une poupe à une proue, traversait un bateau, bondissait sur le suivant, examinait les chargements, vérifiait les cordages, tâtait les voiles, éprouvait la solidité des gouvernails ; la navigation n'était pas son plaisir favori, et il n'accordait aucune confiance à des marins trop sûrs d'eux-mêmes. Par bonheur, l'administration fluviale avait fait aménager un chenal bien dégagé, à l'abri des écueils, et navigable même en période de hautes eaux. Mais le charmeur de serpents ne se sentirait vraiment en sécurité qu'en posant de nouveau le pied sur la terre ferme.

De retour sur le navire royal où lui était réservée une cabine, Sétaou vérifia qu'il n'avait rien oublié : pots à filtres, petits vases remplis de remèdes solides et liquides, paniers pour serpents de tailles diverses, broyeurs, mortiers, pilons, rasoirs en bronze, sachets d'oxyde de plomb et de limaille de cuivre, ocre rouge, argile médicinale, sacs d'oignons, compresses, pots de miel, gourdes... Il ne manquait presque rien.

Chantant une vieille chanson nubienne, Lotus pliait pagnes et tuniques, et les disposait dans des coffres de bois. En raison de la chaleur, elle était nue, et ses gestes félins ravirent Sétaou.

– Ces bateaux m'ont l'air solide, dit-il en la prenant par la taille.

– Ton inspection fut-elle approfondie ?

– Ne suis-je pas un homme sérieux ?

– Va examiner les mâts de plus près ; je n'ai pas fini de ranger.

– Ce n'est pas si urgent.

– Je ne supporte pas le désordre.

Le pagne de Sétaou tomba sur le plancher de la cabine.

– Serais-tu assez cruelle pour abandonner un amant dans cet état ?

Les caresses de Sétaou devinrent trop précises pour permettre à Lotus de poursuivre son méticuleux travail.

– Tu profites de ma faiblesse, à l'heure où je vais revoir la Nubie.

– Comment mieux célébrer ce merveilleux moment qu'en faisant l'amour ?

Le cortège de bateaux, en partance pour le Sud, fut salué par une foule nombreuse. Quelques gamins intrépides, s'aidant de flotteurs en roseaux, s'élancèrent à sa suite, jusqu'à l'entrée du chenal. Qui ne se souviendrait que le couple royal avait offert à la population un banquet en plein air, au cours duquel la bière avait coulé à flots ?

Véritables demeures flottantes, les bateaux construits pour les voyages en Nubie étaient à la fois solides et confortables. Munis d'un seul mât central et d'une très grande voile fixée par de nombreux cordages, ils étaient pourvus d'un double gouvernail, l'un à bâbord, l'autre à tribord. Les ouvertures des cabines, spacieuses et bien meublées, avaient été calculées de manière à assurer une circulation d'air.

La cataracte franchie, la flottille prit son rythme de croisière.

Néfertari voulut convier Sétaou et Lotus à partager un jus de caroube, mais les soupirs d'aise émanant de la cabine du couple la dissuadèrent de frapper à leur porte. Amusée, la reine s'accouda à la proue, à côté de Massacreur dont les narines frémissaient à l'air de Nubie.

La grande épouse royale remercia les divinités de lui offrir tant de bonheur, un bonheur qu'elle avait le devoir de faire rayonner sur son peuple. Elle, la modeste et réservée joueuse de luth, promise à une obscure mais paisible carrière, vivait auprès de Ramsès une existence prodigieuse.

Chaque matin, elle le découvrait, et son amour grandissait, avec la puissance sereine d'un lien magique que rien, jamais, ne briserait. Ramsès eût-il été fermier ou foreur de vases de pierre dure, Néfertari l'eût aimé avec la même flamme ; mais le rôle que le destin avait attribué au couple royal lui interdisait de jouir égoïstement de sa félicité. Il lui fallait sans cesse songer à cette civilisation que ses prédécesseurs lui avaient confiée et qu'il devait léguer, plus belle encore, à ses successeurs.

N'était-ce pas cela, l'Égypte des pharaons, une succession d'êtres d'amour, de foi et de devoir, qui avaient refusé la médiocrité, la bassesse et la vanité, afin de former une chaîne de lumières humaines au service de la lumière divine ?

Lorsque le bras de Ramsès serra contre son torse la grande épouse royale, avec cette force teintée de douceur dont Néfertari était tombée amoureuse dès leur première rencontre, elle revécut en un instant les années passées ensemble, joies et épreuves mêlées, joies et épreuves surmontées grâce à cette certitude d'être un en toutes circonstances.

Et, par le seul contact de son corps, elle sut que le même élan embrasait son cœur et les transportait l'un et l'autre sur ces chemins de l'invisible où la déesse de l'amour jouait la musique des étoiles.

37

Tantôt, il bondissait en ligne droite, fier et impétueux, tantôt il s'alanguissait en des courbes séductrices, n'hésitant pas à caresser au passage un village animé de rires d'enfants : ainsi s'épanouissait le Nil du Grand Sud, sans jamais perdre la majesté du fleuve céleste dont il était le prolongement terrestre. Passant entre des collines désertiques et des îlots de granit, il nourrissait une mince bande de verdure, parsemée de palmiers-doums. Grues couronnées, ibis, flamants roses et pélicans survolaient la flottille royale, fascinée par l'absolu de l'azur et du désert.

Pendant les escales, les tribus locales venaient danser autour de la tente royale ; Ramsès s'entretenait avec les chefs, Sétaou et Lotus enregistraient leurs plaintes et leurs desiderata. À la veillée, autour d'un feu, on évoquait le mystère du flot créateur, la montée de la crue bienfaisante et l'on célébrait le nom de Ramsès le grand, l'époux de l'Égypte et de la Nubie.

Néfertari prit conscience que la renommée du pharaon allait grandissant et que d'aucuns faisaient de lui l'égal d'un dieu ; depuis la victoire de Kadesh, le récit de la bataille courait sur toutes les lèvres, même dans les villages les plus reculés. Voir Ramsès et Néfertari était considéré comme une faveur divine ; Amon n'avait-il pas pénétré dans l'esprit du roi pour animer son bras, Hathor dans celui de la reine pour répandre l'amour comme un scintillement de pierres précieuses ?

Comme le vent du nord soufflait avec douceur, la progression était lente ; Néfertari et Ramsès goûtaient ces heures immobiles et passaient le plus clair de leur temps sur le pont, à l'abri d'un parasol. Massacreur avait retrouvé son calme et dormait sur le pont.

Le sable d'or et la pureté du désert n'étaient-ils pas des échos de l'autre monde ? Plus le bateau royal avançait vers le domaine d'Hathor, cette région oubliée où la déesse façonnait une pierre miraculeuse, plus Néfertari avait le sentiment d'accomplir un acte majeur qui la reliait à l'origine de toutes choses.

Les nuits étaient un délice.

Dans la cabine du couple royal, le lit préféré de Ramsès, dont le sommier était fait d'écheveaux de chanvre entrecroisés de manière parfaite et fixés au cadre ; deux sangles lui laissaient une grande souplesse. Monté avec tenons et mortaises, le cadre était doublé en dessous par souci de solidité. Sur le cale-pieds, des représentations de papyrus, de bleuets et de mandragores entouraient la représentation du papyrus et du lotus, symbolisant celle du Nord et du Sud. Même pendant son sommeil, Pharaon restait le médiateur.

Les nuits étaient un délice car, dans la chaleur de l'été nubien, l'amour de Ramsès était aussi vaste que le ciel étoilé.

Grâce aux plaques d'argent que lui avait données Ofir et qui représentaient une véritable fortune, Chénar avait acheté les services d'une cinquantaine de pêcheurs nubiens, ravis d'améliorer l'ordinaire, même si ce qu'exigeait l'Égyptien était extravagant et dangereux. La plupart des Noirs crurent à la folie passagère d'un homme riche et capricieux, désireux d'assister à un spectacle inédit, mais qui payait bien et assurait une belle aisance à leurs familles pour plusieurs années.

Chénar n'aimait pas la Nubie. Détestant le soleil et la chaleur, il transpirait toute la journée. Contraint de boire beaucoup d'eau et de ne manger qu'une nourriture médiocre, il se réjouissait pourtant d'avoir arrêté la stratégie qui lui permettrait d'éliminer Ramsès.

Cette Nubie abhorrée lui fournissait cependant une cohorte de tueurs implacables que les soldats de Ramsès seraient incapables de repousser. Une cohorte rétive à la discipline, mais dont la violence et l'aptitude au combat étaient inégalables.

Il ne restait plus qu'à attendre le bateau de Ramsès.

Le vice-roi de Nubie coulait des jours paisibles dans son confortable palais de Bouhen, proche de la deuxième cataracte que surveillaient plusieurs forteresses, interdisant toute tentative d'agression nubienne. Dans le passé, certains chefs de tribus avaient été tentés d'envahir l'Égypte, laquelle avait décidé de supprimer ce danger en bâtissant d'impressionnantes places fortes dont les garnisons, régulièrement ravitaillées, bénéficiaient de salaires avantageux.

Le vice-roi de Nubie, qui portait aussi le titre de « fils royal de Koush », l'une des provinces nubiennes, n'avait qu'un souci majeur : assurer l'extraction de l'or et son transport vers Thèbes, Memphis et Pi-Ramsès. Les orfèvres utilisaient le métal précieux, « la chair des dieux », pour orner portes, murs de temples et statues, et Pharaon s'en servait dans ses relations diplomatiques avec plusieurs pays dont il achetait ainsi la neutralité bienveillante.

Le poste de vice-roi de Nubie était une position tout à fait enviable, même si son titulaire devait, de longs mois durant, résider loin de l'Égypte ; le haut fonctionnaire administrait une immense contrée et s'appuyait sur une caste militaire expérimentée, comptant dans ses rangs de nombreux autochtones. Comme il ne redoutait plus la moindre révolte de la part de tribus assagies, le vice-roi s'adonnait aux plaisirs de la bonne chère, de la musique et de la poésie. Son épouse, après lui avoir donné quatre enfants, se montrait d'une jalousie féroce qui lui interdisait d'admirer les formes aguichantes des jeunes Nubiennes, si expertes dans les jeux de l'amour. Divorcer aurait conduit le vice-roi à la ruine, car son épouse aurait obtenu d'énormes indemnités et une pension alimentaire qui n'aurait plus permis au notable de mener grande vie.

Ce dernier avait horreur des incidents susceptibles de troubler sa tranquillité... Et voici qu'une dépêche officielle annonçait la venue du couple royal ! Mais le document ne précisait ni le but exact du voyage ni la date d'arrivée à Bouhen. Et une autre dépêche ordonnait l'arrestation de Chénar, le frère aîné de Ramsès, considéré comme mort depuis longtemps, et dont l'apparence aurait beaucoup changé ! Le vice-roi hésitait à envoyer un bateau à la rencontre du monarque ; puisque Pharaon ne courait aucun risque, mieux valait se concentrer sur la qualité de l'accueil et l'organisation des réceptions en l'honneur du couple royal.

Le commandant de la forteresse de Bouhen fit son rapport quotidien au vice-roi.

– Pas trace du suspect dans la région, mais un fait bizarre.

– Je déteste les incidents, commandant !

– Dois-je quand même vous en parler ?

– Si vous voulez...

– Plusieurs pêcheurs ont quitté leur village pendant deux jours, révéla l'officier ; à leur retour, ils se sont enivrés et battus. L'un d'eux est mort pendant la rixe, et j'ai retrouvé dans sa case une petite barre d'argent.

– Une véritable fortune !

– Certes, mais nos interrogatoires furent infructueux ; personne n'a révélé l'origine de cette barre. Je suis persuadé que quelqu'un a payé les pêcheurs pour voler du poisson destiné à l'armée.

Si le vice-roi se lançait dans des recherches stériles, Pharaon l'accuserait d'inefficacité ; la meilleure solution consistait donc à ne rien faire, en espérant que Sa Majesté n'en saurait rien.

Le vent était si faible que les marins, désœuvrés, dormaient ou jouaient aux dés. Ils appréciaient ce voyage paisible et ses joyeuses escales, occasions d'agréables rencontres avec d'accueillantes Nubiennes.

Le capitaine du navire d'arrière n'aimait pas voir son équipage inoccupé. Aussi s'apprêtait-il à ordonner une corvée de nettoyage quand se produisit un choc violent qui fit vaciller son bâtiment ; plusieurs marins tombèrent lourdement sur le pont.

– Un rocher, nous avons heurté un rocher !

À la proue du navire royal, Ramsès avait entendu le craquement de la coque. Tous les bâtiments réduisirent aussitôt la voilure et s'immobilisèrent au milieu du fleuve qui, à cet endroit, était d'une faible largeur.

Lotus fut la première à comprendre.

Plusieurs dizaines de rochers gris émergeaient à peine de l'eau boueuse, mais un regard attentif discernait, à sa surface, des yeux et des oreilles minuscules.

– Des troupeaux d'hippopotames, dit-elle à Ramsès.

La jolie Nubienne grimpa au sommet du mât et constata que la flottille était prise au piège. Elle redescendit en souplesse et ne dissimula pas la vérité.

– Je n'en ai jamais vu autant, Majesté ! Nous ne pouvons ni reculer ni avancer. C'est étrange... On jurerait qu'on les a forcés à se rassembler ici.

Pharaon connaissait le danger. Les hippopotames adultes pesaient plus de trois tonnes et étaient équipés d'armes redoutables : des canines jaunes longues de plusieurs dizaines de centimètres et capables de perforer la coque d'un bateau. Particulièrement irascibles, les seigneurs du fleuve se montraient fort à l'aise dans l'eau et nageaient avec une souplesse surprenante. Quand leur colère se déchaînait, ils écartaient leurs énormes mâchoires en un bâillement menaçant.

– Si les mâles dominants ont décidé de se battre pour conquérir des femelles, indiqua Lotus, ils dévasteront tout sur leur passage et couleront nos bateaux. Beaucoup d'entre nous mourront déchiquetés ou noyés.

Des dizaines d'oreilles frétillèrent, les yeux mi-clos s'ouvrirent, les narines apparurent à la surface de l'eau, les gueules s'ouvrirent et de sinistres grognements firent s'envoler des aigrettes perchées dans les acacias. Le corps des mâles était sillonné de cicatrices, traces de combats furieux dont beaucoup s'étaient terminés par la mort de l'un des adversaires.

La vision des horribles canines jaunes tétanisa les marins. Ils ne tardèrent pas à repérer quelques énormes mâles, à la tête de groupes d'une vingtaine d'individus de plus en plus nerveux. S'ils passaient à l'attaque, ils commenceraient par broyer d'un coup de mâchoire les gouvernails des bateaux, les rendant impossibles à manœuvrer, et les percuteraient de leur masse jusqu'à les faire sombrer. Se jeter à l'eau et tenter de nager était aléatoire, car comment se frayer un chemin vers la rive au milieu de monstres en fureur ?

– Il faut les harponner, préconisa Sétaou.

– Ils sont trop nombreux, jugea Ramsès ; nous n'en tuerons que quelques-uns et provoquerons la fureur des autres.

– Nous n'allons pas nous laisser massacrer sans réagir !

– Me suis-je comporté ainsi, à Kadesh ? Mon père Amon est le maître du vent. Faisons silence, pour que sa voix s'exprime.

Ramsès et Néfertari élevèrent les mains en signe d'offrande, la paume tournée vers le ciel. Campé sur ses pattes, le regard vers le lointain, l'énorme lion se tenait dignement à la droite de son maître.

L'ordre passa de bâtiment en bâtiment, et le silence régna sur la flottille.

Plusieurs gueules d'hippopotames se refermèrent lentement ; les seigneurs du Nil, à la peau fragile, s'immergèrent et ne laissèrent apparaître que l'extrémité des narines et des oreilles. Leurs yeux mi-clos semblèrent s'endormir.

Pendant d'interminables minutes, rien ne bougea.

La brise du nord rafraîchit la joue de Lotus, cette brise où s'incarnait le souffle de vie. Le navire royal avança doucement, bientôt suivi par les autres bateaux qui passèrent entre les hippopotames soudain assagis.

Du sommet du palmier-doum où il avait pris position pour assister au naufrage, Chénar fut le témoin du nouveau miracle que venait d'accomplir Ramsès. Un miracle... Non, une chance insensée, un vent inespéré qui s'était levé au milieu du jour, au cœur de la canicule !

Rageur, Chénar écrasa entre ses doigts des dattes gorgées de soleil.

38

Pendant la saison chaude, les briquetiers hébreux étaient en vacances. Les uns en profitaient pour se reposer en famille, les autres complétaient leur salaire en s'engageant comme jardiniers dans les grands domaines. La récolte de fruits s'annonçait remarquable ; les fameuses pommes de Pi-Ramsès figureraient en bonne place sur la table des banquets.

Les belles sommeillaient sous les kiosques en bois, recouverts de plantes grimpantes, ou se baignaient dans les bassins de plaisance, les jeunes gens nageaient devant elles, multipliant les prouesses afin de les éblouir, les anciens prenaient le frais à l'ombre des vignes en espalier, et l'on se racontait le dernier exploit de Ramsès qui, par sa magie, avait soumis un immense troupeau d'hippopotames en furie. Et revenait le refrain de la chanson : « Quelle joie de résider à Pi-Ramsès, les palais resplendissent d'or et de turquoise, le vent est doux, les oiseaux jouent autour des étangs », refrain que chantonnaient même des briquetiers hébreux.

Le projet d'exode semblait oublié. Pourtant, lorsque Améni vit Moïse entrer dans son bureau, il redouta que cette belle quiétude ne fût troublée.

– Ne te reposeras-tu jamais, Améni ?

– Un dossier chasse l'autre ; en l'absence de Ramsès, c'est encore pire. Le roi est capable de prendre une décision en quelques instants ; moi, j'ai le souci du détail.

– Ne songes-tu pas à te marier ?

– Ne parle pas de malheur ! Une femme me reprocherait de trop travailler, mettrait du désordre dans mes affaires et m'empêcherait de servir correctement Pharaon.

– Pharaon, notre ami...

– Est-il vraiment resté le tien, Moïse ?

– En douterais-tu, Améni ?

– À voir ton attitude, on pourrait s'interroger.

– La cause des Hébreux est juste.

– L'exode, quelle folie !

– Si ton peuple était en captivité, n'aurais-tu pas envie de le libérer ?

– Quelle captivité, Moïse ? Chacun est libre, en Égypte, toi comme les autres !

– Notre vraie liberté, c'est affirmer notre croyance en Yahvé, le vrai Dieu, le Dieu unique.

– Je m'occupe d'administration, non de théologie.

– Acceptes-tu de me donner la date du retour de Ramsès ?

– Je l'ignore.

– Si tu la connaissais, me la donnerais-tu ?

Améni tripota une tablette d'écriture.

– Je n'approuve pas tes projets, Moïse ; parce que je suis ton ami, je dois t'avouer que Serramanna te considère comme un homme dangereux. Ne deviens pas un fauteur de troubles, sinon il rétablira l'ordre avec fermeté, et tu pourrais en pâtir.

– Grâce à Yahvé, je ne redoute personne.

– Redoute quand même Serramanna ; si tu perturbes l'ordre public, il frappera.

– Ne viendras-tu pas à mon aide, Améni ?

– Ma religion, c'est l'Égypte. Si tu trahis ton pays, tu passeras du côté des ténèbres.

– Je crains que nous n'ayons plus rien en commun.

– À qui la faute, Moïse ?

En sortant du bureau d'Améni, l'Hébreu était en proie à de sombres pensées. Ofir avait raison : il fallait attendre le retour de Ramsès et tenter de le convaincre, en espérant que la parole serait une arme suffisante.

Logé dans une demeure du quartier hébreu, le mage Ofir terminait l'installation de son laboratoire. Il avait déjà commencé ses expériences d'envoûtement en se servant du pinceau de Khâ, le fils aîné de Ramsès, mais sans aucun succès. L'objet restait inerte, dépourvu de vibrations, comme si aucune main humaine ne l'avait manié.

La protection magique dont bénéficiait Khâ était d'une parfaite efficacité, au point de troubler le mage libyen ; disposait-il des moyens suffisants pour franchir cette barrière ? Un homme pouvait l'aider : le diplomate Méba.

Pourtant, le dignitaire qui se présenta devant lui n'avait rien d'un personnage flamboyant et sûr de lui ; tremblant, engoncé dans un manteau à capuchon qui lui dissimulait le visage, Méba ressemblait à un fuyard.

– La nuit est tombée, observa Ofir.

– On pourrait quand même me reconnaître... Pour moi, venir ici est très dangereux ! Ne devrions-nous pas éviter ce genre d'entrevue ?

– Elle était indispensable.

Méba regrettait son alliance avec l'espion hittite, mais comment rompre les mailles du filet ?

– Qu'avez-vous à m'apprendre, Ofir ?

– De profondes modifications risquent de se produire dans l'empire hittite.

– Dans quel sens ?

– Un sens qui nous sera favorable. Vos informations ?

– Âcha est un homme prudent. Seul Améni a connaissance des messages diplomatiques qui lui sont destinés, avant d'en faire parvenir l'essentiel à Ramsès. Ils sont codés, et j'ignore la clé. M'y intéresser de trop près me rendrait suspect.

– Je veux connaître le contenu de ces messages.

– Les risques...

Le regard glacial d'Ofir dissuada Méba de chercher d'autres excuses.

– Je ferai de mon mieux.

– Êtes-vous certain que le pinceau d'écriture que vous avez dérobé appartenait bien à Khâ ?

– Sans aucun doute !

– C'est bien Sétaou qui a fait bénéficier le fils de Ramsès d'une protection magique, n'est-ce pas ?

– En effet.

– Sétaou est parti pour la Nubie avec Ramsès, mais son dispositif se révèle plus efficace que je ne l'avais supposé. Quelles précautions exactes a-t-il prises ?

– Des talismans, je crois... Mais je ne peux plus m'approcher de Khâ !

– Pour quelle raison ?

– Serramanna me soupçonne d'avoir volé le pinceau. Si je commets un faux pas, il me jettera en prison !

– Gardez votre sang-froid, Méba ; en Égypte, la justice n'est pas un vain mot. Le Sarde n'a aucune preuve contre vous, donc vous ne risquez rien.

– Je suis sûr que Khâ me soupçonne, lui aussi !

– A-t-il un confident ?

Le diplomate réfléchit.

– Sans doute son précepteur, Nedjem, le ministre de l'Agriculture.

– Questionnez-le et tâchez de connaître la nature de ces talismans.

– C'est extrêmement dangereux.

– Vous êtes au service de l'empire hittite, Méba.

Le dignitaire baissa les yeux.

– Je ferai de mon mieux, je vous le promets.

Serramanna donna une grande claque sur les fesses de la Libyenne de vingt ans qui venait de le distraire avec naïveté, mais entrain. Elle avait des seins que la main du Sarde n'oublierait pas et des cuisses émouvantes, véritable appel qu'un homme de bien ne pouvait pas refuser. Et l'ancien pirate se vantait, à présent, d'appartenir à cette catégorie.

– J'aimerais recommencer, susurra-t-elle.

– Décampe, j'ai du travail !

Effrayée, la jeune femme n'insista pas.

Serramanna sauta sur le dos de son cheval et galopa jusqu'au poste de garde où ses hommes se relayaient. D'ordinaire, ils jouaient aux dés ou au jeu du serpent, et discutaient ferme à propos de leur solde ou de leur avancement ; pendant l'absence du couple royal, Serramanna avait doublé les périodes de travail afin d'assurer la protection de la reine mère et des membres de la famille royale.

Un profond silence régnait à l'intérieur du local.

– Seriez-vous devenus muets ? interrogea Serramanna, pressentant l'incident.

Le chef de poste se leva, les épaules basses.

– Avant toute chose, chef, on a respecté les ordres.

– Résultat ?

– On a respecté les ordres, mais le guetteur du quartier hébreu n'a pas eu de chance... Il n'a pas vu passer Méba.

– Ça veut dire qu'il s'est endormi !

– Ça pourrait vouloir le dire, chef.

– Et tu appelles ça « respecter les ordres » ?

– Il a fait si chaud, aujourd'hui...

– Je te demande de faire suivre un suspect, de ne pas le lâcher d'une sandale, surtout s'il pénètre dans le quartier des briquetiers hébreux, et tu me rates la filature !

– Ça ne se reproduira pas, chef.

– Encore une erreur comme celle-là, et je vous renvoie tous chez vous, dans des îles grecques ou n'importe où !

Furieux, martelant le sol de son pas lourd, Serramanna sortit du poste de garde. Son flair lui affirmait que Méba avait partie liée avec les contestataires hébreux et qu'il était prêt à aider Moïse. Bien des notables de la cour, aussi stupides, n'avaient aucune conscience du danger que représentait le prophète.

Ofir referma la porte de son laboratoire. Les deux hommes qu'il recevait, Amos et Baduch, n'avaient pas à être informés de ses expérimentations. Comme le mage, les deux bédouins s'étaient vêtus à la manière des briquetiers hébreux et avaient laissé pousser leur moustache.

Grâce aux tribus nomades que contrôlaient les deux hommes, Ofir demeurait en contact avec Hattousa, la capitale hittite. Ils se faisaient payer cher, ce qui éviterait une trahison précoce.

– L'empereur Mouwattali est toujours vivant, révéla Amos. Son fils Ouri-Téchoup devrait lui succéder.

– Les militaires envisagent-ils une offensive ?

– Pas dans l'immédiat.

– Aurons-nous des armes ?

– En quantité suffisante, mais l'acheminement pose un problème. Il nous faudra effectuer beaucoup de petites livraisons pour équiper les Hébreux si nous ne voulons pas attirer l'attention des autorités égyptiennes. Ce sera long, mais nous ne devons pas commettre d'imprudence. Avez-vous obtenu l'accord de Moïse ?

– Je l'obtiendrai. Vous entreposerez les armes dans les caves des maisons appartenant aux Hébreux décidés à se battre contre l'armée et la police de Pharaon.

– Nous établirons une liste de gens sûrs.

– Quand commencerons-nous les livraisons ?

– Dès le mois prochain.

39

L'officier chargé de la sécurité de la capitale hittite était l'un des plus chauds partisans d'Ouri-Téchoup ; comme beaucoup d'autres militaires, il attendait avec impatience la mort de l'empereur Mouwattali et la prise de pouvoir de son fils qui ordonnerait enfin l'offensive contre l'Égypte.

Après avoir lui-même vérifié que ses hommes étaient correctement disposés aux points stratégiques de la ville, l'officier reprit le chemin de la caserne afin d'y jouir d'un repos bien mérité. Demain, il soumettrait les tire-au-flanc à un entraînement intensif et distribuerait quelques mises aux arrêts afin de maintenir la discipline.

Hattousa était plutôt sinistre, avec ses fortifications et ses murailles grises ; mais demain, après la victoire, l'armée hittite festoierait dans les riches campagnes d'Égypte et prendrait du bon temps au bord du Nil.

L'officier s'assit sur son lit, se déchaussa et se massa les pieds avec un onguent peu coûteux à base d'ortie. Il commençait à s'assoupir lorsque sa porte s'ouvrit à la volée.

Deux soldats, l'épée hors du fourreau, le menaçaient.

– Qu'est-ce qui vous prend ? Hors d'ici !

– Tu es pire qu'un vautour, toi qui as trahi notre chef, Ouri-Téchoup !

– Qu'est-ce que vous racontez ?

– Voilà ta récompense !

Poussant un « han » ! de boucher à l'abattoir, les deux fantassins enfoncèrent leur épée dans le ventre du félon.

Un soleil pâle se levait. Après une nuit blanche, Ouri-Téchoup éprouvait le besoin de se restaurer. Il buvait du lait chaud et mangeait du fromage de chèvre, lorsque les deux exécuteurs – enfin ! – se présentèrent à lui.

– Mission accomplie.

– Des difficultés ?

– Aucune. Tous les traîtres ont été pris par surprise.

– Faites dresser un bûcher devant la porte des lions et entassez les cadavres ; demain, j'allumerai moi-même le feu qui les brûlera. Chacun connaîtra le sort réservé à ceux qui tentent de me frapper dans le dos.

Grâce aux noms donnés par Âcha, l'épuration avait été rapide et brutale ; Hattousil ne disposait plus d'aucun informateur parmi les proches d'Ouri-Téchoup.

Le général en chef se rendit dans la chambre de l'empereur, son père, que deux infirmiers avaient installé dans un fauteuil, sur la terrasse de son palais dominant la ville haute.

Le regard de Mouwattali restait fixe, ses mains serraient les accoudoirs.

– Êtes-vous capable de parler, mon père ?

La bouche s'entrouvrit, mais nul son ne franchit l'obstacle des lèvres. Ouri-Téchoup fut rassuré.

– Vous n'avez rien à craindre pour l'empire, je veille sur lui. Hattousil se cache en province, il n'est plus rien, et je n'ai même pas besoin de me débarrasser de lui. Ce couard pourrira dans la peur et dans l'oubli.

Dans les yeux de Mouwattali, une lueur de haine.

– Vous n'avez pas le droit de me critiquer, père ; lorsque le pouvoir ne s'offre pas à vous, ne faut-il pas s'en emparer, par n'importe quel moyen ?

Ouri-Téchoup sortit son poignard du fourreau.

– N'êtes-vous pas las de souffrir, mon père ? Un grand empereur n'a de goût que pour l'art de gouverner. Dans l'état où vous êtes, quel espoir vous reste-t-il de le pratiquer à nouveau ? Faites un effort, que votre regard me supplie d'abréger cette horrible torture.

Ouri-Téchoup s'approcha de Mouwattali. Les paupières du souverain ne s'abaissèrent pas.

– Approuvez mon geste, approuvez-le et donnez-moi ce trône qui me revient de droit.

De tout son être, Mouwattali s'obstinait à refuser et son regard fixe défiait l'agresseur.

Ouri-Téchoup leva le bras, prêt à frapper.

– Allez-vous céder, par tous les dieux !

Sous la pression des doigts de l'empereur, un des accoudoirs du fauteuil éclata comme un fruit mûr. Stupéfait, son fils lâcha le poignard qui roula sur le dallage.

À l'intérieur du sanctuaire de Yazilikaya, érigé au flanc d'une colline, au nord-est de la capitale de l'empire hittite, les prêtres lavaient la statue du dieu de l'Orage afin que demeure sa puissance ; puis ils célébrèrent les rites destinés à repousser le chaos et à enfermer le mal dans la terre. Aussi plantèrent-ils sept clous en fer, sept en bronze et sept en cuivre avant d'immoler un porcelet, chargé des forces obscures qui menaçaient l'équilibre du pays.

La cérémonie achevée, les célébrants passèrent devant une frise de douze dieux, s'arrêtèrent devant une table de pierre et burent un alcool fort afin d'expulser toute contrariété de leur esprit. Puis ils empruntèrent un escalier taillé dans la roche pour se rendre dans une chapelle creusée au cœur de la pierre et y prier.

Un prêtre et une prêtresse quittèrent la procession et descendirent dans une chambre souterraine qu'éclairaient des lampes à huile. Hattousil et Poutouhépa ôtèrent le capuchon qui leur dissimulait le visage.

– Ce moment de paix m'a réconfortée, confessa-t-elle.

– Ici, nous sommes en sécurité, affirma Hattousil ; aucun soldat d'Ouri-Téchoup n'osera s'aventurer dans cette enclave sacrée. Par précaution, j'ai fait disposer des guetteurs autour du sanctuaire. Es-tu satisfaite de ton périple ?

– Les résultats ont dépassé mes espérances. De nombreux officiers sont moins dévoués à Ouri-Téchoup que nous ne le supposions, et ils sont très sensibles à l'idée d'acquérir une belle fortune sans se faire tuer. Certains sont également conscients du danger que représente l'Assyrie et ressentent la nécessité de renforcer notre système défensif au lieu de nous lancer dans une folle aventure contre l'Égypte.

Hattousil buvait les paroles de son épouse comme un nectar.

– Est-ce un rêve, Poutouhépa, ou bien es-tu porteuse d'un véritable espoir ?

– L'or d'Âcha a fait merveille et délié bien des langues ; des militaires de haut rang détestent la morgue, la cruauté et la vanité d'Ouri-Téchoup. Ils ne croient plus à son discours de conquérant ni à sa capacité de vaincre Ramsès, et ils ne lui pardonnent pas son attitude envers l'empereur. Certes, il n'a pas osé l'assassiner, mais ne souhaite-t-il pas ouvertement sa mort ? Si nous manœuvrons bien, le règne d'Ouri-Téchoup sera bref.

– Mon frère agonise et je ne peux lui porter secours...

– Désires-tu que nous tentions un coup de force ?

– Ce serait une erreur, Poutouhépa ; le destin de Mouwattali est scellé.

La belle prêtresse considéra son mari avec admiration.

– As-tu le courage de sacrifier tes sentiments pour régner sur le Hatti ?

– Puisqu'il le faut... Mais ceux qui m'unissent à toi sont indestructibles.

– Nous combattrons ensemble et nous vaincrons ensemble, Hattousil. Comment les marchands t'ont-ils accueilli ?

– Leur confiance n'a pas diminué ; elle s'est même renforcée, à cause des erreurs d'Ouri-Téchoup. D'après eux, il ruinera l'empire. Nous avons l'appui de la province, mais il nous manque celui de la capitale.

– La réserve d'or d'Âcha est loin d'être épuisée ; je me rendrai à Hattousa et convaincrai des responsables militaires de haut rang de passer de notre côté.

– Si tu tombes entre les mains d'Ouri-Téchoup...

– Nous avons des amis, à Hattousa ; ils me cacheront, et j'organiserai de brèves entrevues dans des lieux différents.

– C'est trop dangereux, Poutouhépa.

– N'accordons aucun répit à Ouri-Téchoup et ne perdons pas une seule heure.

La langue de la jeune Hittite blonde léchait lentement le dos d'Âcha, à demi somnolent, et montait vers sa nuque. Quand le plaisir devint très doux, le diplomate sortit de sa léthargie, se tourna sur le côté et enlaça sa maîtresse dont les seins frémissaient. Il s'apprêtait à la gratifier d'une caresse inédite quand Ouri-Téchoup fit irruption dans la chambre.

– Vous ne songez qu'à l'amour, Âcha !

– Votre capitale se révèle riche de découvertes palpitantes.

Ouri-Téchoup agrippa la blonde par les cheveux et la jeta dehors, pendant que l'Égyptien se parfumait et s'habillait.

– Je suis d'excellente humeur, déclara le Hittite dont les muscles semblaient plus saillants qu'à l'ordinaire.

Avec sa longue chevelure et sa poitrine couverte d'une

toison de poils roux, le fils de l'empereur affichait sa stature de guerrier impitoyable.

– Tous mes adversaires ont été éliminés, déclara Ouri-Téchoup ; il n'existe plus un seul traître. Désormais, l'armée m'obéira au doigt et à l'œil.

Ouri-Téchoup avait beaucoup réfléchi avant de déclencher l'épuration. Si Âcha avait dit la vérité, c'était l'occasion d'éliminer les brebis galeuses ; s'il avait menti, celle de supprimer d'éventuels concurrents. Décidée sur la suggestion de l'ambassadeur égyptien, cette opération sanglante ne présentait, tout compte fait, que des avantages.

– Refusez-vous toujours de me laisser soigner votre père ?

– L'empereur est incurable, Âcha ; il est inutile de le tourmenter avec des drogues qui n'amélioreront pas son état et risquent d'augmenter ses souffrances.

– Puisqu'il n'est plus capable de gouverner, l'empire restera-t-il sans chef ?

Ouri-Téchoup eut un sourire triomphant.

– Les officiers supérieurs me choisiront bientôt comme empereur.

– Et nous conclurons une longue trêve, n'est-ce pas ?

– En douteriez-vous ?

– J'ai votre parole.

– Il reste pourtant un obstacle majeur : Hattousil, le frère de l'empereur.

– Son influence n'est-elle pas inexistante ?

– Tant qu'il sera vivant, il essaiera de me nuire ! Avec l'appui des marchands, il complotera pour me priver des ressources matérielles dont j'ai besoin pour équiper correctement l'armée.

– N'êtes-vous pas capable de l'intercepter ?

– Hattousil est une véritable anguille et possède l'art de se cacher.

– Fâcheux, reconnut Âcha ; mais il y a une solution.

Le regard d'Ouri-Téchoup s'enflamma.

– Laquelle, ami ?

– Lui tendre un piège.

– Et... vous m'aideriez à le capturer ?

– N'est-ce pas le rôle d'un ambassadeur égyptien qui désire offrir un somptueux cadeau au nouvel empereur du Hatti ?

40

Utilisant ses dons de voyante, Néfertari avait confirmé les pressentiments de Ramsès : la présence des troupeaux d'hippopotames, prêts à se livrer un combat féroce tout en détruisant la flottille égyptienne pendant leur affrontement, n'était pas due au hasard. Des rabatteurs et des pêcheurs avaient contraint les mastodontes à se regrouper.

– Chénar... C'est lui qui a guidé leur bras, estima Ramsès. Jamais il ne renoncera à nous détruire, c'est son unique raison de vivre. Acceptes-tu, Néfertari, que nous poursuivions notre route vers le Sud ?

– Pharaon ne doit pas renoncer à son projet.

Le Nil et les paysages de Nubie firent oublier Chénar et sa haine. À l'escale Lotus et Sétaou capturèrent d'admirables cobras, dont l'un à la tête noire striée de rouge. La récolte de venin s'annonçait abondante.

La séduisante Nubienne à la peau dorée était plus jolie encore, le vin de palme généreux, et les plaisirs de l'amour, dans la douce chaleur des nuits, transformèrent le voyage en fête du désir.

Alors que la clarté de l'aube revivifiait le vert des palmiers et l'ocre des collines, Néfertari goûtait la joie de cette résurrection, saluée par le chant de centaines d'oiseaux. Chaque matin, vêtue de la traditionnelle robe blanche à bretelles, elle vénérait les dieux du ciel, de la terre et du monde intermédiaire, et les remerciait d'avoir offert la vie au peuple d'Égypte.

Échoué sur un îlot sableux, un bateau de commerce.

Le navire royal s'immobilisa à proximité ; sur le bâtiment abandonné, aucun signe de vie.

Ramsès, Sétaou et deux marins empruntèrent une barque afin d'examiner l'épave de plus près. Néfertari avait tenté de dissuader le roi, mais ce dernier, persuadé qu'il s'agissait du bateau de Chénar, espérait y découvrir des indices.

Sur le pont, rien.

– La cale, indiqua un marin ; sa porte est fermée.

Avec l'aide de Sétaou, il brisa le verrou de bois.

Pourquoi cet échouage, à un endroit du fleuve ne présentant aucun danger, pourquoi cet abandon précipité qui n'avait pas même pas laissé à l'équipage le temps d'emporter la cargaison ?

Le marin s'engouffra dans la cale.

Un cri horrible déchira l'air bleu du petit matin, Sétaou recula. Lui qui ignorait la peur face aux reptiles les plus redoutables était figé sur place.

Plusieurs crocodiles, qui s'étaient introduits dans la cale par un trou béant, avaient saisi le marin aux jambes et le dévoraient à grands coups de mâchoires. Déjà, l'homme ne criait plus.

Ramsès voulut porter secours au malheureux, Sétaou l'en empêcha.

– Tu te ferais tuer... Personne ne peut plus le sauver.

Un nouveau guet-apens, aussi cruel que le précédent. Chénar avait prévu la réaction de son frère dont l'intrépidité était notoire.

La rage au cœur, le roi rebroussa chemin, en compagnie de Sétaou et de l'autre marin. Ils sautèrent de l'épave sur le banc de sable.

Entre eux et la barque, un énorme crocodile, long de

plus de huit mètres et pesant plus d'une tonne, les observait, l'œil fixe et la gueule ouverte, prêt à bondir. Bien qu'il fût d'une immobilité minérale, le monstre pouvait se montrer d'une extraordinaire rapidité ; dans l'écriture hiéroglyphique, le signe du crocodile ne symbolisait-il pas l'action fulgurante contre laquelle personne ne pouvait se prémunir.

Sétaou regarda autour de lui : ils étaient cernés par d'autres reptiles. Aucune fuite possible.

Certains crocodiles, la gueule fermée d'où dépassaient des dents plus coupantes qu'un poignard, semblaient sourire à l'idée de bénéficier de si belles proies.

Du bateau royal, il était impossible de voir la scène. Dans quelque temps, on s'inquiéterait de ne pas voir revenir le petit groupe, mais il serait trop tard.

– Je ne veux pas mourir comme ça, murmura Sétaou.

Ramsès sortit lentement un poignard de son fourreau ; il ne succomberait pas sans combattre. Lorsque le monstre l'attaquerait, il se glisserait au-dessous de lui et tenterait de lui ouvrir la gorge. Lutte désespérée dont Chénar, sans avoir besoin de se montrer, sortirait victorieux.

Vivement, le monstre progressa de deux mètres et se figea de nouveau. Le marin s'était agenouillé et se cachait les yeux avec les mains.

– Nous allons hurler ensemble en fonçant vers l'adversaire, dit Ramsès à Sétaou ; du bateau, on nous entendra peut-être. Toi sur la gauche, moi sur la droite.

L'ultime pensée de Ramsès fut pour Néfertari, si proche et déjà si lointaine. Puis il se vida l'esprit, rassembla ses énergies et fixa l'énorme crocodile.

Le roi allait libérer son hurlement, lorsqu'il perçut un frémissement dans les bosquets d'épineux bordant la rive. Et le barrissement éclata, tonitruant, si puissant qu'il frappa de terreur les crocodiles eux-mêmes.

Un barrissement à la mesure d'un gigantesque éléphant mâle qui pénétra dans l'eau à vive allure et prit pied sur l'îlot.

De sa trompe, il saisit le monstre par la queue et le projeta sur ses congénères ; en se bousculant, les crocodiles disparurent sous l'eau.

– Toi, constata Ramsès, toi mon ami fidèle !

La trompe de l'éléphant, dont chaque défense pesait au moins quatre-vingts kilos, enserra doucement la taille du roi d'Égypte, le souleva et le déposa sur sa nuque, tandis que ses vastes oreilles battaient l'air.

– Je t'ai sauvé la vie, naguère ; aujourd'hui, c'est toi qui sauves la mienne.

Blessé par une flèche fichée dans sa trompe, secouru et guéri grâce à l'intervention de Ramsès et de Sétaou, le jeune éléphant était devenu un mâle superbe, aux petits yeux pétillant d'intelligence.

Lorsque Ramsès lui caressa le front, il poussa un nouveau barrissement, celui-là de joie.

Nedjem, le ministre de l'Agriculture, mit la dernière main à son rapport. Grâce à une crue excellente, les greniers seraient pleins et le double pays vivrait dans l'abondance. La gestion rigoureuse des scribes du Trésor autoriserait même un allègement des impôts. De retour dans sa capitale, Ramsès constaterait que chaque haut fonctionnaire avait rempli sa fonction avec zèle, sous la surveillance d'Améni, attentif et critique.

Nedjem se rendit à pas pressés au jardin du palais où Khâ devait jouer avec sa sœur Méritamon ; mais il n'y trouva que la fillette, s'exerçant au luth.

– Ton frère est-il parti depuis longtemps ?

– Il n'est pas venu.

– Nous devions nous rejoindre ici...

Nedjem prit le chemin de la bibliothèque où, peu après le déjeuner, il avait laissé le petit Khâ, désireux de recopier les *Sagesses* écrites par les maîtres à penser du temps des pyramides.

L'adolescent était bien là, assis en scribe, faisant courir un pinceau très fin sur le papyrus qu'il avait déroulé sur ses genoux.

– Mais... n'es-tu pas épuisé ?

– Non, Nedjem ; ces textes sont tellement beaux que les recopier dissipe la fatigue et rend la main souple.

– Il faudrait peut-être... t'interrompre.

– Oh non, pas maintenant ! J'aimerais tellement étudier le traité de géométrie du maître d'œuvre qui a construit la pyramide d'Ounas, à Saqqara.

– Le dîner...

– Je n'ai pas faim, Nedjem ; tu acceptes, dis ?

– Eh bien, je t'accorde encore un moment, mais...

Khâ se leva, embrassa le ministre sur les deux joues, puis reprit sa posture de scribe et se plongea avec avidité dans la lecture, l'écriture et la recherche.

En sortant de la bibliothèque, Nedjem dodelina de la tête. Une fois de plus, il était émerveillé par les dons exceptionnels du fils aîné de Ramsès. L'enfant prodige était devenu un adolescent qui confirmait les promesses entrevues ; si Khâ continuait à croître en sagesse, le pharaon serait assuré d'avoir un successeur digne de lui.

– Notre agriculture se porte-t-elle bien, mon cher Nedjem ?

La voix qui venait d'arracher le ministre à sa méditation était celle de Méba, élégant et souriant.

– Bien, très bien.

– Voilà longtemps que nous n'avons pas eu l'occasion de discuter... Accepteriez-vous une invitation à dîner ?

– Un surcroît d'occupations me contraint à refuser.

– J'en suis désolé.

– Moi aussi, Méba, mais le service du royaume ne passe-t-il pas avant les distractions ?

– Telle est la conviction de tous les serviteurs de Pharaon ; n'anime-t-elle pas chacune de nos démarches ?

– Hélas ! les hommes ne sont que des hommes, et ils oublient souvent leur devoir.

Méba détestait ce rabat-joie naïf et pontifiant, mais devait afficher respect et prévenance pour lui extorquer les renseignements dont il avait besoin.

La situation du diplomate n'était guère brillante ; plusieurs tentatives infructueuses lui avaient prouvé qu'il ne parviendrait pas à connaître le contenu des messages codés d'Âcha. Améni ne commettait aucune imprudence.

– Puis-je vous déposer à votre domicile ? Je dispose d'un char neuf et de deux chevaux très calmes.

– J'aime autant marcher, dit Nedjem, bougon.

– Avez-vous eu l'occasion de revoir Khâ ?

Le visage du ministre de l'Agriculture s'illumina.

– Oui, j'ai eu cette chance.

– Quel garçon étonnant !

– Plus qu'étonnant ! Il a l'étoffe d'un roi.

Méba devint grave.

– Seul un homme comme vous, Nedjem, peut le protéger des mauvaises influences ; un talent comme le sien attirera forcément jalousies et convoitises.

– Rassurez-vous, Sétaou l'a mis à l'abri du mauvais œil.

– Êtes-vous bien sûr qu'il a pris toutes les précautions ?

– Une amulette en forme de tige de papyrus, qui garantit vigueur et épanouissement, et une bandelette sur laquelle est dessiné un œil complet, n'est-ce pas un parfait équipement magique contre les forces nocives, d'où qu'elles viennent ?

– Impressionnant, en effet.

– De plus, ajouta Nedjem, Khâ s'imprègne quotidiennement des formules gravées dans le laboratoire du temple d'Amon. Croyez-moi, cet enfant est bien protégé.

– Vous me voyez rassuré ; à l'occasion, pourrais-je renouveler mon invitation à dîner ?

– Pour être franc, je n'apprécie guère les mondanités.

– Comme je vous comprends, mon cher ! Dans la diplomatie, il n'est malheureusement pas possible de les éviter.

Quand les deux hommes se séparèrent, Méba eut envie de gambader comme un chien fou. Ofir serait content de lui.

41

Lorsque le bateau accosta la rive d'Abou Simbel, le grand éléphant mâle, qui avait suivi la route du désert, poussa un barrissement d'accueil. Du sommet de la falaise, il veillerait sur Ramsès, qui redécouvrait avec émerveillement la crique au sable d'or où la montagne se séparait et s'unissait. Le roi se souvenait de sa découverte d'un lieu enchanté et de la quête de Lotus qui avait retrouvé la pierre de la déesse, aux vertus guérisseuses.

La belle Nubienne ne résista pas au plaisir de plonger, nue, dans les eaux du fleuve et de nager avec souplesse vers la berge inondée de soleil. Plusieurs marins l'imitèrent, heureux d'être parvenus à bon port.

Tous furent subjugués par la splendeur du site que dominait un éperon rocheux, servant de point de repère aux navigateurs; le Nil dessinait une courbe charmeuse en longeant une falaise, divisée en deux promontoires entre lesquels s'insinuait une coulée de sable fauve.

Le corps brillant de gouttes d'eau argentées, Lotus l'escalada en riant, suivie de Sétaou vêtu de sa peau d'antilope, saturée de solutions médicinales.

– Que t'inspire ce lieu? demanda Ramsès à Néfertari.

– J'y perçois la présence de la déesse Hathor; les pierres sont semblables à des étoiles, l'or du ciel les fait rayonner.

– Au nord, un pan de grès tombe en pente raide et frôle

les hautes eaux ; au sud, la montagne s'écarte et laisse apparaître un vaste parvis. Surtout, les deux promontoires forment un couple. Je célébrerai ici notre amour en bâtissant deux sanctuaires indissociables l'un de l'autre, tels Pharaon et la grande épouse royale. Ton image sera à jamais gravée dans la pierre et contemplera le soleil qui te fera renaître chaque jour.

Bien que son geste fût peu protocolaire, Néfertari noua tendrement ses bras autour du cou de Ramsès et l'embrassa avec fougue.

Lorsque son bateau fut en vue d'Abou Simbel, le vice-roi de Nubie se frotta les yeux, se croyant victime d'un mirage.

Sur la berge, des dizaines de tailleurs de pierre avaient organisé un chantier à la mesure de la construction d'un vaste édifice. Certains, utilisant des échafaudages en bois, commençaient à façonner la falaise de grès, tandis que d'autres découpaient des blocs. Des navires de charge avaient apporté l'outillage nécessaire, et les chefs d'équipe, soucieux de l'indispensable discipline, avaient réparti les artisans en petits groupes affectés à des tâches précises.

Le maître d'œuvre n'était autre que Ramsès lui-même. Sur l'esplanade, une maquette et des plans ; le roi veillait à la traduction parfaite de sa vision et faisait rectifier les erreurs, après avoir dialogué avec l'architecte et le supérieur des sculpteurs.

Comment signaler sa présence sans importuner le souverain ? Le vice-roi de Nubie jugea prudent d'attendre que Ramsès portât les yeux sur lui. Ne disait-on pas que le roi avait un caractère ombrageux et qu'il détestait être contrarié ?

Quelque chose frôla son pied gauche, quelque chose de doux et de frais... Le haut fonctionnaire baissa les yeux et se figea.

Un serpent rouge et noir, long d'un mètre. Il avait ondulé sur le sable, et s'était immobilisé sur le pied du vice-roi. Au moindre mouvement, il mordrait. Même un cri risquait de déclencher l'attaque du reptile.

À quelques pas de lui, une jeune femme, les seins nus, vêtue d'un pagne court qui, soulevé par un vent léger, révélait ses charmes plus qu'il ne les cachait.

– Un serpent, murmura le vice-roi, qui, malgré la chaleur, avait la chair de poule.

Lotus ne s'émut guère du spectacle.

– Que redoutez-vous ?

– Mais... ce serpent...

– Parlez plus fort, je ne vous entends pas.

Le reptile, lentement, grimpait le long du mollet. Le vice-roi fut incapable d'articuler un mot de plus.

Lotus s'approcha.

– C'est vous qui l'avez dérangé ?

Le haut fonctionnaire était au bord du malaise.

La jolie Nubienne attrapa le serpent rouge et noir, et l'enroula autour de son bras gauche. Pourquoi cet homme trop gras, aux muscles mous, avait-il peur de ce reptile dont elle avait ôté le venin ?

Le vice-roi courut à perdre haleine, heurta une pierre et s'étala non loin du roi. Ramsès considéra avec curiosité l'imposant personnage, le nez dans le sable.

– N'est-ce pas une marque de déférence quelque peu exagérée ?

– Pardonnez-moi, Majesté, mais un serpent... Je viens d'échapper à la mort !

Le dignitaire se releva.

– As-tu arrêté Chénar ?

– Soyez certain, Majesté, que je n'ai pas ménagé mes efforts ! Tout a été mis en œuvre pour vous satisfaire.

– Tu n'as pas répondu à ma question.

– Notre échec n'est que momentané ; mes soldats

contrôlent parfaitement la Haute et la Basse-Nubie. Le fauteur de troubles ne nous échappera pas.

– Pourquoi être venu si tard à ma rencontre ?

– Les exigences de la sécurité locale...

– Compterait-elle davantage, à tes yeux, que celle du couple royal ?

Le vice-roi devint cramoisi.

– Bien sûr que non, Majesté ! Ce n'est pas du tout ce que je voulais dire, et...

– Suis-moi.

Le haut fonctionnaire redoutait la colère de Pharaon, mais Ramsès restait calme.

Le vice-roi le suivit à l'intérieur de l'une des grandes tentes dressées en bordure du chantier. Elle servait d'infirmerie à Sétaou qui finissait de bander le mollet d'un tailleur de pierre, écorché par un bloc de grès.

– Aimes-tu la Nubie, Sétaou ? interrogea le roi.

– Est-il vraiment nécessaire de me poser cette question ?

– Ton épouse en est également éprise, me semble-t-il.

– Ici, elle m'épuise ; on jugerait que son énergie redouble et que ses désirs amoureux sont inextinguibles.

Le vice-toi était tétanisé. Comment pouvait-on s'adresser sur ce ton au maître des Deux Terres ?

– Tu connais ce haut fonctionnaire qui nous a fait le plaisir de nous rejoindre.

– Je déteste les fonctionnaires, rétorqua Sétaou ; ils se gavent de privilèges qui finiront par les étouffer.

– Désolé pour toi.

Sétaou regarda le roi avec étonnement.

– Que veux-tu dire ?

– La Nubie est un vaste territoire, l'administrer est une lourde tâche. N'est-ce pas ton avis, vice-roi ?

– Si, si, Majesté !

– La belle province de Koush, à elle seule, exige une forte poigne. C'est également ton avis, vice-roi ?

– Certes, Majesté !

– Comme je tiens le plus grand compte de tes avis, j'ai décidé de nommer mon ami Sétaou « fils royal de la province de Koush » et de lui en confier la gestion.

Comme s'il n'était pas concerné, Sétaou pliait des linges. Le vice-roi ressemblait à une statue à laquelle le sculpteur aurait oublié de donner la vie.

– Majesté, les problèmes qui se poseront, mes relations avec Sétaou...

– Elles seront franches et cordiales, j'en suis persuadé. Retourne à la forteresse de Bouhen et préoccupe-toi d'arrêter Chénar.

Assommé, le vice-roi se retira.

Sétaou croisa les bras.

– Je suppose, Majesté, qu'il s'agit d'une plaisanterie.

– Les serpents sont nombreux dans cette région, vous récolterez beaucoup de venin, Lotus sera heureuse, et vous aurez la chance de vivre sur ce site incomparable. J'ai besoin de toi, mon ami, pour diriger les travaux et veiller à la croissance des deux temples d'Abou Simbel. Ses deux sanctuaires seront destinés à immortaliser l'image du couple royal. Ici, au cœur de la Nubie, sera célébré le mystère central de notre civilisation. Mais si ma décision te déplaît, je te laisse libre de refuser.

Sétaou émit une sorte de grognement.

– Tu as sûrement comploté avec Lotus... Et qui saurait résister à la volonté de Pharaon ?

Par la magie du rite, le roi transféra l'âme des ennemis du sud au nord, celle des ennemis du nord au sud, celle des adversaires de l'ouest à l'est, et celle des adversaires de l'est à l'ouest. Grâce à l'inversion des points cardinaux, qui situait le site hors du monde manifesté, Abou Simbel serait à l'abri des tourmentes humaines ; créé par la reine autour des futurs édifices, un champ de force les protégerait des atteintes extérieures.

Dans la petite chapelle construite devant la façade du grand temple, Ramsès offrit à Maât l'amour qui l'unissait à Néfertari, et lia à la lumière l'unité du couple royal dont le mariage, perpétuellement célébré à Abou Simbel, rassemblerait les énergies divines, source nourricière du peuple d'Égypte.

Sous le regard de Ramsès et de Néfertari naquirent le temple du roi et le temple de la reine. Les artisans s'enfoncèrent au cœur de la falaise pour y creuser le naos ; le rocher serait taillé sur une hauteur de trente-trois mètres, une largeur de trente-huit et creusé à soixante-trois de profondeur.

Lorsque les noms de Ramsès et de Néfertari furent gravés pour la première fois dans la pierre d'Abou Simbel, Ramsès donna l'ordre de procéder aux préparatifs du départ.

– Regagnes-tu Pi-Ramsès ? demanda Sétaou.

– Pas encore. Je vais choisir de nombreux autres sites en Nubie afin d'y bâtir des sanctuaires ; dieux et déesses habiteront ce pays de feu, et c'est toi qui coordonneras les efforts de nos bâtisseurs. Qu'Abou Simbel soit la lueur centrale, entourée d'une armée pacifique de sanctuaires qui contribueront à la consolidation de la paix. Il faudra de nombreuses années pour réaliser cette œuvre, mais nous vaincrons le temps.

Émue et recueillie, Lotus regarda le bateau royal s'éloigner. Du haut de la falaise, elle admira Ramsès et Néfertari, à la proue du vaisseau à la voile blanche, qui glissait sur une eau bleue, à l'image du ciel de Nubie.

Ce qu'elle avait pressenti, Lotus pouvait aujourd'hui le formuler : c'est parce qu'il aimait Néfertari et qu'il savait se faire aimer d'elle que Ramsès possédait la stature d'un grand pharaon.

Néfertari, la dame d'Abou Simbel, ouvrait les chemins du ciel et de la terre.

42

Chénar enrageait.

Rien ne s'était déroulé selon ses prévisions. Après l'échec des tentatives pour supprimer Ramsès et causer d'irréparables dommages à son expédition, Chénar avait été contraint de se lancer dans une fuite en avant et de progresser vers le Grand Sud.

À bord d'un bateau volé dans un village dont les habitants avaient eu la malencontreuse idée de porter plainte, Chénar avait été pourchassé par des soldats du vice-roi ; sans l'habileté des marins nubiens, il serait tombé entre leurs mains. Par prudence, il avait fallu abandonner l'embarcation et s'aventurer dans le désert, avec l'espoir de brouiller les pistes. Le mercenaire crétois, bras droit de Chénar, pestait contre la chaleur, l'air brûlant, la menace permanente que représentaient les reptiles, les lions et autres fauves.

Mais Chénar s'obstinait et voulait gagner le pays d'Irem afin d'y soulever des tribus capables d'attaquer Abou Simbel et de détruire le chantier. Quand l'insécurité régnerait en Nubie, le prestige du pharaon serait ruiné et ses adversaires se ligueraient pour l'abattre.

La petite troupe commandée par Chénar parvint à proximité de l'aire de lavage de l'or, zone interdite où travaillaient des ouvriers spécialisés, sous la surveillance de l'armée égyptienne. C'était cette aire dont les révoltés devraient s'emparer afin d'interrompre la livraison du métal précieux à l'Égypte.

Du sommet d'une dune, Chénar vit les ouvriers nubiens laver le minerai en le séparant de sa gangue terreuse qui lui demeurait liée, même après concassage et broyage. L'eau, tirée d'un puits creusé en plein désert, remplissait un réservoir qui se déversait sur une rampe aboutissant à un bassin de décantation ; le léger courant suffisait à entraîner les matières terreuses et à libérer l'or. Néanmoins, pour qu'il soit tout à fait purifié, il était indispensable de renouveler plusieurs fois l'opération.

Les soldats égyptiens étaient nombreux et bien armés. Un simple commando n'avait aucune chance de les éliminer ; aussi Chénar devait-il organiser une révolte d'envergure qui regrouperait des centaines de guerriers issus de diverses tribus.

C'est au pays d'Irem que Chénar, sur le conseil de son guide nubien, rencontra un chef de clan, un grand nègre couvert de cicatrices. Il le reçut dans une case spacieuse, au centre de son village, mais l'accueil fut glacial.

– Toi, tu es égyptien.

– Je le suis, mais je déteste Ramsès.

– Moi, je déteste tous les pharaons qui oppriment mon pays. Qui t'envoie ?

– De puissants ennemis de Ramsès qui habitent au nord de l'Égypte. Si nous les aidons, ils vaincront Pharaon et te redonneront ta terre.

– Si nous nous révoltons, les soldats de Pharaon nous massacreront.

– Ton clan ne suffira pas, j'en conviens ; c'est pourquoi il est indispensable de conclure des alliances.

– Les alliances, c'est difficile, très difficile... Il faut se réunir et palabrer longtemps, très longtemps, pendant des lunes et des lunes.

La patience était la vertu dont Chénar manquait le plus ;

il refréna sa colère et se jura d'être persévérant, quels que fussent les délais et les retards inhérents aux négociations.

– Es-tu prêt à m'aider ? demanda-t-il au chef de clan.

– Je dois rester ici, dans mon village ; pour bien palabrer, il faudrait se rendre au village voisin. Et c'est loin.

Le mercenaire crétois remit à Chénar une plaque d'argent.

– Avec ce trésor, dit l'Égyptien, tu nourriras ton clan pendant de nombreux mois. Qui m'aide, je le paie.

Le Nubien s'extasia.

– Si je palabre, tu me donnes ça ?

– Et si tu réussis, plus encore.

– Ce sera quand même long, très long...

– Commençons dès le lever du soleil.

De retour à Pi-Ramsès, Iset la belle songeait souvent à la hutte de roseaux où elle avait caché ses amours avec Ramsès, avant qu'il ne rencontrât Néfertari ; un temps, elle avait espéré épouser l'homme dont elle était toujours éprise, mais comment rivaliser avec cette femme sublime devenue, à juste titre, la grande épouse royale ?

Parfois, lorsque le mal d'amour se faisait trop intense, Iset la belle ne se maquillait plus, portait de vieux vêtements, oubliait de se parfumer... Mais l'affection qu'elle portait à Khâ et à Mérenptah, les deux fils que lui avait donnés Ramsès, et à Méritamon, la fille du roi et de Néfertari, lui permettait de s'évader de sa détresse en songeant à l'avenir de ces trois enfants : Mérenptah, un beau garçon robuste, à l'intelligence déjà éveillée ; Méritamon, une jolie fillette méditative et remarquable musicienne ; Khâ, un futur savant d'exception. Ces trois enfants étaient son espérance, ils seraient son avenir.

Son chambellan lui apporta un collier à quatre rangs d'améthystes et de cornalines, des boucles d'oreilles en argent, et une robe colorée et brodée avec des filets dorés. Le suivait Dolente, la sœur de Ramsès.

– Vous semblez fatiguée, Iset.

– Une lassitude passagère. Mais... à qui sont destinées ces merveilles ?

– Me permettez-vous de vous offrir ces modestes présents ?

– Je suis très touchée, je ne sais comment vous remercier.

La grande femme brune, rassurante et protectrice, avait décidé de passer à l'offensive.

– Votre existence ne ressemble-t-elle pas à un fardeau, ma chère Iset ?

– Non, certes, non, puisque j'ai le bonheur d'élever les enfants de Ramsès le grand.

– Pourquoi vous contenter d'un destin sans éclat ?

– J'aime le roi, j'aime ses enfants : les dieux ne m'ont-ils pas accordé la félicité ?

– Les dieux... les dieux sont une illusion, Iset !

– Que dites-vous ?

– Il n'existe qu'un seul Dieu, celui qu'Akhénaton a vénéré, celui que prient Moïse et les Hébreux. C'est vers Lui que nous devons nous diriger.

– Suivez votre chemin, Dolente, ce n'est pas le mien.

La sœur de Ramsès comprit qu'elle ne convaincrait pas Iset la belle, trop légère et trop timorée ; mais il existait un autre terrain sur lequel Dolente pouvait s'engager avec quelque espoir de succès.

– Que vous soyez réduite au rang d'épouse secondaire m'apparaît comme une injustice.

– Je ne le pense pas, Dolente. Néfertari est plus belle et plus intelligente que moi ; aucune femme ne saurait l'égaler.

– C'est inexact. De plus, elle est affligée d'un abominable défaut.

– Lequel ?

– Néfertari n'aime pas Ramsès.

– Comment osez-vous supposer...

– Je ne suppose pas, je sais. Vous n'ignorez pas que mon passe-temps favori consiste à écouter les courtisans et à recueillir leurs confidences ; aussi puis-je vous affirmer que Néfertari est une simulatrice et une intrigante. Qu'était-elle, avant de rencontrer Ramsès ? Une petite prêtresse sans avenir, une musicienne médiocre dont la seule compétence eût été de servir les dieux à l'intérieur d'un temple... Et voici que Ramsès posa les yeux sur elle ! Un véritable miracle, un bouleversement qui transforma la jeune fille timide en ambitieuse forcenée.

– Pardonnez-moi, Dolente, mais je ne parviens pas à l'admettre.

– Connaissez-vous la véritable raison du voyage du couple royal en Nubie ? Néfertari a exigé qu'un temple immense fût bâti à sa gloire et immortalisât son nom ! Ramsès a cédé et inauguré un coûteux chantier qui durera plusieurs années. L'ambition de Néfertari vient d'éclater au grand jour : prendre la place du roi et régner seule sur le pays. Pour empêcher cette folie, tous les moyens seront bons.

– Vous n'osez pas penser que...

– Je répète : *tous* les moyens. Une seule personne peut sauver Ramsès : vous, Iset.

La jeune femme fut ébranlée. Certes, elle se méfiait de Dolente, mais la sœur de Ramsès ne développait-elle pas des arguments troublants ? Pourtant, Néfertari semblait sincère... Mais l'exercice du pouvoir n'entraînait-il pas une vanité incoercible ? Soudain, l'image d'une Néfertari amoureuse, vénérant Ramsès, se fissura. Quel plus beau destin, pour une intrigante, que de séduire le maître des Deux Terres !

– Que me conseillez-vous, Dolente ?

– Ramsès a été abusé ; c'est vous qu'il aurait dû épouser, c'est vous qui êtes la mère de son fils aîné, Khâ, que la cour reconnaît déjà comme son successeur. Si vous aimez le roi, Iset, si vous aimez l'Égypte et voulez son bonheur, une seule solution : débarrassez-vous de Néfertari.

Iset la belle ferma les yeux.

– Dolente, c'est impossible !

– Je vous aiderai.

– Le crime est un acte abominable qui conduit à la destruction de l'esprit, de l'âme et du nom... Porter atteinte à la grande épouse royale, c'est se damner pour l'éternité.

– Qui le saura ? Quand vous aurez décidé de frapper, il faudra agir dans l'ombre et ne laisser aucune trace.

– Est-ce la volonté de votre dieu, Dolente ?

– Néfertari est une femme perverse qui souille le cœur de Ramsès et l'entraîne à commettre de graves erreurs. Vous et moi avons le devoir de nous unir pour l'empêcher de nuire ; c'est ainsi que nous serons fidèles au roi.

– J'ai besoin de réfléchir.

– Quoi de plus normal ? J'ai beaucoup d'estime pour vous, Iset, et je sais que vous prendrez la bonne décision. Quelle qu'elle soit, mon affection vous est acquise.

Iset la belle eut un si pauvre sourire qu'avant de partir Dolente l'embrassa sur les deux joues.

L'épouse secondaire de Ramsès étouffait ; d'un pas hésitant, elle se dirigea vers la fenêtre donnant sur l'un des jardins du palais et s'imprégna d'un violent rayon de lumière qui ne dissipa pas son trouble.

En elle monta une prière adressée aux forces cachées dans le ciel, à ces forces qui décidaient du destin des êtres, de la durée de leur existence et de l'heure de leur trépas. Avait-elle le droit d'agir à leur place, de couper le fil des jours de Néfertari parce que la grande épouse royale nuisait à Ramsès ?

Une rivale ! Pour la première fois, Iset la belle considérait vraiment Néfertari comme une rivale. Leur pacte muet se brisait et le conflit latent surgissait avec une violence contenue depuis trop d'années. Iset était la mère des deux fils de

Ramsès, la première femme qu'il avait aimée, celle qui aurait dû régner à ses côtés. Dolente lui avait révélé une vérité qu'elle avait tenté jusque-là d'étouffer.

Néfertari écartée, Ramsès prendrait enfin conscience que cet amour-là n'avait été qu'un épisode fugace ; libéré de cette magicienne aux intentions perfides, il reviendrait vers Iset la belle, vers sa passion de jeunesse, vers celle qu'il n'avait jamais cessé d'aimer.

43

Bien que nourrissant un profond mépris envers les Hébreux, le sinistre Ofir considérait avec cynisme que le quartier des briquetiers lui offrait un abri très sûr, même s'il lui fallait souvent changer de demeure afin de jouir d'un maximum de sécurité. Grâce à de faux témoignages savamment distillés, Serramanna avait fini par croire que le mage libyen avait quitté l'Égypte ; aussi s'était-il résigné à abandonner les recherches approfondies. Seules étaient maintenues les patrouilles habituelles, chargées d'éviter tout désordre nocturne.

Pourtant, le mage ne pavoisait pas. Depuis de nombreux mois, la situation s'était figée ; en cette quinzième année du règne de Ramsès, âgé de trente-sept ans, le royaume d'Égypte affichait une insolente santé.

Les nouvelles en provenance de l'empire hittite étaient étranges et peu rassurantes ; certes, Ouri-Téchoup prônait toujours la guerre à outrance contre l'Égypte, mais ne lançait aucune offensive. De plus, le glacis protecteur formé par la Syrie du Sud et Canaan était occupé par des troupes égyptiennes aguerries et capables de repousser un assaut massif. Pourquoi le bouillant Ouri-Téchoup tergiversait-il ainsi ? Les messages trop brefs que les bédouins transmettaient à Ofir ne lui donnaient aucune explication.

Au sud, Chénar ne parvenait pas à soulever les tribus

nubiennes. Les palabres se poursuivaient, interminables, sans aucun résultat concret.

À la cour, Dolente continuait à rechercher l'amitié d'Iset la belle, afin de la persuader d'agir ; mais l'épouse secondaire du roi paraissait incapable de prendre une décision. Quant à Méba, inapte à obtenir le contenu des textes codés qu'Âcha faisait parvenir à Améni, il se révélait d'une déplorable inefficacité ; certes, il avait obtenu des informations précises sur l'équipement magique dont bénéficiait le jeune Khâ, mais le fils aîné de Ramsès menait une existence studieuse et sans écart dans laquelle Ofir n'avait décelé aucune faille.

Après un long voyage, au cours duquel il avait fondé de nombreux temples, Ramsès avait regagné sa capitale. Néfertari rayonnait de bonheur. Malgré les risques de guerre, le couple royal jouissait d'une extraordinaire popularité ; chacun demeurait persuadé qu'il ancrait le pays dans une prospérité durable et qu'il saurait le protéger de toute agression extérieure.

Ce bilan dressé, Ofir broyait du noir. Les années passaient, l'espoir de terrasser Ramsès s'effilochait. Lui, le maître espion, lui qui ne s'était jamais interrogé sur le succès de sa mission, commençait à s'inquiéter de son issue et à céder au découragement.

Il était assis au fond de la pièce d'accueil, dans les ténèbres, quand un homme entra chez lui.

– J'aimerais vous parler.

– Moïse...

– Êtes-vous occupé ?

– Non, je réfléchissais.

– Ramsès est enfin de retour, et j'ai eu la patience de l'attendre, comme vous me l'aviez conseillé.

La fermeté du ton de Moïse redonna confiance à Ofir ; l'Hébreu s'était-il enfin décidé à prendre l'initiative ?

– J'ai réuni le conseil des anciens, poursuivit le prophète, et ils ont décidé de me nommer porte-parole auprès du pharaon.

– L'exode est donc toujours d'actualité.

– Le peuple hébreu sortira d'Égypte, parce que telle est la volonté de Yahvé. Avez-vous tenu vos engagements ?

– Nos amis bédouins ont livré les armes ; elles sont entreposées dans les caves.

– Nous n'userons pas de violence, mais il serait préférable de disposer d'un moyen de défense dans le cas où nous serions persécutés.

– Vous le serez, Moïse, vous le serez ! Ramsès n'acceptera pas l'insurrection de tout un peuple.

– Nous ne désirons pas nous révolter, mais sortir de ce pays et gagner la terre qui nous est promise.

Ofir jubilait intérieurement. Enfin une occasion de se réjouir ! Moïse allait créer un climat d'insécurité, propice à une intervention militaire d'Ouri-Téchoup.

Face à la frise des douze dieux du sanctuaire de Yazilikaya, la prêtresse Poutouhépa, ses longs cheveux rassemblés en chignon et cachés par un bonnet, était étendue sur un lit de pierre, comme morte.

Elle avait absorbé un breuvage dangereux qui la plongerait dans un profond sommeil pendant trois jours et trois nuits. Il n'existait pas de moyen plus sûr d'entrer en contact avec les puissances du destin et de déceler leur volonté.

La consultation des oracles ordinaires, toujours défavorables à Ouri-Téchoup, n'avait pas suffi pour prendre une décision engageant l'existence d'Hattousil ainsi que la sienne : aussi avait-elle décidé d'utiliser une méthode radicale, mais dangereuse.

Certes, la totalité de la caste des marchands et une partie non négligeable de l'armée, après un intense travail de sape, se prononçaient en faveur d'Hattousil, mais lui et Poutouhépa ne s'illusionnaient-ils pas sur leur avenir ? Grâce à l'or de l'ambassadeur égyptien Âcha, de nombreux officiers supérieurs prônaient le renforcement des défenses intérieures et des postes frontières, et l'abandon du plan d'attaque contre l'Égypte. Mais ne changeraient-ils pas d'avis si Ouri-Téchoup cessait d'être aveugle et découvrait le complot qui se tramait contre lui ?

Contester la prise de pouvoir d'Ouri-Téchoup se traduirait, tôt ou tard, par une guerre civile à l'issue incertaine ; aussi Hattousil, malgré le nombre des soutiens dont il disposait, hésitait-il encore à tenter une aventure meurtrière au cours de laquelle des milliers de Hittites disparaîtraient.

C'est pourquoi Poutouhépa désirait pratiquer le rêve prémonitoire, lequel ne se produirait que pendant une période de sommeil forcé.

Parfois, le sujet ne se réveillait pas ; parfois, son esprit perdait l'essentiel de ses facultés. Aussi Hattousil avait-il émis un avis défavorable, malgré l'insistance de son épouse ; et Poutouhépa était revenue dix fois à la charge avant d'obtenir enfin son accord.

Et elle gisait, immobile, respirant à peine, depuis trois jours et trois nuits. Selon les livres de divination, elle allait maintenant ouvrir les yeux et révéler ce que les puissances du destin lui avaient appris.

Nerveux, Hattousil serra les pans de son manteau de laine.

Le délai était écoulé.

– Poutouhépa... Réveille-toi, je t'en prie !

Un soubresaut. Non, il se trompait... Elle n'avait pas bougé. Si, c'était bien un soubresaut ! Poutouhépa ouvrit les yeux, fixa le rocher sur lequel avaient été sculptés les douze dieux.

Alors, de sa bouche, sortit une voix, une voix lente et profonde qu'Hattousil ne reconnut pas.

– J'ai vu le dieu de l'Orage et la déesse Ishtar... L'un et l'autre m'ont dit : « Je soutiens ton mari et le pays entier se rangera derrière lui, tandis que son ennemi ressemblera à un porc dans sa bauge. »

Une main douce, si douce qu'elle lui fit penser au miel et à la rosée de printemps ; des caresses si insistantes qu'elles suscitèrent en lui des sensations nouvelles et un plaisir dont l'intensité le submergeait. La cinquième maîtresse hittite d'Âcha possédait des qualités identiques aux précédentes, mais il commençait à regretter les Égyptiennes, les rives du Nil et les palmeraies.

L'amour était l'unique dérivatif à l'atmosphère pesante et ennuyeuse de la capitale hittite. S'y ajoutaient de nombreux entretiens avec les principaux représentants de la caste des marchands et quelques discrets militaires de haut rang. Officiellement, Âcha poursuivait de longues négociations avec Ouri-Téchoup, le nouveau maître du Hatti, successeur de Mouwattali dont l'agonie semblait interminable, mais dont les forces déclinaient. L'Égyptien avait aussi une mission officieuse : traquer Hattousil, repérer sa cachette et le livrer à Ouri-Téchoup. À intervalles réguliers, lorsque le fils de l'empereur revenait de ses périodes d'entraînement à la tête de la charrerie, de la cavalerie ou de l'infanterie, maintenues en état d'alerte permanente, Âcha lui faisait un rapport détaillé.

À trois reprises, les soldats d'Ouri-Téchoup avaient manqué de peu l'arrestation d'Hattousil, averti au dernier moment par des alliés de l'ombre.

Cette fois, Âcha et sa maîtresse avaient cessé leurs ébats quand Ouri-Téchoup pénétra dans la chambre de l'ambassadeur égyptien.

Le regard du chef de guerre était dur, presque fixe.

– J'ai de bonnes nouvelles, dit Âcha, qui se frottait les mains avec de l'huile parfumée.

– Moi aussi, déclara Ouri-Téchoup avec la fougue d'un vainqueur. Mon père, Mouwattali, vient enfin de mourir, et je suis le seul maître du Hatti !

– Félicitations... Mais il reste Hattousil.

– Il ne m'échappera plus longtemps, bien que mon empire soit vaste. Vous évoquiez de bonnes nouvelles ?

– Elles concernent précisément Hattousil ; grâce à un informateur digne de foi, je crois savoir où se trouve le frère de Mouwattali. Mais...

– Mais quoi, Âcha ?

– Hattousil arrêté, me garantissez-vous que nous scellerons la paix ?

– Vous avez fait le bon choix, ami, soyez-en sûr ; l'Égypte ne sera pas déçue. Où se cache ce traître ?

– Dans le sanctuaire de Yazilikaya.

Ouri-Téchoup avait pris lui-même la tête d'un petit détachement d'une dizaine d'hommes, afin de ne pas alarmer d'éventuels guetteurs. Un déploiement de forces les aurait mis en éveil et provoqué la fuite d'Hattousil.

Ainsi, c'étaient des prêtres placés sous la gouverne de Poutouhépa qui avaient donné refuge au frère de l'empereur défunt ; Ouri-Téchoup leur infligerait un juste châtiment.

Hattousil avait commis l'imprudence de résider près de la capitale, dans un lieu facile d'accès ; cette fois, il ne s'échapperait pas. Ouri-Téchoup hésitait entre l'exécution sommaire et le procès truqué ; ayant peu de goût pour la chose judiciaire, même bien préparée, il opta pour la première solution. En raison de sa position, il devait malheureusement renoncer à trancher lui-même la gorge d'Hattousil et chargerait l'un de ses hommes de cette basse besogne. De retour à Hattousa, Ouri-Téchoup organiserait de grandioses funérailles pour Mouwattali, et lui, son fils bien-aimé, serait son successeur incontesté.

Avec une armée prête à combattre, il envahirait la Syrie du Sud, établirait sa jonction avec les bédouins, occuperait Canaan, franchirait la frontière égyptienne et affronterait un

Ramsès qui aurait commis l'erreur fatale de croire en la paix, ainsi que le lui assurait son ambassadeur.

Lui, Ouri-Téchoup, maître de l'empire du Hatti ! Son rêve se réalisait, sans qu'il eût besoin de s'appuyer sur la coûteuse coalition formée par Hattousil. Ouri-Téchoup se sentait assez fort pour conquérir l'Assyrie, l'Égypte, la Nubie et l'Asie entière ; sa gloire éclipserait celle des autres empereurs hittites.

La petite troupe approcha du rocher sacré de Yazilikaya dans lequel avaient été aménagées plusieurs chapelles. Là, disait-on, résidait le couple divin suprême, le dieu de l'Orage et son épouse ; dans la deuxième partie de son nom, Téchoup, le nouvel empereur ne portait-il pas celui de ce dieu terrifiant et redouté ? Oui, il était lui-même l'Orage divin, dont la foudre s'abattrait sur ses ennemis.

Sur le seuil du sanctuaire, un homme, une femme et un enfant.

Hattousil, son épouse Poutouhépa, et leur fillette de huit ans. Les insensés se rendaient, croyant en la clémence d'Ouri-Téchoup !

Ce dernier fit stopper ses cavaliers et savoura son triomphe. Âcha lui avait bel et bien donné l'occasion de se débarrasser de ses derniers adversaires. Cette famille maudite éliminée, il ferait étrangler l'ambassadeur égyptien, devenu inutile. Et dire que ce naïf avait cru au désir de paix d'Ouri-Téchoup ! Tant d'années de patience, tant d'années d'épreuves pour aboutir enfin au pouvoir absolu...

– Abattez-les, ordonna Ouri-Téchoup à ses soldats.

Quand les arcs se tendirent, Ouri-Téchoup éprouva une sensation d'intense plaisir. Le perfide Hattousil et l'arrogante Poutouhépa, percés de flèches, leurs cadavres brûlés... Était-il vision plus délicieuse ?

Mais les flèches ne furent pas décochées.

– Abattez-les ! répéta Ouri-Téchoup, excédé.

Les arcs se tournèrent vers lui.

Trahi... On l'avait trahi, lui, le nouvel empereur ! Voilà pourquoi Hattousil, son épouse et sa fille étaient si calmes.

Le frère de Mouwattali s'avança.

– Tu es notre prisonnier, Ouri-Téchoup ; rends-toi, et tu seras jugé.

Poussant un cri de rage, Ouri-Téchoup fit se cabrer son cheval ; surpris, les archers reculèrent. Avec la fougue d'un guerrier rompu au combat, le fils de l'empereur défunt brisa le cercle et s'élança vers la capitale.

Les flèches sifflèrent à ses oreilles, aucune ne l'atteignit.

44

Ouri-Téchoup passa par la porte des lions et galopa jusqu'au palais, forçant son cheval qui s'en vint mourir, le cœur éclaté, au sommet de cette acropole d'où l'empereur du Hatti aimait à contempler son empire.

Le chef de la garde privée accourut.

– Que se passe-t-il, Majesté ?

– Où se trouve l'Égyptien ?

– Dans ses appartements.

Cette fois, Âcha ne s'abandonnait pas aux plaisirs de l'amour avec une belle Hittite blonde, mais il se drapait dans un épais manteau, la dague au côté.

Ouri-Téchoup laissa éclater sa colère.

– Un guet-apens... C'était un guet-apens ! Des soldats de ma propre armée se sont révoltés contre moi !

– Il faut fuir, estima Âcha.

Les paroles de l'Égyptien stupéfièrent le Hittite.

– Fuir... Comment, fuir ? Mon armée va raser ce sanctuaire maudit et massacrer tous les rebelles !

– Vous n'avez plus d'armée.

– Plus d'armée, répéta Ouri-Téchoup, interloqué. Qu'est-ce que ça signifie ?

– Vos généraux respectent les oracles et les révélations des dieux à Poutouhépa ; c'est pourquoi ils font allégeance à Hattousil. Il vous reste votre garde privée et un ou deux régiments qui ne résisteront pas longtemps. Dans les heures qui viennent, vous serez prisonnier dans votre propre palais, jusqu'à l'arrivée triomphale d'Hattousil.

– Ce n'est pas vrai, ce n'est pas possible...

– Acceptez la réalité, Ouri-Téchoup. Peu à peu, Hattousil s'est emparé de tous les leviers de l'empire.

– Je me battrai jusqu'au bout !

– Attitude suicidaire. Il existe une meilleure solution.

– Parlez !

– Vous connaissez parfaitement l'armée hittite, ses forces réelles, son armement, son mode de fonctionnement, ses faiblesses...

– Certes, mais...

– Si vous partez immédiatement, j'ai la possibilité de vous faire sortir du Hatti.

– Pour aller où ?

– En Égypte.

Ouri-Téchoup fut comme foudroyé.

– Vous divaguez, Âcha !

– Dans quel autre pays serez-vous en sécurité, à l'abri d'Hattousil ? Bien entendu, ce droit d'asile doit être négocié ; c'est pourquoi, en échange de la vie sauve, vous devez tout dire à Ramsès sur l'armée hittite.

– Vous me demandez de trahir.

– À vous de juger.

Ouri-Téchoup eut envie de tuer Âcha. N'était-ce pas cet Égyptien qui l'avait manipulé ? Mais il lui offrait l'unique possibilité de survivre, certes dans le déshonneur, mais de survivre... Et, qui plus est, de nuire à Hattousil en révélant des secrets militaires.

– J'accepte.

– C'est la voie de la raison.

– M'accompagnerez-vous, Âcha ?

– Non, je reste ici.

– Plutôt risqué.

– Ma mission n'est pas terminée ; avez-vous oublié que je suis à la recherche de la paix ?

Dès que la nouvelle de la fuite d'Ouri-Téchoup fut rendue publique, les derniers soldats qui lui restaient fidèles se rallièrent à la cause d'Hattousil, proclamé empereur. Le premier devoir du nouveau souverain consista à rendre hommage à son frère Mouwattali dont le corps fut brûlé sur un gigantesque bûcher, au cours d'une grandiose cérémonie, suivie d'une semaine de fête.

Lors du banquet qui clôtura les cérémonies du couronnement, Âcha occupa une place d'honneur, à la gauche de l'empereur Hattousil.

– Permettez-moi, Majesté, de vous souhaiter un règne long et paisible.

– Aucune trace d'Ouri-Téchoup... Vous qui avez le génie du renseignement, Âcha, n'auriez-vous pas une information quelconque à son sujet ?

– Aucune, Majesté ; sans doute n'entendrez-vous plus parler de lui.

– J'en serais surpris. Ouri-Téchoup est un homme hargneux et obstiné, qui n'aura de cesse de se venger.

– Encore faudrait-il qu'il en eût les moyens.

– Un guerrier de sa trempe ne renoncera pas.

– Je ne partage pas vos craintes.

– C'est curieux, Âcha... J'ai le sentiment que vous en savez beaucoup sur son compte.

– Ce n'est qu'une impression, Majesté.

– N'auriez-vous pas aidé Ouri-Téchoup à sortir du pays ?

– L'avenir nous réserve certainement des surprises, mais je n'en suis pas responsable ; ma seule mission ne consiste-t-elle pas à vous convaincre d'engager des négociations avec Ramsès en vue de la paix ?

– Vous jouez un jeu très dangereux, Âcha ; supposez que j'aie changé d'avis et que j'envisage de poursuivre la guerre contre l'Égypte.

– Vous êtes trop au fait de la situation internationale pour négliger le danger assyrien et trop préoccupé du bien-être de votre peuple pour le ruiner dans un conflit inutile.

– Votre analyse ne manque pas de pertinence, mais dois-je l'accepter comme la vision politique qui me convient le mieux ? La vérité n'est guère utile, lorsqu'il s'agit de gouverner ; une guerre présente l'avantage d'éteindre les contestations et de redonner un nouvel élan.

– Le nombre de morts vous serait-il indifférent ?

– Comment les éviter ?

– En bâtissant la paix.

– J'admire votre obstination, Âcha.

– J'aime la vie, Majesté, et la guerre détruit trop de joies.

– Ce monde doit vous déplaire.

– En Égypte règne une surprenante déesse, Maât, qui impose à tous, même au pharaon, de respecter la Règle de l'univers et de faire vivre la justice sur terre. Ce monde-là ne me déplaît pas.

– La fable est jolie, mais ce n'est qu'une fable.

– Détrompez-vous, Majesté ; si vous décidez d'attaquer l'Égypte, c'est à Maât que vous vous heurterez. Et si vous étiez victorieux, c'est une civilisation inégalable que vous anéantiriez.

– Qu'importe, si le Hatti domine le monde ?

– Impossible, Majesté ; il est déjà trop tard pour empêcher l'Assyrie de devenir une grande puissance. Seule une alliance avec l'Égypte sauvegardera votre territoire.

– Si je ne m'abuse, Âcha, vous n'êtes pas mon conseiller mais l'ambassadeur d'Égypte... Et vous ne cessez de prêcher pour votre chapelle !

– Ce n'est qu'une apparence, Majesté ; même si le Hatti

n'a pas le charme de mon pays, je l'ai pris en affection et ne souhaite pas le voir sombrer dans le chaos.

– Seriez-vous sincère ?

– J'admets que la sincérité d'un diplomate est toujours sujette à caution... Pourtant, je vous prie de me croire. Le but de Ramsès est bien la paix.

– Vous engagez-vous au nom de votre roi ?

– Sans hésiter. Par ma voix, vous entendez la sienne.

– Faut-il qu'une profonde amitié vous unisse...

– C'est le cas, Majesté.

– Ramsès a de la chance, beaucoup de chance.

– C'est ce que prétendent tous ses adversaires.

Chaque jour, depuis cinq ans, Khâ se rendait au temple d'Amon et passait au moins une heure dans le laboratoire dont il connaissait par cœur tous les textes. Au fil des années, il était entré en contact avec les spécialistes de l'astronomie, de la géométrie, de la symbolique et des autres sciences sacrées ; grâce à eux, il avait découvert les paysages de la pensée et progressé sur les chemins de la connaissance.

Malgré son jeune âge, Khâ allait être initié aux premiers mystères du temple. Quand la cour de Pi-Ramsès avait appris la nouvelle, elle s'était émerveillée ; sans nul doute, le fils aîné du roi était promis aux plus hautes fonctions religieuses.

Khâ ôta l'amulette qu'il portait autour du cou et la bandelette enroulée autour de son poignet gauche. Nu, les yeux fermés, il fut conduit dans une crypte du temple pour y méditer devant les secrets de la création, révélés sur les murs. Quatre grenouilles mâles et quatre serpents femelles formaient les couples primordiaux qui avaient façonné le monde, des lignes ondulées évoquaient l'eau primordiale dans laquelle le Principe s'était éveillé pour créer l'univers, une vache céleste donnait naissance aux étoiles.

Puis le jeune homme fut conduit sur le seuil de la salle à colonnes où deux prêtres, portant les masques de Thot l'ibis et d'Horus le faucon, versèrent de l'eau fraîche sur sa tête et sur ses épaules. Les deux dieux le vêtirent d'un pagne blanc et le convièrent à vénérer les divinités présentes sur les colonnes.

Dix prêtres, le crâne rasé, entourèrent Khâ. Le jeune homme dut répondre à mille questions sur la nature cachée du dieu Amon, sur les éléments de la création contenus dans l'œuf du monde, sur la signification des principaux hiéroglyphes, sur le contenu des formules d'offrande et sur maints sujets que seul un scribe aguerri pouvait traiter sans erreur.

Les interrogateurs ne firent ni remarques ni commentaires. Khâ attendit longtemps leur verdict, dans une chapelle silencieuse.

Au milieu de la nuit, un prêtre âgé le prit par la main et le conduisit sur le toit du temple ; il le fit s'asseoir et contempler le ciel étoilé, le corps de la déesse Nout, seule capable de transformer la mort en vie.

Élevé au rang de porteur de la Règle, Khâ ne songea qu'aux jours radieux qu'il allait passer dans le temple, afin d'y découvrir l'ensemble des rituels. Tout à son émotion, il oublia de reprendre la bandelette et l'amulette protectrices qu'il avait ôtées.

45

À Abou Simbel, Sétaou s'était pris de passion pour un chantier qu'il animait avec une énergie constante afin d'offrir au couple royal un monument sans égal ; à Thèbes, Bakhen faisait progresser la construction du temple des millions d'années de Ramsès ; quant à la capitale aux façades de turquoise, elle embellissait jour après jour.

Dès le retour de Pharaon à Pi-Ramsès, Améni avait fait le siège de son bureau. Angoissé à l'idée d'avoir pu commettre une erreur, le secrétaire particulier et porte-sandales du roi travaillait jour et nuit, sans s'accorder la moindre période de repos. Presque chauve et un peu plus maigre, malgré un solide appétit, le chef occulte de l'administration égyptienne dormait peu, savait tout ce qui se passait à la cour sans jamais y apparaître, et persistait à refuser les titres honorifiques dont on voulait l'affubler. Bien qu'il se plaignît de son dos fragile et de ses os douloureux, Améni portait lui-même les dossiers confidentiels dont il devait discuter avec Ramsès, sans se soucier du poids des papyrus et des tablettes de bois.

Équipé du porte-pinceaux en bois doré que le roi lui avait offert, le scribe éprouvait une véritable dévotion pour Ramsès auquel il se sentait relié par des liens invisibles mais impossibles à rompre ; et comment ne pas admirer l'œuvre du Fils de la Lumière qui, déjà, s'inscrivait dans la longue suite des dynasties comme l'un des plus extraordinaires représentants de l'institution pharaonique ? Améni se félicitait chaque jour d'avoir eu la chance de naître au siècle de Ramsès.

– T'es-tu heurté à de graves difficultés, Améni ?

– Rien d'insurmontable. La reine mère Touya m'a beaucoup aidé ; lorsque certains fonctionnaires montraient trop de mauvaise volonté, elle intervenait de manière vigoureuse. Notre Égypte est prospère, Majesté, mais nous ne devons pas nous relâcher. Quelques jours de retard dans l'entretien des canaux, un manque de vigilance dans le comptage des têtes de bétail, de l'indulgence pour les scribes paresseux, et c'est tout l'édifice qui menacerait ruine.

– Quel est le dernier message d'Âcha ?

Améni bomba le torse.

– Aujourd'hui, je peux affirmer que notre camarade d'université est un véritable génie.

– Quand revient-il du Hatti ?

– Eh bien... il reste dans la capitale hittite.

Ramsès fut étonné.

– Sa mission devait se terminer avec l'avènement d'Hattousil.

– Il est contraint de la prolonger, mais nous réserve une surprise de taille !

À voir l'enthousiasme d'Améni, Ramsès comprit qu'Âcha avait réussi un nouveau coup d'éclat. Autrement dit, il avait réussi à mener à bien la totalité du plan conçu avec Ramsès, malgré d'insurmontables difficultés.

– Ta Majesté me permet-elle d'ouvrir la porte de son bureau pour y introduire un hôte de marque ?

Ramsès acquiesça, se préparant à vivre une étrange victoire, due à l'habileté de son ministre des Affaires étrangères.

Serramanna poussa devant lui un homme grand, musclé, aux cheveux longs et au poitrail couvert de poils roux. Vexé par le geste du Sarde, Ouri-Téchoup se retourna vers le colosse en brandissant le poing.

– Ne traite pas ainsi l'empereur légitime du Hatti!

– Et toi, intervint Ramsès, n'élève pas la voix en ce royaume qui t'accorde l'hospitalité.

Ouri-Téchoup tenta de soutenir le regard du pharaon, mais n'y parvint que quelques instants. Le guerrier hittite ressentit le poids cruel de la défaite. Comparaître ainsi devant Ramsès, comme un vulgaire fuyard... Ramsès, dont la puissance le fascinait et le dominait.

– Je demande l'asile politique à Votre Majesté, et j'en connais le prix. Je répondrai à toutes vos questions concernant les forces et les faiblesses de l'armée hittite.

– Commençons sur-le-champ, exigea Ramsès.

Le feu cuisant de l'humiliation dans les veines, Ouri-Téchoup s'inclina.

Le verger du palais était florissant; rivalisaient de beauté un grenadier, un genévrier, un figuier et un arbre à encens. C'était là qu'Iset la belle aimait à se promener avec Mérenptah. La robuste constitution de ce garçon, âgé de neuf ans, surprenait ses précepteurs; le fils cadet de Ramsès aimait jouer avec Veilleur, le chien jaune or; malgré son âge respectable, l'animal se pliait aux caprices de l'enfant. Ensemble, ils couraient derrière des papillons qu'ils n'attrapaient jamais. Puis Veilleur s'étirait longuement et plongeait dans un sommeil réparateur. Quant au lion nubien, Massacreur, il avait accepté de se laisser caresser par Mérenptah, d'abord impressionné, puis en confiance.

Iset regrettait l'époque, déjà lointaine, où Khâ, Méritamon et Mérenptah s'amusaient dans ce verger ou dans le jardin voisin, et savouraient sans retenue l'insouciance de l'enfance. Aujourd'hui, Khâ étudiait au temple, et la très jolie Méritamon, que de grands dignitaires avaient déjà demandée en mariage, se consacrait à la musique sacrée. Iset la belle se rappelait le garçonnet trop sérieux, avec son matériel d'écriture, et la ravissante fillette avec sa harpe portative, trop grande pour elle. C'était hier, un bonheur désormais inaccessible.

Combien de fois Iset avait-elle revu Dolente, combien d'heures avaient-elles passées à parler de Néfertari, de son ambition et de son hypocrisie ? En y songeant, l'épouse secondaire du roi avait la tête qui tournait. Lassée, usée par l'obstination de Dolente, elle avait décidé d'agir.

Sur une table basse en sycomore dont la décoration peinte représentait des lotus bleus, Iset avait posé deux coupes remplies de jus de caroube. Celle qu'elle offrirait à Néfertari contenait un poison à effet différé. Lorsque la grande épouse royale s'éteindrait, dans quatre ou cinq semaines, personne n'aurait l'idée d'accuser Iset la belle. C'était Dolente qui lui avait remis l'arme invisible du crime, en lui affirmant que seule la justice divine serait responsable de la disparition de Néfertari.

Peu avant le coucher du soleil, la reine pénétra dans le verger ; elle ôta son diadème, embrassa Mérenptah et Iset.

– Une journée épuisante, avoua-t-elle.

– Avez-vous vu le roi, Majesté ?

– Malheureusement non. Améni l'assiège et, de mon côté, je dois régler mille et un problèmes urgents.

– Le tourbillon de la vie publique et des obligations rituelles ne vous étourdit-il pas ?

– Plus que tu ne l'imagines, Iset ; comme j'étais heureuse, en Nubie ! Ramsès et moi ne nous quittions pas, chaque seconde était un émerveillement.

– Pourtant...

La voix d'Iset tremblait ; Néfertari fut intriguée.

– Serais-tu souffrante ?

– Non, mais... je suis...

Iset la belle ne parvenait plus à se contrôler ; elle posa la question qui lui brûlait les lèvres et le cœur.

– Majesté, aimez-vous vraiment Ramsès ?

Une ombre de contrariété voila un instant le visage de Néfertari ; un sourire radieux la dissipa.

– Pourquoi en doutes-tu ?

– À la cour, on murmure...

– La cour murmure comme la pie jacasse, et personne ne parviendra jamais à faire taire ce « on » dont la seule tâche consiste à médire et à calomnier. Ne le sais-tu pas depuis longtemps ?

– Si, bien sûr, mais...

– Mais je suis d'origine modeste et j'ai épousé Ramsès le grand : voilà l'origine de la rumeur. N'était-elle pas inévitable ?

Néfertari regarda Iset droit dans les yeux.

– J'ai aimé Ramsès dès notre première rencontre, dès la première seconde où je l'ai vu, mais je n'osais pas me l'avouer. Et cet amour n'a cessé de grandir jusqu'à notre mariage, il ne cesse de grandir depuis, et il perdurera au-delà de notre mort.

– N'avez-vous pas exigé la construction d'un temple à votre gloire, à Abou Simbel ?

– Non, Iset ; c'est Pharaon qui désire célébrer dans la pierre l'unité inaltérable du couple royal. Qui d'autre que lui concevrait des projets si grandioses ?

Iset la belle se leva et se dirigea vers la table basse sur laquelle étaient posées les deux coupes.

– Aimer Ramsès est un immense privilège, continua Néfertari ; je suis toute à lui, il est tout pour moi.

Du genou, Iset heurta la table ; les deux coupes furent renversées, leur contenu se répandit dans l'herbe.

– Pardonnez-moi, Majesté, je suis émue ; veuillez oublier mes doutes absurdes et méprisables.

L'empereur Hattousil avait fait ôter les trophées guerriers qui ornaient la salle d'audience de son palais. La pierre grise et froide, trop austère à son goût, serait recouverte de tapisseries au décor géométrique et aux couleurs vives.

Drapé dans une ample pièce d'étoffe multicolore, le cou orné d'un collier d'argent, un bracelet au coude gauche et les cheveux retenus par un bandeau, Hattousil s'était coiffé d'un bonnet de laine appartenant à son défunt frère. Économe, peu préoccupé de son apparence, il gérerait les finances de l'État avec une rigueur jamais appliquée jusqu'alors.

Les principaux représentants de la caste des marchands se succédaient dans la salle d'audience, afin de définir avec l'empereur les priorités économiques du pays. L'impératrice Poutouhépa, placée à la tête de la caste religieuse, était associée à ces entretiens et militait pour une baisse importante des crédits attribués à l'armée. Malgré leurs privilèges retrouvés, les marchands s'étonnaient de cette attitude : le Hatti n'était-il pas en guerre avec l'Égypte ?

Selon une méthode qui lui réussissait, Hattousil procédait par petites touches, multipliait les entrevues particulières avec des négociants comme avec des officiers supérieurs, et insistait sur les avantages d'une trêve prolongée, sans jamais prononcer le mot « paix ». Poutouhépa déployait la même stratégie dans les milieux religieux, et l'ambassadeur égyptien Âcha offrait une preuve vivante de l'amélioration des relations entre les deux puissants adversaires. Puisque l'Égypte renonçait à attaquer le Hatti, ce dernier ne devait-il pas prendre une initiative, allant dans le sens d'une cessation du conflit ?

Mais un coup de tonnerre venait d'éclater, détruisant ce bel édifice formé d'illusions.

Hattousil convoqua Âcha sur l'heure.

– Je tiens à vous informer de la décision que je viens de prendre et que vous communiquerez à Ramsès.

– Une proposition de paix, Majesté ?

– Non, Âcha. La confirmation de la poursuite de la guerre.

L'ambassadeur fut effondré.

– Pourquoi ce revirement subit ?

– Je viens d'apprendre qu'Ouri-Téchoup a demandé et obtenu l'asile politique en Égypte.

– Ce détail vous choque-t-il au point de remettre en cause nos accords ?

– C'est vous, Âcha, qui l'avez aidé à sortir du Hatti et à se réfugier dans votre pays.

– N'est-ce pas du passé, Majesté ?

– Je veux la tête d'Ouri-Téchoup ; ce traître doit être condamné et exécuté. Aucune négociation de paix ne sera engagée tant que l'assassin de mon frère ne sera pas revenu au Hatti.

– Puisqu'il est assigné à résidence à Pi-Ramsès, qu'avez-vous à redouter de lui ?

– Je veux voir son cadavre brûler sur un bûcher, ici, dans ma capitale.

– Il est peu probable que Ramsès accepte de renier sa parole et d'extrader un homme auquel il a accordé sa protection.

– Partez immédiatement pour Pi-Ramsès, convainquez votre roi et ramenez-moi Ouri-Téchoup. Sinon, mon armée envahira l'Égypte et je capturerai moi-même le traître.

46

Sous les fortes chaleurs de mai, c'était le temps des récoltes après que la moisson eut été mesurée sur pied. Les manieurs de faucille séparaient les épis dorés de la tige, le chaume restait sur place ; courageux et infatigables, les ânes transportaient le blé vers l'aire de battage. Le travail était rude, mais l'on ne manquait ni de pain, ni de fruits, ni d'eau fraîche. Et nul surveillant n'aurait osé interdire la sieste.

C'était le temps qu'avait choisi Homère pour cesser d'écrire. Quand Ramsès lui rendit visite, le poète ne fumait pas de feuilles de sauge dans son fourneau de pipe fait d'une coquille d'escargot ; vêtu d'une tunique de laine malgré la canicule, il était étendu sur un lit, au pied de son citronnier. Sous sa tête, un coussin.

– Majesté... Je n'espérais plus vous revoir.

– Que vous arrive-t-il ?

– Rien d'autre que le grand âge. Ma main est lasse, mon cœur aussi.

– Pourquoi ne pas avoir convoqué les médecins du palais ?

– Je ne suis pas malade, Majesté ; la mort ne fait-elle pas partie de l'harmonie ? Hector, mon chat noir et blanc, m'a quitté. Je n'ai pas le courage de le remplacer.

– Il vous reste des œuvres à écrire, Homère.

– J'ai donné le meilleur de moi-même dans l'*Iliade* et

l'*Odyssée.* Puisque l'heure de l'ultime passage est venue, pourquoi se révolter ?

– Nous allons vous soigner.

– Depuis quand régnez-vous, Majesté ?

– Depuis quinze ans.

– Vous n'avez pas encore assez d'expérience pour bien mentir à un vieillard qui a vu tant d'hommes trépasser. La mort s'est insinuée dans mes veines, elle glace mon sang, et nulle médecine ne saurait entraver sa conquête. Mais il y a plus important, beaucoup plus important : vos ancêtres ont bâti un pays unique, sachez le préserver. Qu'en est-il de la guerre contre les Hittites ?

– Âcha a rempli sa mission : nous espérons signer un traité qui mettra fin aux hostilités.

– Comme il est doux de quitter cette terre en paix, après avoir tant écrit sur la guerre... *L'éclat lumineux du soleil tombe dans l'océan,* dit l'un de mes héros, *il s'enfonce dans la terre féconde, et survient la nuit noire, la nuit ténébreuse que les vaincus souhaitent avec ardeur.* Aujourd'hui, c'est moi qui suis vaincu et aspire aux ténèbres.

– Je vous ferai construire une magnifique demeure d'éternité.

– Non, Majesté... Je suis resté grec et, pour mon peuple, l'autre monde n'est qu'oubli et souffrance. À mon âge, il est trop tard pour abandonner ses croyances. Même si cet avenir ne vous semble guère joyeux, c'est celui auquel je me suis préparé.

– Nos sages affirment que les œuvres des grands écrivains seront plus durables que les pyramides.

Homère sourit.

– M'accorderez-vous une dernière faveur, Majesté ? Prenez ma main droite, celle qui a écrit... Grâce à votre force, il me sera plus facile de passer de l'autre côté.

Et le poète s'éteignit, paisible.

Homère reposait sous un tertre, près de son citronnier ; dans le linceul, un exemplaire de l'*Iliade* et de l'*Odyssée*, et un papyrus relatant la bataille de Kadesh. Seuls Ramsès, Néfertari et Améni, très affectés, avaient assisté à la mise en terre.

Quand le monarque retourna à son bureau, Serramanna lui présenta un rapport.

– Aucune trace du mage Ofir, Majesté ; sans doute a-t-il quitté l'Égypte.

– Pourrait-il se cacher parmi les Hébreux ?

– S'il a changé d'apparence et gagné leur confiance, pourquoi pas ?

– Que disent tes indicateurs ?

– Depuis que Moïse est reconnu comme le chef des Hébreux, ils se taisent.

– Tu ignores donc ce qu'ils trament.

– Oui et non, Majesté.

– Explique-toi, Serramanna.

– Il ne peut s'agir que d'une révolte menée par Moïse et les ennemis de l'Égypte.

– Moïse m'a demandé un entretien privé.

– Ne le lui accordez pas, Majesté !

– Que redoutes-tu ?

– Qu'il tente de vous supprimer.

– Tes craintes ne sont-elles pas excessives ?

– Un révolté est capable de tout.

– Moïse est mon ami d'enfance.

– Cette amitié-là, Majesté, il l'a oubliée.

La lumière de mai inondait le bureau de Ramsès, éclairé par trois grandes fenêtres a claustra, dont l'une donnait sur une cour intérieure où stationnaient plusieurs chars. Murs blancs, fauteuil à dossier droit pour le monarque et chaises paillées pour ses visiteurs, une armoire à papyrus et une grande table composaient un décor austère que Séthi n'aurait pas désavoué. Séthi, dont Ramsès contemplait souvent la statue.

Et Moïse entra.

Grand, large d'épaules, la chevelure abondante, la barbe fournie, le visage buriné, l'Hébreu affichait une puissante maturité.

– Assieds-toi, Moïse.

– Je préfère rester debout.

– Que désires-tu ?

– Mon absence fut longue, ma réflexion d'autant plus profonde.

– T'a-t-elle conduit à la sagesse ?

– J'ai été instruit dans toute la sagesse des Égyptiens, mais qu'est-elle en regard de la volonté de Yahvé ?

– Tu n'as donc pas renoncé à tes projets insensés !

– Au contraire, j'ai convaincu la majorité de mon peuple de me suivre. Et bientôt, tous seront à mes côtés.

– Je me souviens des paroles de mon père, Séthi : « Pharaon ne doit tolérer ni rebelle ni fauteur de troubles. Sinon, ce serait la fin du règne de Maât et l'avènement du désordre ; et ce dernier engendre le malheur pour tous, grands et petits. »

– La loi qu'observe l'Égypte ne concerne plus les Hébreux.

– Aussi longtemps qu'ils vivront sur cette terre, ils devront s'y soumettre.

– Accorde à mon peuple l'autorisation de se rendre à trois jours de marche dans le désert pour y sacrifier à Yahvé.

– Les raisons de sécurité que je t'ai exposées me contraignent à te répondre de manière négative.

Moïse serra davantage son bâton noueux.

– Je ne peux pas me contenter de cette réponse.

– Au nom de l'amitié, je consens à oublier ton insolence.

– J'ai conscience de m'adresser au pharaon, maître des Deux Terres, et ne tiens nullement à lui manquer de respect. Néanmoins, les exigences de Yahvé demeurent, et elles continueront à s'exprimer par ma voix.

– Si tu pousses les Hébreux à la révolte, tu m'obligeras à la réprimer.

– J'en ai également conscience. C'est pourquoi Yahvé utilisera d'autres moyens. Si tu persistes à refuser aux Hébreux la liberté qu'ils exigent, Dieu accablera l'Égypte de maux terrifiants.

– Crois-tu m'effrayer ?

– Je plaiderai ma cause devant tes notables et devant ton peuple, et le pouvoir infini de Yahvé les convaincra.

– L'Égypte n'a rien à craindre de toi, Moïse.

Comme Néfertari était belle ! Alors qu'elle dirigeait les rites de consécration d'une nouvelle chapelle dédiée à la déesse lointaine, Ramsès l'admirait.

Elle, la douce d'amour, celle dont la voix donnait de la joie et ne prononçait aucune parole inutile, elle qui emplissait le palais de son parfum et de sa grâce, elle qui savait voir le bien et le mal sans les confondre, était devenue la souveraine adulée des Deux Terres. Portant un collier d'or à six rangs et une couronne surmontée de deux hautes plumes, elle semblait appartenir à l'univers des déesses où jeunesse et beauté ne se ternissent pas.

Dans le regard de sa mère Touya, Ramsès discerna un certain bonheur : celui de constater que la reine qui lui avait succédé était digne de l'Égypte. Son aide discrète mais efficace avait permis à Néfertari de s'épanouir et de trouver le ton juste qui caractérise les grands souverains.

Le rituel fut suivi d'une réception en l'honneur de Touya. Chaque courtisan tint à féliciter la reine mère qui écouta d'une oreille distraite les habituelles platitudes. Le diplomate Méba parvint enfin à s'approcher de Touya et du pharaon ; un large sourire aux lèvres, il tressa les louanges de la veuve de Séthi.

– J'estime insuffisant ton travail au ministère des Affaires étrangères, l'interrompit Ramsès ; en l'absence d'Âcha, tu aurais dû échanger davantage de courrier avec nos alliés.

– Majesté, la quantité et la qualité des tributs qu'ils vous promettent sont exceptionnelles ! Soyez assuré que j'ai négocié à très haut prix le soutien de l'Égypte. De nombreux ambassadeurs sollicitent une accréditation pour rendre hommage à Votre Majesté, car jamais le prestige d'un pharaon ne fut aussi éclatant !

– N'as-tu rien d'autre à m'apprendre ?

– Si, Majesté : Âcha vient d'annoncer son retour imminent à Pi-Ramsès. Je compte organiser une belle réception pour le fêter.

– Sa dépêche précise-t-elle les raisons de ce voyage ?

– Non, Majesté.

Le roi et sa mère s'éloignèrent.

– La paix continue-t-elle à se construire, Ramsès ?

– Si Âcha a correspondu en clair avec Méba et quitté brutalement le Hatti, ce n'est sans doute pas pour m'annoncer une bonne nouvelle.

47

Au terme d'une dizaine de longs entretiens avec Ouri-Téchoup, Ramsès avait tout appris de l'armée hittite, de ses stratégies préférées, de son armement, de ses forces et de ses faiblesses. Le général déchu s'était montré fort coopératif, tant il était désireux de nuire à Hattousil. En échange des renseignements qu'il offrait, Ouri-Téchoup bénéficiait d'une villa, de deux serviteurs syriens, d'une nourriture à laquelle il avait immédiatement pris goût, et d'une étroite surveillance policière.

Ramsès prit conscience de l'énormité et de la férocité du monstre auquel il s'était affronté avec la fougue de la jeunesse. Sans la protection d'Amon et de Séthi, son imprudence aurait conduit l'Égypte au désastre. Même affaibli, le Hatti demeurait une redoutable puissance militaire. Une alliance, fût-elle restreinte, entre l'Égypte et le Hatti se traduirait par une paix durable dans la région, car aucun peuple n'oserait s'attaquer à un tel bloc.

Ramsès évoquait cette perspective avec Néfertari, à l'ombre d'un sycomore, lorsqu'un Améni essoufflé lui annonça l'arrivée d'Âcha.

La longue période d'exil du chef de la diplomatie égyptienne ne l'avait pas changé. La tête allongée et fine, une petite moustache très soignée, les yeux pétillant d'intelligence, les membres déliés, il pouvait paraître dédaigneux et distant, et l'on croyait volontiers qu'il traversait l'existence avec une suprême ironie.

Âcha s'inclina devant le couple royal.

– Que Vos Majestés me pardonnent, mais je n'ai pas eu le temps de me doucher, de me faire masser et parfumer... C'est une sorte de nomade malpropre qui ose se présenter devant vous, mais le message dont je suis porteur est trop urgent pour être sacrifié à mon confort personnel.

– Nous remettrons donc les congratulations à plus tard, dit Ramsès en souriant, bien que ton retour nous procure l'une de ces joies qui se gravent dans la mémoire.

– Dans mon état, recevoir l'accolade de mon roi s'apparenterait à un crime de lèse-majesté. Comme l'Égypte est belle, Ramsès ! Seul un grand voyageur est capable d'en apprécier le raffinement.

– Faux, rétorqua Améni ; voyager déforme l'esprit. En revanche, ne pas quitter son bureau et regarder les saisons par sa fenêtre permet de goûter le bonheur de vivre ici.

– Repoussons également ce conflit à plus tard, exigea Ramsès ; aurais-tu été expulsé du Hatti, Âcha ?

– Non, mais l'empereur Hattousil tenait à ce que ses exigences fussent transmises de bouche d'ambassadeur à oreille de Pharaon.

– M'annonces-tu le début des palabres conduisant à la paix ?

– C'eût été mon plus grand souhait... Malheureusement, je suis porteur d'un ultimatum.

– Hattousil serait-il aussi belliqueux qu'Ouri-Téchoup ?

– Hattousil admet que faire la paix avec l'Égypte juguler ait la menace assyrienne, mais la difficulté, c'est précisément Ouri-Téchoup.

– Ta manœuvre fut splendide ! Grâce à elle, je sais tout de l'armée hittite.

– Fort utile en cas de conflit, j'en conviens ; si nous ne lui rendons pas Ouri-Téchoup, Hattousil poursuivra la guerre.

– Ouri-Téchoup est notre hôte.

– Hattousil veut voir son cadavre brûler sur un bûcher.

– J'ai accordé l'asile politique au fils de Mouwattali et ne trahirai pas ma parole. Sinon, Maât cesserait de régner sur l'Égypte pour céder la place au mensonge et à la lâcheté.

– C'est bien ce que j'ai dit à Hattousil, mais sa position ne variera pas : ou bien Ouri-Téchoup est extradé et la paix devient envisageable, ou bien le conflit continue.

– Ma position ne variera pas non plus : l'Égypte ne piétinera pas le droit d'asile, Ouri-Téchoup ne sera pas extradé.

Âcha s'affala dans un fauteuil à dossier bas.

– Toutes ces années perdues, tous ces efforts réduits à néant... C'était le risque à prendre, et Ta Majesté a raison : mieux vaut la guerre que le parjure. Au moins sommes-nous mieux informés pour combattre les Hittites.

– Pharaon m'autorise-t-il à intervenir ? demanda Néfertari.

La voix douce et posée de la grande épouse royale enchanta le monarque, l'ambassadeur et le scribe.

– Ce sont des femmes qui ont libéré l'Égypte de l'occupant, dans le passé, rappela Néfertari, ce sont également des femmes qui ont négocié des traités de paix avec des cours étrangères ; Touya elle-même n'a-t-elle pas poursuivi cette tradition en m'enseignant l'exemple à suivre ?

– Que proposes-tu ? interrogea Ramsès.

– Je vais écrire à l'impératrice Poutouhépa ; si je parviens à la convaincre d'entamer des négociations, ne convaincra-t-elle pas son mari de se montrer moins intransigeant ?

– L'obstacle que représente Ouri-Téchoup ne peut pas être supprimé, objecta Âcha ; néanmoins, l'impératrice Poutouhépa est une femme brillante et intelligente, plus soucieuse de la grandeur du Hatti que de son intérêt propre. Que la reine d'Égypte s'adresse à elle ne devrait pas la laisser insensible. Comme l'influence de Poutouhépa sur Hattousil n'est pas négligeable, peut-être cette démarche aura-t-elle des conséquences favorables. Je ne cacherai pas à la grande épouse royale les difficultés de son entreprise.

– Pardon de vous quitter, dit Néfertari, mais vous comprendrez que pèse sur moi une lourde tâche.

Admiratif et ému, Âcha regarda la reine s'éloigner, aérienne et lumineuse.

– Si Néfertari parvient à ouvrir une brèche, dit Ramsès à son ambassadeur, tu retourneras au Hatti. Je n'extraderai jamais Ouri-Téchoup, mais tu obtiendras la paix.

– Tu réclames l'impossible ; c'est pourquoi j'aime tellement travailler pour toi.

Le roi s'adressa à Améni.

– As-tu demandé à Sétaou de revenir d'urgence ?

– Oui, Majesté.

– Que se passe-t-il ? s'inquiéta Âcha.

– Moïse s'estime l'interprète de son dieu unique, ce Yahvé qui lui a ordonné de conduire les Hébreux hors d'Égypte, expliqua Améni.

– Veux-tu dire... tous les Hébreux ?

– Pour lui, il s'agit d'un peuple qui a droit à son indépendance.

– C'est une folie !

– Non seulement il est impossible de raisonner Moïse, mais encore se fait-il menaçant.

– En aurais-tu peur ?

– Je crains surtout que notre ami Moïse ne devienne un ennemi redoutable, déclara Ramsès, et j'ai appris à ne pas mésestimer mes adversaires ; c'est pourquoi la présence de Sétaou est indispensable.

– Quel gâchis, déplora Âcha ; Moïse était un être fort et droit.

– Il l'est toujours, mais il a mis ses qualités au service d'un dogme et d'une vérité définitive.

– Tu me fais peur, Ramsès; cette guerre-là n'est-elle pas plus redoutable qu'un conflit avec les Hittites?

– Ou nous la gagnerons, ou nous périrons.

Sétaou posa ses larges mains sur les frêles épaules de Khâ.

– Par tous les serpents de la terre, te voilà presque un homme!

Entre les deux personnages, le contraste était saisissant. Khâ, le fils aîné de Ramsès, était un jeune scribe au teint pâle et à l'allure fragile; Sétaou, trapu, viril, la peau mate, les muscles saillants, la tête carrée, mal rasé, portant une tunique en peau d'antilope aux multiples poches, avait un physique d'aventurier et de chercheur d'or.

À les voir, personne n'aurait osé imaginer qu'une quelconque amitié pût les unir. Pourtant, Khâ considérait Sétaou comme le maître qui l'avait initié à la connaissance de l'invisible, et Sétaou voyait en Khâ un être d'exception capable d'aller au cœur des mystères.

– Je crains que tu n'aies pas commis beaucoup de bêtises depuis mon départ, déplora Sétaou.

Khâ sourit.

– Eh bien... j'espère quand même ne pas vous décevoir.

– Toi, tu as eu une promotion!

– Je remplis quelques fonctions rituelles au temple, c'est vrai... Mais je n'ai pas eu le choix. Et puis... j'en suis très heureux.

– À la bonne heure, mon garçon! Mais dis-moi... Je ne vois ni amulette autour de ton cou, ni bandelette autour de ton poignet.

– Je les ai ôtées lors de la purification, dans le temple, et ne les ai pas retrouvées ensuite. Puisque vous êtes revenu, nul risque ne subsiste, d'autant plus que j'ai bénéficié de la magie des rites.

– Tu devrais quand même porter des amulettes.

– En portez-vous, Sétaou?

– J'ai ma peau d'antilope, en effet.

Une flèche se ficha en plein cœur de la cible, à l'étonnement des deux hommes qui se trouvaient sur le pas de tir où s'entraînaient les archers d'élite. C'était à cet endroit que le roi leur avait donné rendez-vous.

– Ramsès est toujours aussi adroit, constata Sétaou.

Khâ regarda son père reposer l'arc que lui seul parvenait à bander et qu'il avait utilisé lors de la bataille de Kadesh. La stature du monarque semblait s'être encore amplifiée. Par sa seule présence, il incarnait l'autorité suprême.

Khâ se prosterna devant cet être qui était tellement plus que son père.

– Pourquoi nous avoir réunis ici? demanda Sétaou.

– Parce que mon fils et toi allez m'aider à mener un combat et qu'il faudra viser juste.

Khâ répondit sans détour.

– Je crains de ne pas être très habile.

– Détrompe-toi, mon fils; c'est avec l'esprit et la magie qu'il faudra lutter.

– J'appartiens au personnel du temple d'Amon et...

– À l'unanimité, les prêtres t'ont choisi comme supérieur de leur communauté.

– Mais... je n'ai pas encore vingt ans!

– Qu'importe l'âge; néanmoins, j'ai repoussé leur proposition.

Khâ fut soulagé.

– Une mauvaise nouvelle m'est parvenue, révéla Ramsès : à Memphis, le grand prêtre de Ptah vient de disparaître. C'est toi que j'ai choisi pour lui succéder, mon fils.

– Moi, grand prêtre de Ptah... Mais, c'est...

– C'est ma volonté. À ce titre, tu feras partie des notables devant lesquels Moïse désire comparaître.

– Qu'a-t-il imaginé ? questionna Sétaou.

– Étant donné mon refus de laisser les Hébreux s'aventurer dans le désert, Moïse menace l'Égypte de subir les châtiments infligés par son dieu. Le nouveau grand prêtre de Ptah et le meilleur de mes magiciens sauront-ils dissiper l'illusion ?

48

Accompagné d'Aaron, Moïse se présenta à la porte d'accès de la salle d'audience du palais de Pi-Ramsès, placée sous la surveillance de Serramanna et de la garde d'honneur. Au passage de l'Hébreu, le Sarde lui jeta un regard courroucé ; à la place du monarque, il aurait fait jeter ce révolté dans un cul-de-basse-fosse ou, mieux encore, l'aurait expédié au fin fond du désert. L'ancien pirate se fiait à son instinct : ce Moïse n'avait d'autre intention que de nuire à Ramsès.

En progressant dans l'allée centrale, entre les deux rangs de colonnes, le chef et porte-parole du peuple hébreu constata, non sans plaisir, que la salle d'audience était bien garnie.

À la droite du roi, son fils Khâ, vêtu d'une peau de panthère ornée d'étoiles d'or. Malgré son jeune âge, Khâ venait d'accéder à une très haute fonction ; en raison de l'ampleur de son esprit et de ses connaissances, aucun prêtre n'avait contesté cette décision. Au fils aîné de Pharaon de prouver ses qualités en percevant le message des dieux pour le transcrire dans les hiéroglyphes ; chacun observerait son comportement avec attention, puisqu'il aurait à préserver les traditions de l'époque des pyramides, cet âge d'or au cours duquel avaient été formulées les valeurs créatrices de la civilisation égyptienne.

Cette nomination avait étonné Moïse ; mais en voyant

Khâ de près, il sut que la détermination et la maturité du jeune homme étaient exceptionnelles. Sans nul doute, il serait un adversaire redoutable.

Et que dire du personnage qui se tenait à la gauche de Pharaon ? Sétaou, charmeur de serpents et véritable magicien en chef du royaume ! Sétaou qui était, comme Ramsès, l'un des camarades d'université de Moïse, de même qu'Améni, assis en retrait et déjà prêt à noter l'essentiel des débats.

Moïse ne voulait plus songer à ces années-là, pendant lesquelles il avait travaillé à la grandeur de l'Égypte. Son passé était mort le jour où Yahvé lui avait confié sa mission, et il n'avait pas le droit de s'attendrir sur des heures à jamais perdues.

Moïse et Aaron s'immobilisèrent au pied des marches qui menaient à l'estrade où Pharaon et ses dignitaires avaient pris place.

– De quel sujet désirez-vous débattre devant cette cour ? demanda Améni.

– Je n'ai pas l'intention de débattre, répondit Moïse, mais d'exiger ce qui m'est dû, conformément à la volonté de Yahvé ; que Pharaon m'autorise à quitter l'Égypte à la tête de mon peuple.

– Autorisation refusée, pour motif de sécurité publique.

– Ce refus est une offense à Yahvé.

– Yahvé ne règne pas sur l'Égypte, que je sache.

– Pourtant, Sa colère sera terrible ! Dieu me protège, et Il accomplira des prodiges pour manifester sa puissance.

– Je t'ai bien connu, Moïse, nous avons même été amis ; lors de nos études, tu ne vivais pas d'illusions.

– Tu es un scribe égyptien, Améni, et moi, le chef du peuple hébreu. C'est bien Yahvé qui m'a parlé, et je le prouve !

Aaron jeta son bâton sur le sol, Moïse le fixa d'un regard intense. Les nœuds du bois s'animèrent, le bâton ondula et se transforma en serpent.

Effrayés, plusieurs courtisans reculèrent ; le serpent avança vers Ramsès qui ne manifesta aucune crainte. Sétaou bondit et prit le reptile par la queue.

De nombreuses exclamations accompagnèrent son geste, et d'autres fusèrent lorsque le serpent se transforma en bâton dans la main de Sétaou.

– C'est moi-même qui ai enseigné ce tour de magie à Moïse, au harem de Mer-Our, il y a bien longtemps ; il en faut davantage pour éblouir les conseillers de Pharaon et la cour d'Égypte.

Moïse et Sétaou se défièrent du regard. Entre les deux hommes, tout lien d'amitié avait disparu.

– Dans une semaine, prédit le prophète, un autre prodige frappera le peuple de stupeur !

Sous la surveillance de Veilleur, qui dormait à l'ombre d'un tamaris, Néfertari se baignait nue dans le bassin le plus proche du palais. L'eau en était toujours pure grâce aux lamelles de cuivre fixées sur les pierres, à des plantes dévoreuses de bactéries et à un système de canalisations assurant un renouvellement régulier de la masse liquide ; de plus, un spécialiste jetait dans l'eau, à intervalles réguliers, une poudre à base de sels de cuivre.

À l'approche de la crue, la chaleur devenait accablante ; avant de commencer ses audiences, la reine savourait ce moment délicieux où le corps, délassé et heureux, laissait libre cours à la pensée, légère comme une aigrette. En nageant, Néfertari songeait aux paroles, tantôt réconfortantes, tantôt sévères, qu'elle devait adresser à ses interlocuteurs dont les requêtes étaient toutes plus urgentes les unes que les autres.

Revêtue d'une robe à bretelles laissant les seins nus, la chevelure dénouée, Iset progressa sans bruit vers le bassin. Elle, qu'on avait pourtant qualifiée de « belle », se sentait presque quelconque en admirant Néfertari. Chaque geste de la reine était d'une pureté incomparable, chacune de ses attitudes semblait naître du pinceau d'un peintre de génie qui aurait su inscrire la beauté parfaite dans le corps d'une femme.

Après avoir beaucoup hésité et s'être entretenue une dernière fois avec Dolente, toujours aussi ardente, Iset avait pris une décision définitive.

Cette fois, elle agirait.

Vidant son esprit de toute crainte qui risquait de compromettre sa démarche, Iset fit un pas de plus vers le bassin. Agir... Elle ne devait plus se détourner de son but.

Néfertari aperçut Iset.

– Viens te baigner !

– Je ne me sens pas bien, Majesté.

La reine nagea en souplesse jusqu'au bord du bassin et en sortit par un escalier de pierre.

– De quoi souffres-tu ?

– Je l'ignore...

– Mérenptah te cause-t-il des soucis ?

– Non, il se porte à merveille, et sa robustesse me surprend chaque jour.

– Allonge-toi sur ces dalles chaudes, à côté de moi.

– Pardonnez-moi, je supporte mal le soleil.

Le corps de Néfertari enchantait l'âme ; n'était-il pas semblable à celui de la déesse d'Occident, dont le sourire illuminait l'au-delà et l'ici-bas ? Allongée sur le dos, les bras le long du corps, les yeux clos, elle était à la fois proche et inaccessible.

– Pourquoi es-tu tourmentée, Iset ?

De nouveau, le doute s'empara de l'épouse secondaire de Ramsès ; devait-elle se conformer à sa décision ou prendre la fuite, au risque de passer pour une folle ? Par bonheur, Néfertari ne la regardait pas. Non, l'occasion était trop belle. Iset ne devait pas la laisser passer.

– Majesté... Majesté, je voudrais...

Iset la belle s'agenouilla près du visage de Néfertari ; la reine demeura immobile, vêtue de lumière.

– Majesté, j'ai voulu vous tuer.

– Je ne te crois pas, Iset.

– Si, je devais vous l'avouer... Ce poids devenait insupportable. À présent, vous savez.

La reine ouvrit les yeux, se redressa et prit la main d'Iset la belle.

– Qui a tenté de faire de toi une criminelle ?

– J'avais cru que vous n'aimiez pas Ramsès et que seule l'ambition vous habitait. J'étais aveugle et stupide ! Comment ai-je pu prêter l'oreille à de méprisables calomnies ?

– Chaque être traverse des moments de faiblesse, Iset ; le mal tente alors de s'emparer de la conscience et d'étrangler le cœur. Tu as résisté à ce terrible assaut, n'est-ce pas l'essentiel ?

– J'ai honte de moi-même, tellement honte... Quand vous déciderez de me faire comparaître devant un tribunal, j'accepterai ma condamnation.

– Qui t'a menti à mon propos ?

– Je voulais avouer ma faute, Majesté, et non jouer le rôle d'une délatrice.

– En tentant de me détruire, c'est Ramsès que l'on espérait atteindre ; tu me dois la vérité, Iset, si tu aimes le roi.

– Vous... vous ne me haïssez pas ?

– Tu n'es ni ambitieuse, ni intrigante, et tu as le courage de reconnaître tes erreurs ; non seulement je ne te hais pas, mais encore je t'estime.

Iset pleura et parla d'abondance, libérant son cœur.

Au bord du Nil, Moïse avait rassemblé des milliers d'Hébreux, accompagnés d'autant de curieux venus des divers quartiers de la capitale. D'après la rumeur, le dieu guerrier des Hébreux allait réaliser un grand prodige, prouvant qu'il était plus puissant que tous les dieux d'Égypte réunis. Pharaon ne devrait-il pas satisfaire les exigences du prophète ?

Contre l'avis d'Améni et de Serramanna, Ramsès avait décidé de laisser faire. Envoyer l'armée et la police pour disperser la manifestation eût été une réaction démesurée ; ni Moïse ni les Hébreux ne troublaient l'ordre public, et les vendeurs ambulants se félicitaient de voir cette foule fourmillante.

De la terrasse de son palais, Pharaon regardait le fleuve sur la rive duquel une foule impatiente s'était rassemblée ; mais il pensait surtout aux effroyables révélations que venait de lui faire Néfertari.

– Un doute subsiste-t-il ?

– Non, Ramsès ; Iset était sincère.

– Je devrais la châtier sévèrement.

– Je réclame ton indulgence ; c'est par amour qu'elle a failli commettre un acte horrible. Mais l'irréparable n'a pas eu lieu et, grâce à elle, nous savons que ta sœur Dolente te hait au point d'aller jusqu'au crime.

– J'espérais qu'elle avait vaincu les démons qui lui rongent l'âme depuis tant d'années... Mais je me suis trompé. Jamais elle ne changera.

– Traduiras-tu Dolente en justice ?

– Elle niera et accusera Iset la belle d'avoir tout inventé ; le procès risque de se terminer en scandale.

– L'instigatrice d'un crime demeurera-t-elle impunie ?

– Non, Néfertari ; Dolente s'est servie d'Iset, nous nous servirons de Dolente.

Sur la rive, on s'agitait et l'on poussait des cris.

Moïse lança son bâton dans le Nil, dont l'eau prit une teinte rougeâtre.

Le prophète en recueillit un peu dans une coupe qu'il répandit sur le sol.

– Soyez tous témoins de ce prodige ! Par la volonté de Yahvé, l'eau du Nil s'est changée en sang... Et si son désir n'est pas exaucé, ce sang se répandra dans tous les canaux du pays, et les poissons mourront. Ceci est la première plaie dont l'Égypte souffrira.

À son tour, Khâ recueillit l'eau étrange, à l'odeur âcre.

– Rien de tel ne se produira, Moïse ; ce que tu as prédit n'était que le flot rouge de la crue. Pendant quelques jours, cette eau n'est pas potable, et il ne faut consommer aucun poisson. S'il s'agit bien d'un prodige, c'est à la nature que nous le devons, et ce sont ses lois que nous devons respecter.

Le jeune et frêle Khâ n'éprouvait aucune crainte face au colossal Moïse. L'Hébreu contint sa colère.

– Ce sont là belles paroles, mais comment expliques-tu que mon bâton ait provoqué la montée de l'eau sanglante ?

– Qui conteste à Moïse sa qualité de prophète ? Tu as ressenti la transformation des eaux, la force qui venait du Sud, et le jour où le flot rouge apparaîtrait. Tu connais ce pays aussi bien que moi, aucun de ses secrets ne t'échappe.

– Jusqu'à présent, tonna Moïse, Yahvé s'est contenté d'avertissements ! Puisque l'Égypte persiste à douter, Il lui infligera d'autres plaies, plus douloureuses encore.

49

Âcha porta lui-même la lettre à la grande épouse royale qui s'entretenait avec Ramsès de l'administration des greniers.

– Voici la réponse que vous attendiez, Majesté ; elle émane de l'impératrice Poutouhépa en personne. J'espère que son contenu ne vous décevra pas.

La tablette, enveloppée dans une étoffe précieuse, était marquée au sceau de Poutouhépa.

– Voulez-vous nous la lire, Âcha ? D'une part, vous déchiffrez le hittite à la perfection ; d'autre part, les informations en provenance d'Hattousa vous concernent.

Le chef de la diplomatie égyptienne obéit.

À ma sœur, la reine Néfertari, épouse du soleil, Ramsès le grand.

Comment se porte ma sœur, sa famille est-elle en bonne santé, ses chevaux sont-ils superbes et vigoureux ? Au Hatti, la belle saison est arrivée. En Égypte, la crue sera-t-elle bonne ?

J'ai bien reçu la longue lettre de ma sœur Néfertari et l'ai lue avec grande attention. L'empereur Hattousil est fort contrarié par la présence du vil Ouri-Téchoup à Pi-Ramsès. Ouri-Téchoup est un être mauvais, violent et lâche. Il mériterait d'être extradé et ramené à Hattousa pour y être jugé. L'empereur Hattousil se montre intraitable sur ce point.

Mais la paix entre nos deux pays n'est-elle pas un si grand idéal qu'il justifie certains sacrifices ? Certes, il n'est pas possible de trouver un compromis à propos d'Ouri-Téchoup, et l'empereur exige, à juste titre, son extradition. Néanmoins, j'ai insisté auprès de lui pour qu'il reconnaisse la droiture de Pharaon, qui honore la parole donnée. Quelle confiance pourrions-nous accorder à un souverain qui la trahirait?

Donc, bien que le cas du traître Ouri-Téchoup ne soit pas négociable, pourquoi ne pas le supposer résolu, afin de progresser vers l'établissement d'un traité de non-belligérance? La rédaction de ce document prendra beaucoup de temps; aussi est-il sage d'entamer des discussions.

La reine d'Égypte, ma sœur, partage-t-elle mes pensées? Si tel était le cas, il serait bon de nous envoyer au plus vite un diplomate de haut rang, ayant la confiance de Pharaon. Je suggère le nom d'Âcha.

À ma sœur, la reine Néfertari, avec mon amitié.

– Nous sommes contraints de refuser cette proposition, déplora Ramsès.

– Pourquoi la repousser? s'insurgea Âcha.

– Parce qu'il s'agit d'un piège destiné à assouvir une vengeance. L'empereur ne te pardonne pas d'avoir fait sortir Ouri-Téchoup du Hatti. Si tu te rends là-bas, tu n'en reviendras pas.

– J'analyse cette lettre d'une manière différente, Majesté. La reine Néfertari a su trouver des arguments convaincants, l'impératrice Poutouhépa affirme son désir de paix. Étant donné l'influence qu'elle exerce sur l'empereur, c'est un pas décisif!

– Âcha a raison, estima Néfertari; ma sœur Poutouhépa a parfaitement compris le sens de la missive que je lui ai envoyée. Ne parlons plus d'Ouri-Téchoup et entamons des négociations pour préparer un traité de paix, tant dans le fonds que dans la forme.

– Ouri-Téchoup n'est pas une illusion! objecta Ramsès.

– Dois-je éclairer davantage ma position et celle de ma sœur Poutouhépa? Hattousil exige l'extradition d'Ouri-Téchoup, Ramsès la refuse. Que chacun reste ferme et intraitable, pendant que progresseront les négociations. N'est-ce pas ce qu'on appelle de la... diplomatie?

– J'ai confiance en Poutouhépa, ajouta Âcha.

– Si la reine et toi vous liguez contre moi, comment pourrais-je résister ? Nous enverrons donc un diplomate, mais pas toi.

– Impossible, Majesté. Il est clair que les souhaits de l'impératrice sont des ordres. Et qui connaît le Hatti et nos interlocuteurs aussi bien que moi ?

– Es-tu prêt à courir autant de risques, Âcha ?

– Passer à côté d'une pareille occasion de conclure la paix serait criminel ; toutes nos forces doivent être consacrées à cette tâche. La conquête de l'impossible... n'est-ce pas la marque de ton règne ?

– Je t'ai rarement vu si enthousiaste.

– J'aime le plaisir et les plaisirs, et la guerre n'y est pas propice.

– Je ne la conclurai pas à n'importe quel prix ; en aucune façon, l'Égypte ne sera perdante.

– J'avais envisagé quelques difficultés de ce genre-là, mais elles font partie de mon métier. Nous allons travailler plusieurs jours d'affilée pour mettre au point un projet présentable, je rendrai visite à quelques amies très chères, puis je partirai pour le Hatti. Et je réussirai, puisque tu l'exiges.

D'abord, elle fit un bond surprenant ; ensuite, elle s'immobilisa à moins d'un mètre de Sétaou qui, assis sur la rive, observait avec satisfaction la modification de l'eau du Nil, redevenue potable.

Une deuxième, puis une troisième, souple, joueuse, avec des dégradés de vert : de magnifiques grenouilles jaillirent du limon que le fleuve déposait sur la terre d'Égypte pour la fertiliser et assurer la nourriture du peuple de Pharaon.

À la tête d'un imposant cortège, Aaron étendit son bâton sur le Nil et parla d'une voix forte.

– Puisque Pharaon refuse de laisser sortir les Hébreux

hors d'Égypte, voici, après l'eau changée en sang, la deuxième plaie qu'inflige Yahvé à l'oppresseur : des grenouilles, des milliers de grenouilles, des millions de grenouilles qui s'introduiront partout, dans les ateliers, dans les maisons, dans les chambres des riches !

Sétaou retourna d'un pas tranquille à son laboratoire où Lotus préparait de nouveaux remèdes grâce au venin de superbes cobras capturés dans les parages d'Abou Simbel d'où provenaient des nouvelles rassurantes ; le chantier avançait avec régularité. Le charmeur de serpents et son épouse avaient hâte d'y retourner, dès que Ramsès le leur permettrait.

Sétaou sourit. Ni lui ni Khâ n'auraient à lutter contre Aaron et cette plaie-là ; le lieutenant de Moïse aurait dû consulter son chef avant de proférer une malédiction qui n'effraierait aucun Égyptien.

À cette période de l'année, la prolifération des grenouilles n'avait rien d'anormal et, de plus, elle était considérée par le peuple comme un heureux présage. Dans l'écriture hiéroglyphique, le signe de la grenouille servait à écrire le chiffre « cent mille », donc une multiplicité presque incalculable, en rapport avec l'abondance que procurait la crue.

En observant les métamorphoses de ce batracien, les prêtres des premières dynasties y avaient vu les mutations incessantes de la vie ; aussi la grenouille, dans la conscience populaire, était-elle devenue à la fois le symbole d'une naissance heureuse, au terme de nombreuses étapes partant de l'embryon pour aboutir à l'enfant, et celui de l'éternité qui subsistait à travers et au-delà du temps.

Dès le lendemain, Khâ fit distribuer gratuitement des amulettes en faïence représentant des grenouilles. Ravie par ce cadeau inattendu, la population de la capitale acclama le nom de Ramsès et ressentit de la gratitude à l'égard d'Aaron et des Hébreux ; grâce à leur agitation, quantité de gens modestes devinrent propriétaires d'un objet précieux.

Âcha mit la dernière main au projet de traité qu'il avait élaboré avec le couple royal ; plus d'un mois de travail intensif avait été nécessaire pour peser chaque terme, et la relecture de Néfertari avait été des plus utiles. Comme le supposait le chef de la diplomatie égyptienne, les exigences de Pharaon rendraient la négociation difficile ; néanmoins, Ramsès n'avait pas traité le Hatti comme un vaincu, mais plutôt comme un partenaire qui trouverait de nombreux avantages dans cet accord. Si Poutouhépa voulait vraiment la paix, la partie s'annonçait jouable.

Améni apporta un magnifique papyrus, de couleur ambre, sur lequel Ramsès en personne écrirait ses propositions.

– Des habitants du quartier sud m'ont adressé une plainte : ils sont envahis de moustiques.

– À cette saison, ils prolifèrent lorsque les règles d'hygiène ne sont pas strictement respectées. Aurait-on oublié d'assécher une mare ?

– D'après Aaron, Majesté, ce serait la troisième plaie infligée à l'Égypte par Yahvé. Le disciple de Moïse a étendu son bâton et frappé la poussière du sol pour qu'elle se transforme en moustiques ; à toi d'y voir le doigt d'un dieu vengeur.

– Notre ami Moïse a toujours fait preuve d'obstination, rappela Âcha.

– Envoie immédiatement le service de désinfection dans le quartier sud, ordonna Ramsès à Améni, et délivre les habitants de ce fléau.

La crue abondante promettait un avenir heureux. Ramsès célébra les rites de l'aube dans le temple d'Amon et s'accorda une promenade sur le débarcadère, en compagnie de Massacreur, avant de se rendre au palais pour y rédiger, à l'intention d'Hattousil, une lettre qui accompagnerait ses propositions de paix.

Soudain, le bâton de Moïse frappa le dallage. L'énorme lion fixa l'Hébreu sans rugir.

– Laisse partir mon peuple, Ramsès, afin qu'il puisse rendre à Yahvé le culte qu'il attend de lui.

– Ne nous sommes-nous pas tout dit, Moïse ?

– Prodiges et plaies t'ont révélé la volonté de Yahvé.

– Est-ce bien mon ami qui profère d'aussi étranges paroles ?

– Il n'y a plus d'ami ! Je suis le messager de Yahvé, tu es un pharaon impie.

– Comment te guérir de ton aveuglement ?

– C'est toi qui es aveugle !

– Suis ton chemin, Moïse ; je suivrai le mien, quoi qu'il advienne.

– Accorde-moi une faveur : viens voir les troupeaux de mes frères hébreux.

– Qu'ont-ils de particulier ?

– Viens, je te prie.

Massacreur, Serramanna et une escouade de mercenaires assurèrent la protection du monarque. Moïse avait fait rassembler les troupeaux des Hébreux à une dizaine de kilomètres de la capitale, dans une zone marécageuse. Autour des bêtes, des milliers de taons qui ne leur accordaient aucun répit et provoquaient des mugissements de douleur.

– Voici la quatrième plaie ordonnée par Yahvé, révéla Moïse ; il me suffira de disperser ces bêtes, et les taons envahiront ta capitale.

– Médiocre stratégie... Était-il nécessaire de les maintenir dans un tel état de saleté et de les faire souffrir ?

– Nous devons sacrifier à Yahvé des béliers, des vaches et d'autres animaux que les Égyptiens considèrent comme sacrés. Si nous célébrons nos rites dans ton pays, nous soulèverons la colère des paysans. Laisse-nous aller dans le désert, ou bien les taons agresseront tes sujets.

– Serramanna et un contingent de l'armée t'accompagneront toi, tes prêtres et les animaux malades, dans une zone désertique où vous ferez vos sacrifices. Le reste du troupeau sera désinfecté et réinstallé dans ses pâturages. Ensuite, vous reviendrez à Pi-Ramsès.

– Ce n'est qu'un répit, Ramsès ; demain, tu seras contraint d'autoriser les Hébreux à sortir d'Égypte.

50

– Il faut frapper fort, estima Ofir, beaucoup plus fort.

– N'avons-nous pas réussi à sacrifier à Yahvé dans le désert, comme il l'avait exigé ? observa Moïse. Ramsès a cédé, il cédera encore.

– Sa patience n'est-elle pas à bout ?

– Yahvé nous protège.

– J'ai une autre idée, Moïse, une idée qui se traduira par une cinquième plaie qui blessera Pharaon de manière profonde.

– Ce n'est pas à nous d'en décider, mais à Yahvé.

– Ne faut-il pas lui prêter main-forte ? Ramsès est un tyran obstiné, que seuls des signes de l'au-delà impressionneront au point de le faire reculer. Laissez-moi vous aider.

Moïse acquiesça.

Ofir sortit de la demeure du prophète et rejoignit ses complices, Amos et Baduch. Les deux chefs bédouins avaient continué à amasser des armes dans les caves des maisons du quartier hébreu ; ils revenaient de Syrie du Nord où ils avaient pris contact avec des messagers hittites. Le mage était impatient d'obtenir des nouvelles fraîches, voire des instructions.

Amos avait huilé son crâne chauve.

– L'empereur Hattousil est furieux, révéla-t-il ; puisque Ramsès refuse d'extrader Ouri-Téchoup, il est prêt à reprendre le combat.

– Magnifique ! Qu'attend-il de mon réseau ?

– Les ordres sont simples : continuez à entretenir l'agitation des Hébreux en Égypte, organisez partout des troubles dans le pays afin d'affaiblir Ramsès, faites évader Ouri-Téchoup et ramenez-le à Hattousa. Ou bien tuez-le.

Doigts-Tordus était un paysan amoureux de son lopin de terre et de son petit troupeau de vaches, une vingtaine de bêtes plus belles les unes que les autres, gracieuses et douces, même si la doyenne avait son caractère et ne se laissait pas approcher par n'importe qui. Doigts-Tordus passait de longues heures à bavarder avec elle.

Le matin, c'était Rouquine, une espiègle, qui le réveillait en lui léchant le front ; Doigts-Tordus tentait en vain de la saisir par l'oreille, mais il finissait toujours par se lever.

Ce matin-là, le soleil était déjà haut dans le ciel quand Doigts-Tordus sortit de la ferme.

– Rouquine... Où es-tu passée, Rouquine ?

Après s'être frotté les yeux, Doigts-Tordus fit quelques pas dans son champ, et il vit sa vache, couchée sur le flanc.

– Qu'est-ce que tu as, Rouquine ?

La langue pendante, les yeux vitreux, le ventre gonflé, la jolie vache agonisait. Un peu plus loin dans le champ, deux bêtes étaient déjà mortes.

En proie à la panique, Doigts-Tordus courut jusqu'à la place du village pour y quérir l'aide du vétérinaire. Ce dernier était assailli par une dizaine d'éleveurs qui vivaient la même tragédie.

– Une épidémie ! cria Doigts-Tordus. Il faut prévenir tout de suite le palais !

Quand Ofir, depuis la terrasse de sa maison, vit affluer une cohorte de paysans inquiets et en colère, il constata que ses ordres avaient été correctement exécutés. En empoisonnant quelques vaches, les chefs bédouins Amos et Baduch semaient une belle pagaille.

Au milieu de l'avenue menant au palais, Moïse stoppa le cortège.

– Vous êtes victimes de la cinquième plaie que Yahvé inflige à l'Égypte ! Sa main frappera tous les troupeaux, la peste frappera le gros et le petit bétail ! Seules les bêtes appartenant à mon peuple seront épargnées.

Serramanna et de nombreux soldats étaient prêts à repousser les paysans, lorsque Lotus, montant un cheval noir, arriva au grand galop et s'immobilisa tout près des manifestants.

– Que personne ne s'affole, dit-elle d'une voix calme ; il ne s'agit pas d'une épidémie, mais d'un empoisonnement. J'ai déjà sauvé deux vaches laitières et, avec l'aide des vétérinaires, je soignerai les bêtes qui n'ont pas encore succombé.

L'espoir succéda aussitôt au désarroi. Et quand le ministre de l'Agriculture annonça que Pharaon remplacerait les bêtes mortes aux frais de l'État, la sérénité revint.

Il restait assez de poison à Ofir et à ses alliés pour continuer à aider Moïse, cette fois sans le lui dire. Utilisant une vieille recette de magie, sur l'ordre de Yahvé, le prophète avait rempli ses mains de suie de fourneau qu'il avait lancée en l'air, afin qu'elle retombe en poussière sur les gens et les bêtes, et les couvre de pustules. Cette sixième plaie serait si terrifiante que Pharaon serait enfin contraint de s'incliner.

Ofir avait eu une autre idée. Comment mieux impressionner le monarque qu'en touchant ses proches ? Amos le chauve, méconnaissable grâce à une perruque lui cachant la moitié du front, avait livré des aliments avariés au cuisinier qui préparait les repas d'Améni et de ses fonctionnaires.

Quand le porte-sandales du roi lui apporta ses dossiers quotidiens, Ramsès remarqua une éruption rougeâtre sur la joue de son ami.

– T'es-tu blessé ?

– Non, mais ce bourgeonnement commence à devenir douloureux.

– Je convoque le docteur Pariamakhou.

Accompagné d'une ravissante jeune fille, le médecin du palais accourut, essoufflé.

– Seriez-vous souffrant, Majesté ?

– Vous savez bien, cher docteur, que j'ignore la maladie. Veuillez examiner mon secrétaire particulier.

Pariamakhou tourna autour d'Améni, lui tâta la peau des bras, prit son pouls et colla l'oreille à sa cage thoracique.

– Rien d'anormal à première vue... Il faut que je réfléchisse.

– S'il s'agit d'une ulcération due à des troubles gastriques, suggéra la jeune fille d'une voix timide, ne faudrait-il pas préparer un remède à base de fruits entaillés du sycomore, d'anis, de miel, de résine de térébinthe et de fenouil, et le prescrire en application externe et en potion ?

Le docteur Pariamakhou prit un air important.

– Ce n'est peut-être pas une mauvaise idée... Essayons, nous verrons. Allez au laboratoire, mon enfant, et faites préparer ce remède.

La jeune fille s'éclipsa, après s'être inclinée, tremblante, devant le monarque.

– Quel est le nom de votre assistante ? demanda Ramsès.

– Néféret, Majesté ; ne lui prêtez aucune attention, c'est une débutante.

– Elle semble déjà fort compétente.

– Elle n'a fait que réciter une formule que je lui ai apprise. Une simple stagiaire, sans grand avenir.

Ofir était songeur.

Les remèdes avaient vaincu la petite épidémie d'ulcères, et Ramsès n'infléchissait toujours pas sa position. Moïse et

Aaron contrôlaient les Hébreux dont toute agitation intempestive eût provoqué l'intervention brutale de Serramanna et de la police.

À ce revers s'ajoutait la rupture du contact avec Dolente, la sœur du roi. Sans nul doute, elle avait échoué. Néfertari était bien vivante, et elle ne souffrait d'aucun mal qui aurait rongé sa santé. Se sentant menacée, Dolente n'osait plus venir, même de nuit, dans le quartier hébreu, privant ainsi Ofir d'informations directes sur les petits secrets de la cour.

Ce handicap n'empêchait pas l'espion hittite d'attiser le sentiment de révolte des Hébreux ; une fraction dure, unie derrière Moïse et Aaron, devenait un fer de lance de plus en plus redoutable.

Organiser l'évasion d'Ouri-Téchoup serait difficile. Assigné à résidence dans une villa gardée nuit et jour par les hommes de Serramanna, Ouri-Téchoup était un homme fini et encombrant. Au lieu de prendre des risques inconsidérés, la meilleure solution ne consistait-elle pas à le faire disparaître pour s'attirer au plus vite les bonnes grâces d'Hattousil ? Intelligent, rusé et impitoyable, le nouvel empereur se situait bien dans la lignée de son frère Mouwattali.

Ofir conservait un allié dont personne ne soupçonnait la trahison : le diplomate Méba. Malgré sa médiocrité, c'est lui qui l'aiderait à supprimer Ouri-Téchoup.

L'escorte d'Âcha était réduite au minimum, car le chef de la diplomatie égyptienne, contrairement à ce qu'il avait dit à Ramsès, estimait avoir, au mieux, une chance sur cent d'être bien reçu dans la capitale hittite. Aux yeux du nouvel empereur, il apparaissait comme un personnage suspect qui avait permis à Ouri-Téchoup d'échapper au châtiment. Hattousil se montrerait-il plus rancunier que politicien ? S'il cédait à la haine, il ferait arrêter, voire exécuter, tous les membres de la mission diplomatique, Âcha en tête, et contraindrait Ramsès à déclencher une offensive pour laver l'affront.

Certes, Poutouhépa semblait militer pour la paix, mais jusqu'à quel point se désolidariserait-elle de son mari ? L'impératrice du Hatti ne s'enfermerait pas dans un rêve ; si la voie de la négociation se révélait trop ardue, elle prônerait celle de l'affrontement.

Un vent violent, fréquent sur les plateaux d'Anatolie, accompagna Âcha et son escorte jusqu'aux portes de la capitale hittite, dont l'allure de forteresse imprenable lui parut encore plus angoissante que lors de ses précédents voyages.

Le chef de la diplomatie égyptienne remit ses lettres de créance à un gradé, patienta une longue heure au pied d'une poterne, avant d'être admis à pénétrer dans Hattousa par la porte des lions. Contrairement à ce qu'Âcha espérait, on ne le conduisit pas au palais, mais dans un bâtiment en pierre de taille grisâtre. Là, une chambre lui était destinée. L'unique fenêtre était obstruée par des barreaux de fer.

Même pour un caractère optimiste, l'endroit ressemblait à une prison.

Jouer avec le tempérament hittite exigeait doigté et chance, beaucoup de chance ; et Âcha n'avait-il pas épuisé la quantité que le destin lui avait attribuée ?

Peu après la tombée du jour, un militaire casqué, portant une lourde armure, lui demanda de le suivre. Cette fois, il emprunta une ruelle menant à l'acropole sur laquelle se dressait le palais de l'empereur.

L'heure de vérité, si elle existait dans le monde de la diplomatie.

Un feu brûlait dans la cheminée de la salle d'audience, ornée de tapisseries. L'impératrice Poutouhépa goûtait la douce chaleur.

– Que l'ambassadeur d'Égypte daigne prendre place auprès de moi, devant ce feu ; la nuit risque d'être fraîche.

Âcha s'installa sur une chaise sans grâce, à distance respectueuse.

– J'ai beaucoup apprécié les lettres de la reine Néfertari, déclara l'impératrice. Sa pensée est lumineuse, ses arguments sont convaincants, ses intentions droites.

– Dois-je comprendre que l'empereur accepte d'ouvrir des négociations ?

– L'empereur et moi-même espérons des propositions concrètes.

– Je suis porteur d'un texte conçu par Ramsès et Néfertari, et rédigé par Pharaon lui-même ; il servira de base à nos discussions.

– C'est l'initiative que je souhaitais ; bien entendu, le Hatti a des exigences.

– Je suis ici pour les entendre, avec la ferme volonté d'aboutir à un accord.

– La chaleur de ces paroles est aussi douce que celle de ce feu, Âcha. Vous seriez-vous inquiété de cet accueil... réservé ?

– C'eût été inconvenant, n'est-ce pas ?

– Hattousil a pris froid et il est resté alité quelque temps ; mes journées sont très chargées, c'est pourquoi j'ai dû vous faire patienter. Dès demain, l'empereur sera en état d'entamer les discussions.

51

Le jour n'était pas encore levé, et Ramsès se rendait au temple d'Amon lorsque, soudain, Moïse lui barra le passage. Le roi retint le bras du garde qui l'accompagnait.

– Je dois te parler, Pharaon !

– Sois bref.

– Ne comprends-tu pas que, jusqu'ici, Yahvé s'est montré indulgent ? S'Il l'avait voulu, toi et ton peuple auriez été anéantis ! Il t'a laissé la vie pour mieux proclamer Sa toute-puissance, Lui qui est sans rival. Permets aux Hébreux de sortir d'Égypte, sinon...

– Sinon ?

– Une septième plaie causera d'intolérables souffrances à ton pays, une grêle d'une telle violence que les victimes seront nombreuses ! Quand je brandirai mon bâton vers le ciel, le tonnerre grondera et les éclairs jailliront.

– Ignores-tu que l'un des principaux temples de cette ville est dédié à Seth, maître de l'orage ? Il est la colère du ciel, et je saurai l'apaiser par les rites.

– Cette fois, tu n'y parviendras pas. Hommes et bêtes mourront.

– Écarte-toi de mon chemin.

L'après-midi même, le roi consulta « les prêtres de l'heure » qui observaient le ciel, étudiaient le mouvement des planètes et prédisaient le temps. De fait, ils prévoyaient de fortes précipitations qui risquaient de détruire une partie de la récolte de lin.

Dès que les intempéries se déclenchèrent, Ramsès s'enferma dans le sanctuaire de Seth et demeura seul face au dieu. Les yeux rouges de la statue monumentale brillaient comme des braises.

Le roi n'avait pas le pouvoir de s'opposer à la volonté de Seth et à la rage des nuées ; mais en communiant avec son esprit, il en atténuerait les effets et diminuerait sa durée. Séthi avait appris à son fils comment dialoguer avec Seth et canaliser sa puissance destructrice sans être lui-même détruit. Il fallut au pharaon une débauche d'énergie pour supporter la confrontation et ne pas céder un pouce de terrain aux flammes invisibles de Seth, mais son entreprise fut couronnée de succès.

Le diplomate Méba tremblait de peur. Bien que coiffé d'une perruque courte et vêtu d'un grossier manteau de mauvaise coupe, il craignait d'être reconnu. Mais qui pourrait l'identifier, dans cette maison de bière du quartier des docks où les manutentionnaires et les marins venaient se désaltérer ?

Amos, le chauve barbu, s'assit en face de lui.

– Qui... qui vous envoie ?

– Le mage. Vous êtes bien...

– Pas de nom ! Vous lui remettrez cette tablette. Elle contient une information susceptible de l'intéresser.

– Le mage désire que vous vous occupiez d'Ouri-Téchoup.

– Mais... il est en résidence surveillée.

– Les ordres sont formels : tuez Ouri-Téchoup. Sinon, nous vous dénoncerons à Ramsès.

Le doute commençait à s'installer chez les Hébreux. Sept plaies avaient déjà été infligées à l'Égypte, et Pharaon demeurait intraitable. Lors de la réunion du conseil des anciens, Moïse réussit néanmoins à garder leur confiance.

– Que comptes-tu faire, à présent ?

– Déclencher une huitième plaie, si terrible que les Égyptiens se sentiront abandonnés par leurs dieux.

– Quel sera ce fléau ?

– Regardez le ciel, vers l'est, et vous saurez.

– Sortirons-nous enfin d'Égypte ?

– Soyez aussi endurants que je l'ai été pendant de longues années et placez votre foi en Yahvé : il nous conduira vers la Terre Promise.

Au milieu de la nuit, Néfertari se réveilla en sursaut.

À côté d'elle, Ramsès dormait d'un sommeil paisible. La reine sortit sans bruit de la chambre et fit quelques pas sur la terrasse. L'air était embaumé, la ville silencieuse et paisible, mais l'angoisse de la grande épouse royale ne cessait de croître. La vision qui l'avait tourmentée ne s'estompait pas, le cauchemar continuait à lui serrer le cœur.

Ramsès la prit doucement dans ses bras.

– Un mauvais rêve, Néfertari ?

– Si ce n'était que cela...

– Que redoutes-tu ?

– Un péril venant de l'est, avec un vent redoutable...

Ramsès regarda dans cette direction.

Il se concentra longuement, comme s'il voyait dans les ténèbres. L'esprit du roi devint ciel et nuit, et se transporta à l'extrémité de la terre, là où naissent les vents.

Ce que perçut Ramsès était si effrayant qu'il se vêtit à la hâte, réveilla le personnel administratif du palais et envoya chercher Améni.

Composé de millions, de milliards de sauterelles, l'énorme nuage provenait de l'est, poussé par un vent violent. Ce n'était pas la première fois qu'une telle attaque se produisait, mais celle-ci était d'une ampleur effrayante.

Grâce à l'intervention de Pharaon, les paysans du Delta avaient allumé des feux dans lesquels ils jetaient des substances odoriférantes destinées à écarter les sauterelles ; sur certaines cultures avaient été disposées de grandes toiles de lin grossier.

Quand Moïse avait clamé que les insectes dévoreraient tous les arbres d'Égypte et ne laisseraient subsister aucun fruit, la menace s'était vite répandue dans les campagnes, grâce aux messagers royaux ; et l'on se félicitait, aujourd'hui, d'avoir pris sans délai les précautions préconisées par Ramsès.

Les dégâts furent minimes ; et l'on se souvint que la sauterelle était l'une des formes symboliques que revêtait l'âme de Pharaon pour gagner le ciel, dans un bond gigantesque. En petit nombre, l'insecte était considéré comme bénéfique ; seule la multitude le rendait redoutable.

Le couple royal parcourut en char les environs de la capitale et s'arrêta dans plusieurs villages qui redoutaient un nouvel assaut ; mais Ramsès et Néfertari promirent que le fléau ne tarderait pas à disparaître.

Comme l'avait pressenti la grande épouse royale, le vent d'est tomba et fut remplacé par des rafales qui entraînèrent le nuage de sauterelles jusqu'à la mer des roseaux, au-delà des cultures.

– Vous n'êtes pas malade, dit le docteur Pariamakhou à Méba, mais vous devriez quand même prendre quelques jours de repos.

– Ce malaise...

– Le cœur est en excellent état, le foie fonctionne bien. Ne vous inquiétez pas, vous finirez centenaire !

Méba avait simulé un malaise, avec l'espoir que Pariamakhou lui ordonnerait de garder la chambre plusieurs semaines, pendant lesquelles Ofir et ses complices seraient peut-être arrêtés.

Ce plan enfantin tournait court... Et les dénoncer, c'était se dénoncer lui-même !

Il ne lui restait plus qu'à exécuter sa mission. Mais comment s'approcher d'Ouri-Téchoup sans alerter Serramanna et sa garde d'élite ?

Sa meilleure arme, en fin de compte, était la diplomatie. Dès qu'il croisa le Sarde dans l'un des couloirs du palais, Méba l'aborda.

– Âcha vient de me faire parvenir un courrier qui m'ordonne d'interroger Ouri-Téchoup et de recueillir ses confidences sur l'administration hittite, déclara Méba. Ce que me confiera Ouri-Téchoup doit rester secret ; c'est pourquoi nous devons nous entretenir seul à seul. Je noterai ses déclarations sur papyrus, le scellerai et le remettrai au roi.

Serramanna parut contrarié.

– Combien de temps vous faudra-t-il ?

– Je l'ignore.

– Êtes-vous pressé ?

– C'est une mission urgente.

– Bon... Allons-y.

Ouri-Téchoup reçut le diplomate avec méfiance, mais Méba sut déployer charme et conviction pour amadouer le Hittite. Il ne le pressa pas de questions, la félicita pour sa collaboration et l'assura que son avenir finirait par s'éclairer.

Ouri-Téchoup décrivit ses plus belles batailles et lança même quelques plaisanteries.

– Êtes-vous satisfait de la manière dont vous êtes traité ? s'enquit Méba.

– Le logement et la nourriture sont agréables, je fais de l'exercice mais... les femmes me manquent.

– Je pourrais peut-être m'arranger...

– De quelle manière ?

– Exigez une promenade dans les jardins, à la tombée du jour, afin de profiter de la fraîcheur. Sous le bosquet de tamaris, près de la poterne, une femme vous attendra.

– Je crois que nous allons devenir de bons amis.

– C'est mon vœu le plus cher, Ouri-Téchoup.

Le temps devenait lourd, le ciel s'assombrissait. Le dieu Seth faisait à nouveau étalage de sa puissance. La chaleur étouffante, en l'absence de vent, fut pour Ouri-Téchoup l'occasion de réclamer une promenade dans les jardins. Deux gardiens l'accompagnèrent et le laissèrent errer parmi les massifs de fleurs, car le Hittite n'avait aucune chance de s'échapper. Pourquoi, au demeurant, tenterait-il de quitter la prison dorée où il était en sécurité ?

Dissimulé sous les tamaris, Méba tremblait. Drogué par une infusion de mandragore, en état second, le diplomate avait escaladé le mur d'enceinte et se préparait à frapper.

Quand Ouri-Téchoup se pencherait vers lui, il lui trancherait la gorge avec un poignard à lame courte, dérobé à un officier de l'infanterie. Il abandonnerait l'arme sur le cadavre, et l'on accuserait un clan de militaires revanchards d'avoir fomenté un complot pour se venger d'un ennemi responsable de la mort de nombreux Égyptiens.

Méba n'avait jamais tué, et il savait que cet acte le conduirait à la damnation ; mais il plaiderait sa cause devant les juges de l'autre monde en expliquant qu'il avait été manipulé. Pour l'heure, il ne devait songer qu'au poignard et à la gorge d'Ouri-Téchoup.

Des pas.

Des pas lents et prudents. Sa proie s'approchait, s'immobilisait, se penchait...

Méba leva le bras pour frapper, mais un violent coup de poing sur le crâne le fit sombrer dans le néant.

Serramanna releva le diplomate en l'agrippant par le col de sa tunique.

– Traître, médiocre et stupide... Réveille-toi, Méba.

L'interpellé demeura inerte.

– Pas de comédie !

La tête formait avec la ligne du cou un angle bizarre. Serramanna réalisa qu'il avait frappé trop fort.

52

Dans le cadre de l'indispensable enquête administrative sur la mort brutale de Méba, Serramanna avait dû se soumettre à un interrogatoire serré conduit par Améni. Mal à l'aise, le Sarde craignait d'être sanctionné.

– Le dossier est clair, conclut le scribe. Tu soupçonnais, à juste titre, le diplomate Méba de t'avoir menti et de vouloir supprimer Ouri-Téchoup. Tu as tenté d'arrêter Méba en flagrant délit, mais il s'est débattu, a mis ton existence en danger et a succombé au cours de la lutte.

L'ex-pirate se détendit.

– C'est un magnifique rapport.

– Quoique décédé, Méba sera jugé par un tribunal. Sa culpabilité ne faisant aucun doute, son nom sera supprimé de tous les documents officiels. Mais demeure une question : pour qui travaillait-il ?

– Il m'avait prétendu agir sur l'ordre d'Âcha.

Améni mordilla son pinceau.

– Faire éliminer le Hittite pour débarrasser Ramsès d'un personnage encombrant... Mais Âcha n'aurait pas confié cette tâche à un mondain et un peureux ! Et surtout, il ne serait pas allé à l'encontre de la volonté de Ramsès qui tient au respect du droit d'asile. Méba a menti, une fois de plus. Et s'il était l'un des membres du réseau d'espionnage hittite implanté sur notre territoire ?

– Ce dernier n'était-il pas favorable à Ouri-Téchoup ?

– Aujourd'hui, l'empereur se nomme Hattousil. Ouri-Téchoup n'est plus qu'un renégat. En éliminant son ennemi juré, le réseau s'attirait les bonnes grâces du nouveau maître du Hatti.

Le Sarde lissa ses longues moustaches.

– Autrement dit, Ofir et Chénar sont non seulement bien vivants mais toujours installés en Égypte.

– Chénar a disparu en Nubie, Ofir ne s'est plus manifesté depuis des années.

Serramanna serra les poings.

– Ce maudit mage est peut-être tout près de nous ! Les témoignages relatifs à sa fuite en Libye étaient autant de mensonges destinés à endormir ma méfiance.

– Ofir n'a-t-il pas prouvé qu'il savait se mettre hors d'atteinte ?

– Pas pour moi, Améni, pas pour moi...

– Et si, pour une fois, tu nous le ramenais vivant, celui-là ?

Pendant trois jours interminables, d'épais nuages noirs cachèrent le soleil au-dessus de Pi-Ramsès. Aux yeux des Égyptiens, les troubles causés par le dieu Seth se mêlaient aux périls que transportaient les messagers de la déesse Sekhmet, annonciateurs des maladies et des malheurs.

Un seul être pouvait empêcher la situation de dégénérer : la grande épouse royale, incarnation terrestre de la Règle éternelle que Pharaon nourrissait d'offrandes. Ce fut le temps où chacun se regarda lui-même et, sans complaisance, tenta de rectifier les manquements à la droiture. Assumant les défauts et les imperfections de son peuple, Néfertari se rendit à Thèbes, au temple de Mout, afin de déposer des offrandes au pied des statues de la redoutable déesse Sekhmet, et de transformer ainsi les ténèbres en lumière.

Dans la capitale, Ramsès accepta de recevoir Moïse qui clamait que l'obscurité recouvrant la capitale était la neuvième des plaies infligées par Yahvé au peuple égyptien.

– Es-tu enfin convaincu, Pharaon ?

– Tu ne fais qu'interpréter des phénomènes naturels en les attribuant à ton dieu ; c'est ta vision du réel, et je la respecte. Mais je n'accepterai pas que tu sèmes le trouble dans la population, au nom d'une religion. Cette attitude est contraire à la loi de Maât et ne saurait mener qu'au chaos et à la guerre civile.

– Les exigences de Yahvé demeurent inchangées.

– Quitte l'Égypte avec tes fidèles, Moïse, et va prier ton dieu là où tu le souhaites.

– Ce n'est pas ainsi que Yahvé l'entend ; c'est tout le peuple hébreu qui doit partir avec moi.

– Tu laisseras ici le bétail, petit et gros, car en majeure partie, il vous est loué et ne vous appartient pas. Ceux qui rejettent l'Égypte n'ont pas à bénéficier de ses bienfaits.

– Nos troupeaux nous accompagneront, pas une tête de bétail ne restera dans ton pays, car chacune servira au culte de Yahvé. Nous en avons besoin pour offrir sacrifices et holocaustes, jusqu'à notre arrivée en Terre Promise.

– Te comporterais-tu comme un voleur ?

– Seul Yahvé peut me juger.

– Quelle croyance saurait justifier de tels excès ?

– Tu es incapable de la comprendre. Contente-toi de t'incliner.

– Les pharaons ont réussi à juguler le fanatisme et l'intolérance, ces poisons mortels qui rongent le cœur de l'homme. Ne redoutes-tu pas, comme moi, les conséquences d'une vérité absolue et définitive, imposée par des hommes à d'autres hommes ?

– Accomplis la volonté de Yahvé.

– N'as-tu plus que la menace et l'invective à la bouche, Moïse ? Qu'est devenue notre amitié, qui nous menait sur le chemin de la connaissance ?

– Seul l'avenir m'intéresse, et cet avenir est l'exode de mon peuple.

– Sors de ce palais, Moïse, et ne reparais plus devant moi. Sinon, je te considérerai comme un rebelle, et la cour de justice prononcera contre toi le châtiment applicable aux fauteurs de troubles.

Enflammé de colère, Moïse franchit la porte d'enceinte du palais, omit de saluer les courtisans qui eussent volontiers échangé quelques mots avec lui, et regagna sa demeure du quartier hébreu où Ofir l'attendait.

Les alliés du mage lui avaient appris l'échec et la mort de Méba. Mais le dernier rapport écrit du diplomate contenait une information intéressante : lors d'une cérémonie au temple de Ptah de Memphis, Méba avait constaté que Khâ s'était débarrassé des protections magiques conçues par Sétaou. Certes, sa fonction de grand prêtre le mettait à l'abri des forces obscures ; mais pourquoi Ofir ne tenterait-il pas sa chance ?

– Ramsès a-t-il cédé ? questionna le mage.

– Il ne cédera jamais ! répondit Moïse.

– Ramsès ignore la peur. Cette situation demeurera sans issue tant que nous n'aurons pas recours à la violence.

– Une révolte...

– Nous possédons des armes.

– Les Hébreux seront exterminés.

– Qui parle d'une sédition ouverte ? C'est la mort qu'il faut utiliser, c'est elle qui sera la dixième et dernière plaie infligée à l'Égypte.

La fureur de Moïse ne retombait pas. Et, en écoutant les paroles menaçantes d'Ofir, il crut entendre la voix de Yahvé.

– Tu as raison, Ofir ; il faut frapper si fort que Ramsès sera contraint de libérer les Hébreux. À minuit, la nuit de la mort, Yahvé traversera l'Égypte, et les premiers-nés mourront.

Ofir avait tant espéré cet instant ! Enfin, il allait se venger des défaites que lui avait infligées le pharaon.

– En tête des premiers-nés figure Khâ, le fils de Ramsès, et son probable successeur. Jusqu'à présent, il bénéficiait d'une protection magique que je n'ai jamais pu vaincre. Mais à présent...

– La main de Yahvé ne l'épargnera pas.

– Nous devons donner le change, proposa Ofir ; que les Hébreux fraternisent avec les Égyptiens, comme naguère, et qu'ils en profitent pour emporter quantité d'objets précieux. Nous en aurons besoin au cours de l'exode.

– Nous célébrerons la Pâque, annonça Moïse, et nous marquerons nos maisons de rouge, avec un bouquet d'hysopes trempé dans le sang du bétail immolé pour la fête. La nuit de la mort, l'Exterminateur épargnera ces demeures-là.

Ofir se précipita dans son laboratoire. Grâce au pinceau dérobé à Khâ, le mage parviendrait peut-être à paralyser le fils aîné de Ramsès et à le faire glisser vers le néant.

Les jeux d'ombre et de lumière animant le jardin rendaient Néfertari plus belle encore. Mystérieuse et sublime, évoluant avec la grâce d'une déesse entre les bosquets et les fleurs, elle était le bonheur. Pourtant, quand il embrassa sa main, Ramsès perçut aussitôt sa contrariété.

– Moïse n'a pas fini de nous menacer, murmura-t-elle.

– Il était mon ami, et je ne peux croire son âme mauvaise.

– Moi aussi, j'ai de l'estime pour lui, mais un feu destructeur s'est emparé de son cœur ; c'est lui que je redoute.

L'air soucieux, Sétaou aborda le couple royal.

– Pardonnez-moi, j'ai l'habitude d'être direct : Khâ est souffrant.

– Est-ce grave ? questionna Néfertari.

– Je le crains, Majesté ; mes remèdes semblent inefficaces.

– Veux-tu dire...

– Ne nous leurrons pas : c'est un envoûtement.

Fille d'Isis, la magicienne par excellence, la grande épouse royale se précipita au chevet du fils aîné de Ramsès.

Malgré la douleur, le grand prêtre de Ptah faisait preuve d'une impressionnante dignité. Allongé sur un lit bas, les traits creusés, le visage gris, Khâ avait le souffle court.

– Mes bras sont inertes, dit-il à Néfertari, et je ne peux plus remuer mes jambes.

La reine posa les mains sur les tempes du jeune homme.

– Je te donnerai toute mon énergie, promit-elle, et nous lutterons ensemble contre la mort sournoise. Je te donnerai tout le bonheur que la vie m'a donné, et tu ne mourras pas.

Dans la capitale hittite, les négociations avançaient très lentement. Hattousil discutait chaque article du projet de traité qu'avait rédigé Ramsès, proposait une autre formulation, bataillait ferme avec Âcha, aboutissait à un compromis dont il pesait et repesait chaque mot. Poutouhépa ajoutait ses remarques, et d'autres discussions se développaient.

Âcha se montrait d'une patience à toute épreuve. Il avait conscience de participer à l'élaboration d'une paix dont dépendait le bonheur du Proche-Orient tout entier et d'une bonne partie de l'Asie.

– N'oubliez pas, rappela Hattousil, que j'exige l'extradition d'Ouri-Téchoup.

– Ce sera le dernier point à régler, répondit Âcha, lorsque nous aurons conclu un accord sur l'ensemble du traité.

– Remarquable optimisme... Mais êtes-vous persuadé que l'empereur du Hatti a totale confiance en vous ?

– S'il tombait dans ce travers, serait-il l'empereur du Hatti ?

– En me prêtant des arrière-pensées, ne compromettez-vous pas l'issue des négociations ?

– Vous avez forcément des arrière-pensées, Majesté, et tentez d'obtenir un traité plus favorable au Hatti qu'à l'Égypte... Mon rôle consiste à rétablir l'équilibre des plateaux de la balance.

– Un jeu délicat, peut-être voué à l'échec.

– L'avenir du monde... Voilà ce que m'a confié Ramsès, voilà ce qui se trouve entre vos mains, Majesté.

– Je suis patient, lucide et têtu, mon cher Âcha.

– Moi de même, Majesté.

53

Serramanna ne quittait plus le corps de garde réservé à ses mercenaires. Tout au plus s'accordait-il quelques distractions avec une fille de la maison de bière la plus réputée ; mais le plaisir ne parvenait pas à l'arracher à son obsession : l'adversaire commettrait immanquablement une faute, et il devait être vigilant pour en profiter.

La maladie de Khâ plongeait le Sarde dans une profonde tristesse ; tout ce qui concernait le roi et ses proches le bouleversait comme si la famille régnante était devenue la sienne et il trépignait, furieux de ne pouvoir supprimer les ennemis de Ramsès.

L'un de ses mercenaires vint au rapport.

– Il se passe de drôles de choses chez les Hébreux...

– Explique-toi.

– Sur les portes de leurs maisons, il y a des traces de peinture rouge. Je ne sais pas pourquoi, mais j'ai pensé que ça vous intéresserait de le savoir.

– Tu as bien fait. Amène-moi Abner, sous n'importe quel prétexte.

Après avoir témoigné en faveur de Moïse, le briquetier Abner, qui avait eu tendance à rançonner ses frères hébreux, n'avait plus fait parler de lui.

La tête basse, Abner était visiblement mal à l'aise.

– Aurais-tu commis un délit ? demanda Serramanna d'une voix courroucée.

– Oh non, seigneur ! Mon existence est aussi immaculée que la robe blanche d'un prêtre.

– Alors, pourquoi trembles-tu ?

– Je ne suis qu'un misérable briquetier, et...

– Ça suffit, Abner ; pourquoi as-tu sali la porte de ta maison avec de la peinture rouge ?

– C'est un accident, seigneur !

– Un accident qui s'est reproduit sur des dizaines d'autres portes ! Cesse de me prendre pour un imbécile.

Le géant sarde fit craquer les jointures de ses doigts, l'Hébreu sursauta.

– C'est... c'est une mode !

– Ah oui... Et si ma mode consistait à te couper le nez et les oreilles ?

– Vous n'en avez pas le droit, le tribunal vous condamnerait.

– Cas de force majeure : j'enquête sur l'envoûtement du fils aîné de Ramsès et je ne serais pas autrement étonné d'apprendre que tu y es mêlé.

Les juges se montraient d'une grande sévérité à l'encontre de ceux qui pratiquaient la magie noire ; Abner risquait une lourde condamnation.

– Je suis innocent !

– Avec ton passé, ce sera difficile à croire.

– Ne me faites pas ça, seigneur, j'ai une famille, des enfants...

– Ou tu parles, ou je t'inculpe.

Entre sa sécurité et celle de Moïse, Abner n'hésita pas longtemps.

– Moïse a jeté un maléfice sur les premiers-nés, révéla-t-il ; la nuit du malheur, ils seront tués par Yahvé. Pour que les Hébreux soient épargnés, il fallait un signe distinctif sur leurs maisons.

– Par tous les démons de la mer, ce Moïse est un monstre !

– Vous... vous me relâchez, seigneur ?

– Tu bavarderais, petit serpent ; en prison, tu seras à l'abri.

Plutôt satisfait, Abner hocha la tête.

– Quand en sortirai-je ?

– Quelle est la date fixée pour cette nuit du malheur ?

– Je l'ignore, mais elle est proche.

Serramanna se rua chez Ramsès qui le reçut dès la fin de son entretien avec le ministre de l'Agriculture. Très affecté par la maladie de Khâ que seule la magie de Néfertari maintenait en vie, Nedjem avait à peine la force de remplir sa fonction ; mais Ramsès l'avait persuadé que le service du pays et de la communauté des Égyptiens passait avant toute considération, fût-ce une tragédie personnelle.

Le Sarde rendit compte des propos d'Abner.

– Cet homme ment, jugea le roi ; jamais Moïse n'aurait conçu pareille abomination.

– Abner est un lâche et il a peur de moi ; il m'a dit la vérité.

– Une succession de crimes, l'élimination froide et systématique des premiers-nés... Une telle horreur n'a pu germer que dans un cerveau malade. Ça ne vient pas de Moïse.

– Je préconise un déploiement des forces de l'ordre afin de dissuader les assassins de mettre leur projet à exécution.

– Fais également intervenir la police des campagnes.

– Pardonnez-moi, Majesté... Mais ne faudrait-il pas arrêter Moïse ?

– Il n'a commis aucun délit, le tribunal l'acquitterait. Je doit envisager une autre solution.

– J'aimerais vous proposer une stratégie que vous jugerez affreuse, mais qui pourrait se révéler efficace...

– Te voilà bien précautionneux ! Parle, Serramanna.

– Faisons savoir que Khâ ne survivra pas plus de trois jours.

Au simple énoncé de ce sinistre avenir, Ramsès frissonna.

– Je savais que je vous choquerais, Majesté, mais cette nouvelle poussera forcément les assassins à agir très vite, et je compte profiter de leur précipitation.

Le roi ne réfléchit que quelques instants.

– Réussis, Serramanna.

Dolente, la sœur de Ramsès, gifla sa coiffeuse qui avait tiré trop fort sur l'une des mèches de sa superbe chevelure brune.

– Sors d'ici, maladroite !

La coiffeuse s'éclipsa en pleurant. Aussitôt, la pédicure la remplaça.

– Ôte-moi les peaux mortes et teins-moi les ongles en rouge... Et prends garde de ne pas me blesser.

La pédicure se félicita de sa longue expérience.

– Tu travailles correctement, constata Dolente ; je te paierai bien et te recommanderai à mes amies.

– Merci, princesse ; malgré la tristesse ambiante, vous m'offrez une belle satisfaction.

– Pourquoi parles-tu de tristesse ?

– Ma première cliente du matin, une grande dame de la cour, vient d'apprendre l'horrible nouvelle : le fils aîné du roi va mourir.

– N'est-ce pas une simple rumeur ?

– Hélas, non ! D'après le médecin du palais, Khâ ne survivra pas plus de trois jours.

– Hâte-toi de terminer, j'ai à faire.

L'urgence. Le seul cas où Dolente s'estimait obligée d'enfreindre les consignes de sécurité. Négligeant de se maquiller, elle se coiffa d'une perruque ordinaire et jeta une cape brune sur ses épaules. Personne ne l'identifierait.

Dolente se mêla aux badauds et obliqua vers le quartier

des briquetiers hébreux. Elle se faufila entre un porteur d'eau et un vendeur de fromages, écarta d'une main nerveuse deux fillettes qui jouaient à la poupée au milieu de la ruelle, bouscula un vieillard marchant trop lentement et frappa cinq coups à une petite porte peinte en vert sombre.

Elle s'ouvrit en grinçant.

– Qui êtes-vous ? demanda un briquetier.

– L'amie du mage.

– Entrez.

Le briquetier précéda Dolente dans un escalier menant à une cave éclairée par une lampe à huile dont la faible lumière éclairait le visage inquiétant du mage Ofir. Le faciès d'oiseau de proie, les pommettes saillantes, le nez proéminent composaient une figure mystérieuse qui fascinait la sœur de Ramsès.

Ofir serrait le pinceau de Khâ, qu'il avait couvert de signes étranges et partiellement brûlé.

– De quelle urgence s'agit-il, Dolente ?

– Khâ va mourir dans les heures qui viennent.

– Les médecins du palais auraient-ils renoncé à le guérir ?

– Pariamakhou estime que le décès est imminent.

– C'est une excellente nouvelle, mais qui modifie quelque peu nos plans. Vous avez bien fait de m'avertir.

La nuit du malheur surviendrait donc plus tôt que prévu. Les premiers-nés mourraient, à commencer par le fils de Ramsès, et le désespoir s'abattrait sur le peuple d'Égypte. Terrifié par la puissance et la colère de Yahvé, il se retournerait contre Ramsès. L'émeute serait gigantesque.

Dolente se jeta aux pieds du mage.

– Que va-t-il se passer, Ofir ?

– Ramsès sera balayé, Moïse et le vrai Dieu triompheront.

– Notre rêve réalisé...

– C'est bien de réalité qu'il faut parler, chère Dolente... Comme vous avez eu raison de persévérer.

– Ne pourrait-on éviter... certaines violences ?

Ofir releva Dolente et appliqua les paumes de ses mains sur les joues de la grande femme brune, presque alanguie.

– C'est Moïse qui prend les décisions, et Moïse est inspiré par Yahvé ; nous ne devons pas discuter ses ordres, quelles que soient leurs conséquences.

Une porte qui s'ouvre à la volée, un cri étouffé, des pas rapides dans l'escalier, et le géant sarde qui fait irruption dans la cave !

D'un revers de main, Serramanna écarta Dolente qu'il avait suivie jusqu'à la retraite du mage, et frappa ce dernier d'un coup de tête. Dans sa chute, l'espion hittite n'avait pas lâché le pinceau de Khâ, qu'il serrait toujours dans sa main. L'ancien pirate lui écrasa le bras sous son pied et l'obligea à ouvrir les doigts.

– Ofir... Enfin, je te tiens !

54

Sétaou entra dans la chambre de Khâ, jeta le pinceau envoûté sur le dallage et le piétina avec rage, jusqu'à le réduire en minuscules fragments.

Néfertari, qui n'avait pas cessé de magnétiser le fils aîné de Ramsès, leva vers Sétaou des yeux reconnaissants.

– Le maléfice est détruit, Majesté; Khâ guérira vite.

Néfertari ôta ses mains de la nuque du jeune homme avant de s'effondrer, épuisée.

Après que le docteur Pariamakhou eut prescrit des fortifiants inoffensifs, Sétaou administra à la reine un véritable remède qui redonnerait à son sang l'énergie disparue.

– La grande épouse royale est allée au-delà des limites de la fatigue, indiqua-t-il à Ramsès.

– J'exige toute la vérité, Sétaou.

– En offrant sa magie à Khâ, Néfertari s'est privée de nombreuses années de vie.

Ramsès demeura au chevet de la reine, tentant de lui donner la force qui émanait de lui, cette force sur laquelle était bâti son règne. Il était prêt à le sacrifier pour que Néfertari connaisse une longue et heureuse vieillesse, et illumine de sa beauté le double pays.

Il fallut toute la persuasion d'Améni pour faire revenir

Ramsès vers les affaires de l'État. Le roi n'accepta de converser avec son ami qu'après avoir entendu la voix apaisante de Néfertari, affirmant qu'elle sentait la nuit s'éloigner d'elle.

– Serramanna m'a fait un long rapport, déclara Améni. Le mage Ofir a été arrêté et sera jugé pour espionnage, magie noire, tentative de meurtre sur les membres de la famille royale, et meurtre sur les personnes de la malheureuse Lita et de sa servante. Mais il n'est pas le seul coupable : Moïse est aussi dangereux que lui. Ofir a parlé, et il a révélé que Moïse avait l'intention de supprimer tous les premiers-nés d'Égypte. Sans l'intervention de Serramanna, qui a contrecarré ce projet monstrueux, combien de victimes aurions-nous à déplorer ?

Du plus âgé au plus jeune, du plus humble au plus riche, du plus blasé au plus naïf, tous les Hébreux furent stupéfaits. Personne ne s'attendait à voir apparaître Pharaon en personne, à la tête d'un détachement de soldats commandé par Serramanna. Les rues furent désertées, et l'on se contenta d'observer le monarque derrière des volets mi-clos.

Ramsès se rendit directement à la demeure de Moïse. Averti par la rumeur, ce dernier se tenait sur le seuil, bâton en main.

– Nous ne devions pas nous revoir, Majesté.

– Ce sera notre dernière entrevue, Moïse, sois-en sûr. Pourquoi avoir tenté de semer la mort ?

– Seule m'habite l'obéissance à Yahvé.

– Ton dieu n'est-il pas trop cruel ? Je respecte ta foi, mon ami, mais je refuse qu'elle soit une source de discorde sur la terre que m'ont léguée mes ancêtres. Quitte l'Égypte, Moïse, quitte-la avec les Hébreux. Partez vivre ailleurs votre vérité. Ce n'est pas toi qui demandes l'exode, c'est moi qui l'exige.

Vêtu d'un long manteau de laine rouge et noir, l'empereur Hattousil contemplait sa capitale du haut de l'acropole au faîte de laquelle se dressait son palais. Son épouse Poutouhépa le prit tendrement par le bras.

– Notre pays est rude, mais il ne manque pas de beauté. Pourquoi le sacrifier à un ressentiment ?

– Ouri-Téchoup doit être châtié, affirma l'empereur.

– Ne l'est-il pas déjà ? Imagine ce guerrier impitoyable, en résidence surveillée, chez son pire ennemi ! La vanité d'Ouri-Téchoup n'est-elle pas blessée à mort ?

– Je n'ai pas le droit de céder sur ce point.

– L'Assyrie ne nous permettra pas de nous obstiner très longtemps ; son armée se montre de plus en plus menaçante et elle n'hésitera pas à nous attaquer si elle apprend que nos négociations de paix avec l'Égypte ont échoué.

– Ces négociations sont secrètes.

– L'empereur du Hatti serait-il devenu naïf ? Les messagers ne cessent d'aller et de venir entre le Hatti et l'Égypte, entre l'Égypte et le Hatti, et ce qui était secret ne l'est plus. Si nous ne concluons pas au plus tôt un accord de non-belligérance, les Assyriens nous considéreront comme une proie facile, puisque Ramsès assistera à notre chute sans réagir.

– Les Hittites sauront se défendre.

– Depuis le début de ton règne, Hattousil, ton peuple a beaucoup changé. Même les soldats aspirent à la paix. Et toi-même, as-tu un autre but ?

– N'est-ce pas Néfertari qui t'influence ?

– Ma sœur, la reine d'Égypte, partage mes convictions ; elle est parvenue à convaincre Ramsès de ne plus faire la guerre aux Hittites, mais serons-nous capables de répondre à son espérance ?

– Ouri-Téchoup...

– Ouri-Téchoup appartient au passé. Qu'il se marie à une Égyptienne, qu'il se fonde dans le peuple de Pharaon, et qu'il disparaisse de notre avenir !

– Tu me demandes beaucoup.

– N'est-ce pas mon devoir d'impératrice ?

– Ramsès considérera ma reculade comme un signe de faiblesse.

– Ni Néfertari ni moi-même n'interpréterons ainsi ta magnanimité.

– Les femmes dirigeraient-elles la politique extérieure du Hatti et de l'Égypte ?

– Pourquoi pas, répondit Poutouhépa, si nous aboutissons à la paix ?

Pendant son procès, le mage Ofir parla beaucoup. Il se vanta d'avoir été le chef du réseau d'espionnage hittite en Égypte, et d'avoir attenté aux jours de Khâ ; lorsqu'il décrivit la manière dont il avait supprimé la malheureuse Lita et sa servante, les jurés comprirent qu'Ofir n'éprouvait aucun remords et qu'il n'hésiterait pas à tuer de nouveau, avec la même froideur.

Dolente sanglota. Accusée de complicité active par Ofir, elle n'opposa aucun démenti et se contenta d'implorer la grâce de son frère, le roi d'Égypte. Elle chargea Chénar, dont la mauvaise influence l'avait écartée du droit chemin.

La délibération fut de courte durée. Le vizir rendit le verdict. Condamné à mort, Ofir s'exécuterait lui-même avec le poison ; Dolente, dont le nom serait anéanti et supprimé de tous les documents officiels, serait exilée à jamais en Syrie du Sud où elle serait employée comme ouvrière agricole, mise à la disposition d'un fermier pour l'accomplissement des corvées. Quant à Chénar, il fut condamné à la peine capitale par contumace et son nom sombrerait également dans le néant.

Sétaou et Lotus repartirent pour Abou Simbel le jour même où Âcha revenait en Égypte. Ils eurent à peine le temps de se congratuler avant de se séparer de nouveau.

Âcha fut aussitôt reçu par le couple royal ; quoique fort

lasse, Néfertari n'avait cessé de correspondre avec Poutouhépa. Massacreur, le lion nubien, et son complice Veilleur, le chien jaune or resté espiègle malgré son âge, ne quittaient pas la reine, comme s'ils savaient que leur présence lui redonnait un peu de force. Dès qu'il pouvait se soustraire aux exigences de sa charge, Ramsès se rendait auprès de son épouse. Ils se promenaient dans les jardins du palais, il lui lisait les textes des sages du temps des pyramides ; l'un et l'autre prenaient davantage conscience de l'amour immense qui les unissait, de cet amour secret que nul mot ne savait décrire, ardent comme un ciel d'été et doux comme un coucher de soleil sur le Nil.

C'était Néfertari qui obligeait Ramsès à se séparer d'elle pour retourner vers l'Égypte, orienter le navire de l'État dans la bonne direction, et répondre aux mille questions quotidiennes que posaient ministres et hauts fonctionnaires. Grâce à Iset la belle, à Méritamon et à Khâ, qui avait recouvré la santé, la convalescence de la reine était empreinte de joie et de jeunesse. Elle appréciait les visites du petit Mérenptah, à la prestance déjà remarquable, et celles de Touya, habile à masquer sa propre fatigue.

Âcha se prosterna devant Néfertari.

– Votre sagesse et votre beauté m'ont beaucoup manqué, Majesté.

– Es-tu porteur de bonnes nouvelles ?

– D'excellentes.

– Hattousil désire-t-il signer un traité ? demanda Ramsès, suspicieux.

– Grâce à la reine d'Égypte et à l'impératrice Poutouhépa, le cas d'Ouri-Téchoup est presque réglé : qu'il reste en Égypte et se fonde dans notre société. Ainsi, il ne restera plus d'obstacle à la conclusion d'un accord.

Un large sourire illumina le visage de Néfertari.

– Aurions-nous remporté la plus belle des victoires ?

– Notre principal soutien a été l'impératrice Poutouhépa ; le ton des lettres de la grande épouse royale a touché son cœur. Depuis le début du règne d'Hattousil, les Hittites redoutent le danger que représente l'armée assyrienne et ils savent que nous, leurs ennemis d'hier, serons leur meilleur soutien de demain.

– Agissons rapidement, recommanda Néfertari, afin de profiter de ce moment de grâce.

– J'apporte la version du traité de non-belligérance proposée par Hattousil. Étudions-la avec attention ; dès que j'aurai obtenu votre accord et celui de Pharaon, je repartirai pour le Hatti.

Le couple royal et Âcha se mirent au travail ; non sans surprise, Ramsès constata qu'Hattousil avait accepté la plupart de ses conditions.

Âcha avait effectué un travail surprenant, sans trahir la pensée du roi. Et lorsque Touya eut terminé, à son tour, une lecture attentive, elle donna son approbation.

– Que se passe-t-il ici ? demanda le vice-roi de Nubie dont le char, tiré par deux chevaux et conduit par un charrier expérimenté, se dirigeait vers le palais de Pi-Ramsès, en empruntant des rues bruyantes et encombrées.

– L'exode des Hébreux, répondit le charrier. Sous la conduite de leur chef Moïse, ils quittent l'Égypte et partent pour leur Terre Promise.

– Pourquoi Pharaon a-t-il accepté cette folie ?

– Ramsès les expulse pour trouble à l'ordre public.

Stupéfait, le vice-roi de Nubie, en visite officielle dans la capitale, vit des milliers d'hommes, de femmes et d'enfants sortir de Pi-Ramsès, poussant devant eux leurs troupeaux et tirant des charrettes remplies de vêtements et de provisions. Certains chantaient, d'autres avaient l'air triste. S'éloigner de la terre où ils menaient une existence agréable désespérait la plupart, mais ils n'osaient pas s'opposer à Moïse.

Accueilli par Améni, le vice-roi de Nubie fut conduit jusqu'au bureau de Ramsès.

– Quelle est la raison de cette visite ? interrogea le monarque.

– Je devais vous avertir au plus vite, Majesté. Aussi n'ai-je pas hésité à prendre un bateau rapide afin de vous faire moi-même un rapport sur les tragiques événements qui endeuillent le territoire dont j'ai la charge... Ils furent si inattendus, si brutaux ! Je ne pouvais imaginer...

– Cesse ce bavardage, exigea Ramsès, et dis la vérité.

Le vice-roi de Nubie avala sa salive.

– Une révolte, Majesté. Une terrible révolte de tribus coalisées.

55

Chénar avait réussi.

Mois après mois, il avait palabré et palabré encore, s'acharnant à convaincre un à un les chefs de tribus de s'allier avec leurs congénères pour s'emparer de la principale mine d'or de Nubie. Bien qu'il leur proposât de les payer grassement en leur distribuant des plaquettes d'argent, les guerriers noirs s'étaient montrés réticents à l'idée de défier Ramsès le grand. N'était-ce pas une folie que de s'opposer à l'armée égyptienne qui, au début du règne de Séthi, avait infligé une si lourde défaite à des révoltés ?

Malgré de nombreux échecs, Chénar s'était obstiné. Sa dernière chance de supprimer Ramsès était de l'attirer dans un guet-apens. Il lui fallait pour cela obtenir l'aide de combattants aguerris, décidés à s'emparer de richesses considérables et ne redoutant pas d'affronter les soldats du pharaon.

La persévérance de Chénar avait été récompensée. Un premier chef avait cédé, puis un deuxième, un troisième et plusieurs autres... Et de nouveaux palabres avaient été nécessaires pour désigner celui qui prendrait la tête de la révolte.

La discussion avait dégénéré en bagarre au cours de laquelle deux chefs de clan et le mercenaire crétois avaient été tués. L'accord se fit sur le nom de Chénar ; bien qu'il ne fût pas nubien, c'est lui qui connaissait le mieux Ramsès et son armée.

Les gardes chargés de surveiller les travailleurs de la mine n'opposèrent qu'une faible résistance à la horde déferlante de guerriers noirs, armés de lances et d'arcs ; en quelques heures, ces derniers se rendirent maîtres du site et, quelques jours plus tard, repoussèrent les troupes venues de la forteresse de Bouhen pour rétablir l'ordre.

Devant l'ampleur de la révolte, le vice-roi de Nubie n'avait eu d'autre solution que de rendre compte à Ramsès.

Chénar savait que son frère viendrait, en personne, mater les insoumis. Il commettrait ainsi une erreur fatale.

Collines désertiques, îlots de granit, étroite bande de verdure résistant à l'avancée du désert, ciel d'un bleu absolu que parcouraient pélicans, flamants roses, grues couronnées et jabirus, palmiers à double tronc... Telle était l'admirable Nubie qu'aimait Ramsès, et dont le charme agissait à chaque instant, malgré les graves soucis qui avaient contraint le roi et son armée à se rendre d'urgence dans le Grand Sud.

D'après le rapport du vice-roi, des tribus nubiennes révoltées s'étaient emparées de la principale mine d'or. L'interruption de la production de métal précieux avait des conséquences catastrophiques : d'une part, les orfèvres avaient besoin du métal précieux pour orner les temples ; d'autre part, le roi l'utilisait comme cadeau pour ses vassaux, afin de maintenir d'excellentes relations diplomatiques.

Bien qu'il regrettât de s'éloigner de Néfertari, Ramsès devait frapper vite et fort, d'autant plus qu'il avait une certitude, confirmée par l'intuition de la grande épouse royale : l'instigateur de cette révolte ne pouvait être que Chénar.

Son frère aîné n'avait pas disparu, comme on l'avait cru, dans les solitudes désertiques, et il s'était ingénié à répandre le trouble. En s'assurant la maîtrise de l'or, il lèverait des hordes de mercenaires, attaquerait les forteresses égyptiennes et se lancerait dans une aventure insensée, à la conquête de la terre des pharaons. La haine et la jalousie, nourries d'échecs, avaient fait entrer Chénar dans un royaume d'où il ne ressortirait plus, celui de la folie.

Entre lui et Ramsès, toutes les fibres de l'affection avaient été coupées. Même Touya, lorsque le pharaon lui avait confié ses intentions, n'avait pas protesté. Cet affrontement fratricide serait le dernier.

Plusieurs « fils royaux » se tenaient aux côtés de Ramsès, impatients de prouver leur vaillance. Portant des perruques à longs pans, des chemises plissées aux manches amples et une jupe à devanteau, ils tenaient avec fierté l'enseigne du dieu chacal, « l'ouvreur des chemins ».

Lorsqu'un gigantesque éléphant leur barra la route, les plus enthousiastes furent bien près de s'enfuir ; mais Ramsès s'avança vers la montagne vivante, se laissa soulever par sa trompe et déposer sur sa nuque, entre les deux grandes oreilles qui s'agitaient sur un rythme joyeux. Comment douter encore de la protection divine dont bénéficiait le pharaon ?

Massacreur, le lion à la magnifique crinière, progressa à la droite de l'éléphant en direction de la mine. Archers et fantassins étaient persuadés que Pharaon enfoncerait les rangs ennemis au prix d'une violente ruée ; mais Ramsès fit dresser le camp de tentes à bonne distance de l'objectif. Les cuisiniers se mirent aussitôt au travail, on nettoya les armes, on affûta les lames, et l'on nourrit les ânes et les bœufs.

Un « fils royal », âgé de vingt ans, osa émettre une protestation.

– Pourquoi attendre, Majesté ? Quelques Nubiens révoltés sont incapables de s'opposer à nos forces !

– Tu connais mal ce pays et ses habitants ; les Nubiens sont de redoutables archers et ils combattent avec une hargne inégalable. Si nous nous croyons déjà vainqueurs, beaucoup d'hommes mourront.

– N'est-ce pas la loi de la guerre ?

– Ma loi consiste à épargner le maximum de vies.

– Mais... les Nubiens ne se rendront pas !

– Pas sous la menace, en effet.

– Nous n'allons quand même pas négocier avec ces sauvages, Majesté !

– Il faut les éblouir. C'est le rayonnement qui donne la victoire, non le bras armé. Les Nubiens ont coutume de tendre des embuscades, d'attaquer l'arrière-garde et de prendre l'ennemi à revers. Nous ne leur en donnerons pas l'occasion, car nous les frapperons de stupeur.

Oui, Chénar connaissait bien Ramsès. Le roi foncerait droit devant lui, empruntant l'unique piste qui menait à la mine. De part et d'autre du site, des collines brûlées de soleil et des rochers serviraient d'abri aux archers nubiens. Ils tueraient les officiers, l'armée égyptienne se débanderait et Chénar exécuterait de ses propres mains un Ramsès suppliant et désespéré.

Aucun soldat égyptien ne sortirait vivant de ce piège.

Alors, Chénar accrocherait le cadavre de Ramsès à la proue de son bateau et ferait une entrée triomphante dans Éléphantine, avant de s'emparer de Thèbes, de Memphis, de Pi-Ramsès et de l'Égypte entière. Le peuple se rallierait à sa cause, et Chénar gouvernerait enfin, en se vengeant de tous ceux qui n'avaient pas reconnu sa valeur.

Le frère du roi sortit de la cabane en pierre, naguère occupée par le contremaître chargé de surveiller le travail de purification de l'or, et grimpa au sommet de l'aire de lavage du minerai aurifère. Seule l'eau, coulant en pente douce sur le plan incliné qui aboutissait à un bassin de décantation, parvenait à libérer le métal précieux de sa gangue. Les parcelles de terre demeuraient en suspension, le minerai, plus lourd et plus dense, tombait au fond du bassin. Opération fastidieuse, réclamant une longue patience. Chénar songea à sa propre existence ; que d'interminables années ne lui avait-il pas fallu avant de parvenir à s'affranchir de la magie de Ramsès, avant d'être en mesure de le vaincre et d'affirmer sa propre grandeur ! À l'heure du triomphe, il se sentait comme ivre.

Un guetteur fit de grands signes, des cris brisèrent le silence. Des plumes plantées dans leurs cheveux frisés, les guerriers noirs coururent dans tous les sens.

– Que se passe-t-il, ici ? Cessez de vous agiter !

Chénar descendit de son promontoire et agrippa un chef de tribu qui tournait en rond, affolé.

– Calme-toi, je te l'ordonne ! C'est moi qui commande.

Le guerrier pointa sa lance vers les collines environnantes et les rochers.

– Partout... Ils sont partout !

Chénar s'avança au centre de l'esplanade, leva les yeux et les vit.

Des milliers de soldats égyptiens encerclaient la mine.

Au sommet de la plus haute colline, une dizaine d'hommes dressèrent un dais sous lequel ils installèrent un trône. Coiffé de la couronne bleue, Ramsès vint s'y asseoir. Son lion se coucha à ses pieds.

Pas un seul Nubien ne pouvait détacher son regard de ce monarque de quarante-deux ans qui, en sa vingtième année de règne, atteignait l'apogée de la puissance. Malgré leur courage, les guerriers noirs comprirent que l'attaquer serait suicidaire. Le piège que croyait avoir tendu Chénar se refermait sur lui. Les soldats du pharaon avaient éliminé les sentinelles nubiennes et ne laissaient aux insurgés aucune chance de s'enfuir.

– Nous allons vaincre ! hurla Chénar. Tous avec moi !

Les chefs nubiens se ressaisirent. Oui, il fallait lutter.

L'un d'eux, suivi d'une vingtaine d'hommes hurlant et brandissant leur lance, grimpa la pente en direction du roi.

Une volée de flèches les coucha sur le sol. Plus habile

que ses camarades, un jeune combattant, courant en zigzag, parvint presque au pied du trône. Massacreur se détendit et planta ses griffes dans la tête de l'assaillant.

Son sceptre de commandement à la main, Ramsès était resté impassible ; Massacreur gratta le sable, secoua sa crinière et revint se coucher aux pieds de son maître.

Presque tous les guerriers nubiens lâchèrent leurs armes et se prosternèrent, en signe de soumission. Furieux, Chénar frappa les chefs à coups de pied.

– Relevez-vous et battez-vous ! Ramsès n'est pas invincible !

Comme aucun ne lui obéissait, Chénar planta son épée dans les reins d'un vieux chef de clan dont les convulsions furent violentes et brèves. Son râle d'agonie bouleversa ses égaux ; abasourdis, ils se relevèrent et lancèrent des regards haineux au frère de Ramsès.

– Tu nous as trahis, déclara l'un deux ; tu nous as trahis et tu nous as menti. Personne ne peut vaincre Ramsès et toi, tu nous accables de malheurs.

– Battez-vous, lâches !

– Tu nous as menti, répétèrent-ils en chœur.

– Suivez-moi et tuons Ramsès !

Les yeux fous, l'épée haute, Chénar regagna le promontoire d'où il dominait le réservoir d'eau et l'aire de lavage de l'or.

– Je suis le maître, le seul maître de l'Égypte et de la Nubie, je suis...

Dix flèches tirées par les chefs de clan se fichèrent en même temps dans sa tête, sa gorge et sa poitrine. Chénar tomba à la renverse sur le plan incliné et, lentement, son corps glissa vers le bassin de décantation, mêlé à la gangue terreuse que purifiait un paisible courant d'eau.

56

Aucun incident n'avait marqué le départ des Hébreux. Beaucoup d'Égyptiens déploraient la perte d'amis et de proches qui s'engageaient dans une aventure insensée ; de leur côté, nombre d'Hébreux redoutaient l'éprouvante traversée d'un désert aux mille dangers. Combien d'ennemis faudrait-il affronter, combien de peuples et de tribus s'opposeraient au passage des adorateurs de Yahvé ?

Serramanna enrageait.

Avant de partir pour la Nubie, Ramsès avait confié à Améni et au Sarde le soin de maintenir l'ordre dans la capitale. Au moindre trouble causé par les Hébreux, les forces de sécurité devaient intervenir avec vigueur et sans délai. Comme le début de l'exode s'était déroulé dans le calme, Serramanna n'avait eu aucun motif pour interpeller Moïse et Aaron.

Le Sarde demeurait persuadé que le pharaon avait eu tort d'épargner le chef des Hébreux ; même une ancienne et profonde amitié ne justifiait pas une telle tolérance. Loin d'Égypte, Moïse était encore capable de nuire.

Par précaution, Serramanna avait demandé à une dizaine de mercenaires de suivre les Hébreux et de lui adresser des rapports réguliers sur leur progression. À sa grande surprise, le prophète n'avait pas emprunté la route de Silé, jalonnée de puits et surveillée par l'armée égyptienne, mais choisi une piste difficile menant à la mer des roseaux. Ainsi, Moïse supprimait-il toute tentation de retour en arrière.

– Serramanna ! s'exclama Améni ; je te cherchais partout. Resteras-tu une éternité à contempler la route du Nord ?

– Ce Moïse qui a fait tant de mal et qui est parti indemne... Je n'aime pas l'injustice.

– Avant de mourir, Ofir nous a donné une dernière information intéressante, comme s'il voulait se détruire totalement, à la manière d'un scorpion : deux chefs de tribus bédouines, Amos et Baduch, ont quitté l'Égypte avec les Hébreux. Ce sont eux qui ont fourni des armes aux fidèles de Yahvé, dans la perspective des combats qu'ils auront à livrer pendant l'exode.

Du poing droit, Serramanna frappa la paume de sa main gauche.

– Ces deux brigands doivent être considérés comme des criminels... Et j'ai donc le devoir de les arrêter ainsi que leur complice, Moïse.

– Ton raisonnement est inattaquable.

– Je pars sur l'heure avec une cinquantaine de chars et je ramène tout ce beau monde pour le jeter en prison.

Ramsès serra Néfertari dans ses bras. La douce d'amour, à peine maquillée, parfumée comme une déesse, était plus belle que jamais.

– Chénar est mort, révéla le roi, et la révolte des Nubiens est terminée.

– La Nubie va-t-elle enfin connaître la paix ?

– Les chefs des rebelles ont été exécutés pour haute trahison, les villages qu'ils tyrannisaient ont organisé des réjouissances pour fêter leur mort. L'or volé m'a été remis, j'en ai déposé une partie à Abou Simbel et l'autre à Karnak.

– Les travaux d'Abou Simbel avancent-ils ?

– Sétaou anime le chantier avec une vigueur remarquable.

La reine ne dissimula pas plus longtemps l'information majeure.

– Serramanna et une escouade de chars se sont lancés à la poursuite de Moïse.

– Pour quel motif?

– La présence de deux espions bédouins, à la solde des Hittites, dans les rangs des Hébreux. Serramanna veut arrêter ces deux hommes et Moïse ; Améni ne s'est pas opposé à cette expédition, puisqu'elle est conforme à la loi.

Ramsès imagina Moïse à la tête de son peuple, martelant le sol de son bâton, ouvrant le chemin, obligeant les hésitants à continuer, et implorant Yahvé pour qu'il se manifeste la nuit sous la forme d'une colonne de feu et le jour sous celle d'une colonne de nuées. Aucun obstacle ne le ferait reculer, aucun ennemi ne l'effraierait.

– Je viens de recevoir une longue lettre de Poutouhépa, ajouta Néfertari ; elle est persuadée que nous aboutirons.

– Merveilleuse nouvelle !

Ramsès avait prononcé ces mots sans y croire, l'esprit ailleurs.

– Tu crains que Moïse ne soit tué, n'est-ce pas ?

– Je souhaite ne jamais le revoir.

– En ce qui concerne le traité de paix, il reste un point délicat.

– Encore Ouri-Téchoup ?

– Non, un problème de formulation... Hattousil ne veut pas reconnaître qu'il est seul responsable du climat de guerre et se plaint d'être considéré comme un inférieur, obligé de se soumettre à la volonté de Pharaon.

– N'est-ce pas la réalité ?

– Le texte du traité sera rendu public, les générations futures le liront : Hattousil refuse de perdre la face.

– Que le Hittite s'incline, ou bien il sera anéanti !

– Devrons-nous renoncer à la paix à cause de quelques mots excessifs ?

– Le moindre mot compte.

– Puis-je néanmoins proposer une nouvelle rédaction au maître des Deux Terres ?

– En tenant compte des exigences d'Hattousil, je suppose ?

– En tenant compte de l'avenir de deux peuples qui refusent la guerre, les massacres et le malheur.

Ramsès embrassa Néfertari sur le front.

– Me reste-t-il une chance d'échapper à la verve diplomatique de la grande épouse royale ?

– Aucune, répondit-elle en posant sa tête sur l'épaule de Ramsès.

Moïse était entré dans une violente colère et Aaron avait dû frapper de son bâton le dos de quelques récalcitrants, déjà lassés de l'exode et désireux de retourner en Égypte où ils avaient de la nourriture à volonté et vivaient dans de confortables demeures. La plupart détestaient le désert et ne s'habituaient pas à dormir à la belle étoile ou sous des tentes ; beaucoup commençaient à protester contre la rude existence que leur imposait le prophète.

Alors s'était élevée la grande voix de Moïse, enjoignant aux tièdes et aux lâches d'obéir à Yahvé et de continuer leur route vers la Terre Promise, quelles que fussent les embûches et les épreuves. Et la longue marche avait repris, au-delà de Silé, dans un paysage aquatique et humide ; les Hébreux enfonçaient parfois dans la boue, des chariots versaient, les sangsues agressaient hommes et bêtes.

Moïse décida de faire halte non loin de la frontière, près du lac Sarbonis et de la Méditerranée ; l'endroit était considéré comme dangereux, car le vent du désert déposait d'énormes quantités de sable sur des surfaces d'eau incertaines et créait de fausses terres qui formaient « la mer des roseaux ».

Personne ne vivait en ces lieux désolés, abandonnés aux bourrasques et aux colères de la mer et du ciel ; même les pêcheurs les évitaient, de peur d'être la proie des sables mouvants.

Une femme échevelée se prosterna aux pieds de Moïse.

– Nous allons tous mourir ici, dans ces solitudes !

– Tu te trompes.

– Regarde autour de toi ! Est-ce là, ta Terre Promise ?

– Bien sûr que non.

– Nous n'irons pas plus loin, Moïse.

– Bien sûr que si. Dans les jours prochains, nous franchirons la frontière et nous irons où Yahvé nous appelle.

– Comment peux-tu être si sûr de toi ?

– Parce que j'ai vu Sa présence, femme, et qu'Il m'a parlé. Va dormir, maintenant ; nous avons encore beaucoup d'efforts à accomplir.

Subjuguée, la femme obéit.

– Cet endroit est horrible, jugea Aaron ; j'ai hâte de reprendre la route.

– Un long repos était nécessaire ; demain, à l'aube, Yahvé nous donnera la force de continuer.

– Ne doutes-tu jamais de notre succès, Moïse ?

– Jamais, Aaron.

Les chars de Serramanna, accompagnés d'un « fils royal » qui représentait Ramsès, avaient progressé à vive allure à la poursuite des Hébreux. Lorsqu'il respira l'air de la mer, les narines de l'ancien pirate se dilatèrent. Il fit signe à ses hommes de s'arrêter.

– Parmi vous, qui connaît ces lieux ?

Un charrier expérimenté prit la parole.

– L'endroit est hanté. Je ne vous conseille pas de déranger les démons.

– Pourtant, objecta le Sarde, les Hébreux ont pris ce chemin.

– Libre à eux de se comporter comme des insensés... Nous, nous devrions rebrousser chemin.

Au loin, des fumées.

– Le campement des Hébreux n'est guère éloigné, remarqua le fils royal ; procédons à l'arrestation des malfaiteurs.

– Les fidèles de Yahvé sont armés, rappela Serramanna, et ils sont nombreux.

– Nos hommes savent se battre et nos chars nous confèrent la suprématie. À bonne distance, nous lancerons une volée de flèches et exigerons que Moïse et les deux chefs bédouins nous soient livrés. Sinon, nous chargerons.

Non sans appréhension, les chars repartirent à travers les terres humides.

Aaron se réveilla en sursaut ; Moïse était déjà debout, bâton en main.

– Ce bruit sourd...

– Oui, c'est celui de chars égyptiens.

– Ils foncent sur nous !

– Nous avons le temps de nous échapper.

Les deux bédouins, Amos et Baduch, refusèrent de s'aventurer dans la mer de roseaux, mais les Hébreux, affolés, acceptèrent de suivre Moïse. Avec la nuit tombante, plus personne ne distinguait l'eau de la bande de sable, mais Moïse avançait d'un pas sûr entre la mer et le lac, guidé par le feu qui lui brûlait l'âme depuis l'adolescence, ce feu devenu désir d'une Terre Promise.

En se déployant, les chars égyptiens commirent une erreur fatale. Les uns s'enfoncèrent dans les sables mouvants, les autres se perdirent dans des marais parcourus d'invisibles courants ; le char du fils royal s'immobilisa dans une terre poisseuse, tandis que celui de Serramanna heurta de plein fouet les deux bédouins qui s'étaient dissociés des Hébreux.

Le vent d'est se leva, se joignant à celui du désert ; ainsi fut asséché le passage qu'empruntèrent les Hébreux pour traverser la mer des roseaux.

Indifférent à la mort des deux espions, écrasés par les roues de son char, Serramanna s'ensabla à son tour ; le temps de dégager les véhicules et de rassembler ses hommes, dont certains étaient blessés, le vent avait changé. Chargées d'humidité, des bourrasques déclenchèrent de fortes vagues qui noyèrent le passage.

La rage au cœur, Serramanna regarda Moïse s'enfuir.

57

Malgré les soins que lui prodiguait Néféret, une jeune femme médecin aux dons exceptionnels, la reine mère Touya se préparait au grand voyage. Bientôt, elle rejoindrait Séthi et quitterait une Égypte terrestre dont l'avenir heureux était presque assuré. Presque, car le traité de paix avec les Hittites restait encore à conclure.

Lorsque Néfertari vint la retrouver dans le jardin où elle méditait, Touya perçut l'émotion de la grande épouse royale.

– Majesté, je viens de recevoir cette lettre de l'impératrice Poutouhépa.

– Mes yeux sont usés, Néfertari ; lis-la, je te prie.

La voix douce et envoûtante de la reine ravit le cœur de Touya.

À ma sœur, l'épouse du soleil, Néfertari. Tout va bien pour nos deux pays, j'espère que ta santé et celle de tes proches est florissante. Ma fille se porte à merveille et mes chevaux sont magnifiques ; puisse-t-il en être de même pour tes enfants, tes chevaux et le lion de Ramsès le grand. Ton serviteur, Hattousil, est aux pieds de Pharaon et se prosterne devant lui.

Paix et fraternité : tels sont les mots qui doivent être prononcés, car le dieu-lumière de l'Égypte et le dieu-orage du Hatti veulent fraterniser.

Porteurs du texte du traité, les ambassadeurs de l'Égypte et du Hatti ont pris la route en direction de Pi-Ramsès afin que Pharaon scelle à jamais notre décision commune.

La Dame d'Abou Simbel

Que ma sœur Néfertari soit protégée par les dieux et les déesses.

Tombant dans les bras l'une de l'autre, Néfertari et Touya pleurèrent de joie.

Serramanna se sentait semblable à un insecte qu'allait écraser la sandale de Ramsès. La tête basse, le Sarde se préparait à être chassé du palais et ne supportait pas cette déchéance. Lui, l'ancien pirate, s'était habitué à son existence d'homme d'ordre et de redresseur de torts. Une fidélité absolue à Ramsès avait donné un sens à son existence et mis fin à son errance ; cette Égypte, qu'il comptait piller, était devenue sa patrie. Lui, le navigateur, avait touché terre sans éprouver le désir de repartir.

Serramanna était reconnaissant à Ramsès de ne pas lui faire subir une humiliation devant la cour et ses subordonnés ; le monarque le recevait dans son bureau, en tête à tête :

– Majesté, j'ai commis une erreur. Personne ne connaissait le terrain et...

– Les deux espions bédouins ?

– Ils ont péri écrasés sous les roues de mon char.

– Es-tu certain que Moïse a échappé à la tempête ?

– Lui et les Hébreux ont traversé la mer des roseaux.

– Oublions-les, puisqu'ils ont franchi la frontière.

– Mais... Moïse vous a trahi !

– Il suit son chemin, Serramanna. Puisqu'il ne risque plus de troubler l'harmonie des Deux Terres, qu'il aille vers son destin. J'ai une mission importante à te confier.

Le Sarde n'en crut pas ses oreilles. Le roi lui pardonnait-il son échec ?

– Tu vas te rendre à la frontière avec deux régiments de chars pour accueillir l'ambassade hittite dont tu assureras la protection.

– C'est une tâche... une tâche...

– Une tâche décisive pour la paix du monde, Serramanna.

Hattousil avait cédé.

Écoutant à la fois son intuition d'homme d'État, les conseils de son épouse Poutouhépa et les recommandations de l'ambassadeur égyptien Âcha, il avait rédigé le texte d'un traité de non-belligérance avec l'Égypte, sans s'opposer aux exigences de Ramsès, et nommé deux messagers, chargés d'apporter au pharaon des tablettes d'argent couvertes de la version de l'accord en écriture cunéiforme.

Hattousil promettait à Ramsès d'exposer le traité dans le temple de la déesse du Soleil, à Hattousa, à condition que le souverain égyptien fît de même dans l'un des grands sanctuaires des Deux Terres ; mais Ramsès accepterait-il de ratifier le document, sans y ajouter de nouvelles clauses ?

De la capitale hittite à la frontière égyptienne, l'atmosphère demeura tendue. Âcha avait conscience qu'il ne pourrait demander davantage à Hattousil ; si Ramsès manifestait un quelconque mécontentement, le projet de traité demeurerait lettre morte. Quant aux soldats hittites, ils ne dissimulaient pas leur inquiétude ; des groupes de dissidents tenteraient probablement de les attaquer pour empêcher les messagers de la paix de parvenir à destination. Cols, défilés, forêts, leur apparurent comme autant de traquenards, mais le voyage se déroula sans incident.

Quand il aperçut Serramanna et les chars égyptiens, Âcha poussa un long soupir de soulagement. Désormais, il voyagerait tranquille.

Le Sarde et l'officier supérieur de la charrerie hittite se saluèrent avec froideur ; l'ancien pirate aurait volontiers exterminé les barbares, mais il se devait d'obéir à Ramsès et de remplir sa mission.

Pour la première fois, des chars hittites pénétrèrent dans le Delta et roulèrent sur la route menant à Pi-Ramsès.

– Qu'en est-il de la révolte en Nubie ? demanda Âcha.

– En a-t-on entendu parler à Hattousa ? s'inquiéta le Sarde.

– Rassure-toi, l'information est demeurée confidentielle.

– Ramsès a rétabli le calme, Chénar a été exécuté par ses alliés.

– Puisse la paix s'établir au Nord comme au Sud ! Si Ramsès accepte le traité que lui présenteront les messagers hittites, s'ouvrira une ère de prospérité dont se souviendront les générations futures.

– Pourquoi refuserait-il ?

– À cause d'un détail qui n'en est pas un... Soyons optimistes, Serramanna.

Le vingt et unième jour de la saison d'hiver de la vingt et unième année du règne de Ramsès, Âcha et les deux diplomates hittites furent introduits par Améni dans la salle d'audience du palais de Pi-Ramsès, dont la magnificence les stupéfia. À la grisaille de leur monde guerrier se substituait un univers coloré, mêlant le grandiose et le raffiné.

Les messagers présentèrent au pharaon les tablettes d'argent ; Âcha lut la déclaration préliminaire.

Qu'un millier de divinités, parmi les dieux et les déesses du Hatti et de l'Égypte, soient témoins de ce traité qu'établissent l'empereur du Hatti et le pharaon d'Égypte. Sont témoins le soleil, la lune, les dieux et les déesses du ciel et de la terre, des montagnes et des rivières, de la mer, des vents et des nuages.

Ces milliers de divinités détruiraient la maison, le pays et les sujets de celui qui n'observerait pas le traité. Quant à celui qui l'observera, ces milliers de divinités agiront pour qu'il soit prospère et vive heureux avec sa maisonnée, ses enfants et ses sujets *.

* Texte authentique du traité conservé dans les archives hittites et égyptiennes.

En présence de la grande épouse royale Néfertari et de la reine mère Touya, Ramsès approuva cette déclaration qu'Améni transcrivit sur papyrus.

– L'empereur Hattousil reconnaît-il la responsabilité des Hittites dans les actes de guerre commis pendant ces dernières années ?

– Oui, Majesté, répondit l'un des deux ambassadeurs.

– Admet-il que ce traité engage nos successeurs ?

– Notre empereur souhaite que cet accord engendre paix et fraternité, et qu'il soit appliqué par nos enfants, et les enfants de nos enfants.

– Quelles frontières respecterons-nous ?

– L'Oronte, une ligne de fortifications en Syrie du Sud, la route qui sépare Byblos l'Égyptienne de la province d'Amourrou considérée comme protectorat hittite, la route passant au sud de Kadesh la Hittite et la séparant du débouché septentrional de la plaine de la Beqâa, placée sous influence égyptienne. Les ports phéniciens resteront sous le contrôle de Pharaon ; diplomates et commerçants égyptiens circuleront librement sur la route menant au Hatti.

Âcha retint son souffle.

Ramsès accepterait-il de renoncer définitivement à la citadelle de Kadesh et, surtout, à la province d'Amourrou ? Ni Séthi ni son fils n'avaient réussi à s'emparer de la fameuse place forte au pied de laquelle Ramsès avait remporté sa plus grande victoire, et il semblait logique que Kadesh demeurât dans le giron hittite.

Mais l'Amourrou... L'Égypte avait beaucoup lutté pour conserver cette province, des soldats étaient morts pour elle. Âcha redoutait que Pharaon ne se montrât intransigeant.

Le monarque regarda Néfertari. Dans le regard de la reine, il lut la réponse.

– Nous acceptons, déclara Ramsès le grand.

Améni continuait d'écrire, Âcha se sentit empli d'une joie immense.

– Que désire encore mon frère Hattousil ? demanda Ramsès.

– Un pacte définitif de non-agression, Majesté, et une alliance défensive contre quiconque attaquerait l'Égypte ou le Hatti.

– Songe-t-il à l'Assyrie ?

– À n'importe quel peuple qui tenterait de s'emparer des terres de l'Égypte ou du Hatti.

– Nous aussi, nous voulons ce pacte et cette alliance ; grâce à eux, nous maintiendrons prospérité et bonheur.

D'une main très sûre, Améni poursuivit sa rédaction.

– Majesté, l'empereur Hattousil souhaite aussi que, dans nos pays, soit respectée et sauvegardée la succession royale selon les rites et les traditions.

– Il ne saurait en être autrement.

– Notre souverain aimerait enfin régler le problème de l'extradition mutuelle des fugitifs.

Âcha redoutait ce dernier obstacle ; un seul détail controversé remettrait en cause l'ensemble de l'accord.

– J'exige que les personnes extradées soient traitées humainement, déclara Ramsès ; lorsqu'elles seront ramenées dans leur pays, l'Égypte ou le Hatti, elles ne subiront ni châtiment ni injure, et leur maison devra leur être rendue intacte. De plus, Ouri-Téchoup, devenu égyptien, restera libre de son destin.

Ayant reçu l'accord d'Hattousil pour accepter ces conditions, les deux ambassadeurs acquiescèrent.

Le traité pouvait entrer en vigueur.

Améni en remettrait la version définitive aux scribes royaux qui la recopieraient sur des papyrus de première qualité.

– Ce texte sera gravé dans la pierre de plusieurs temples d'Égypte, annonça Ramsès, notamment dans le sanctuaire de Râ à Héliopolis, sur la face sud de l'aile orientale du neuvième pylône de Karnak et sur le côté sud de la façade du grand temple d'Abou Simbel. Ainsi, du nord au sud, du Delta à la Nubie, les Égyptiens sauront qu'ils vivront à jamais en paix avec les Hittites, sous le regard des divinités.

58

Logés dans les locaux du palais des pays étrangers, les ambassadeurs hittites participèrent à la liesse générale qui embrasait la capitale égyptienne ; ils constatèrent l'immense popularité de Ramsès, partout célébré dans un chant volontiers repris en chœur : « Il nous éblouit comme le soleil, il nous régénère comme l'eau et le vent, nous l'aimons comme le pain et les belles étoffes, car il est le père et la mère du pays entier, la lumière des deux rives. »

Néfertari invita les Hittites à assister à un rituel célébré dans le temple d'Hathor ; ils entendirent l'invocation à la puissance unique qui se créait elle-même chaque jour, amenait à l'existence toutes les formes de vie, illuminait les visages, faisait frémir de joie les arbres et les fleurs. Lorsque les regards se tournèrent vers le Principe caché dans l'or du ciel, les oiseaux prirent leur essor en cet instant heureux, et un chemin de paix s'ouvrit sous les pas des humains.

Allant d'étonnement en réjouissance, les Hittites furent conviés à un banquet au cours duquel ils dégustèrent ragoût de pigeons, rognons marinés, cuisses de bœuf rôties, perches du Nil, oies grillées, lentilles, ails et oignons doux, courgettes, laitues, concombres, petits pois, haricots, compote de figues, pommes, dattes, pastèques, fromages de chèvre, yaourts, gâteaux ronds au miel, pain frais, bière douce, vin rouge et vin blanc. En cette occasion exceptionnelle, on servit un grand cru mis en jarres le sixième jour de la quatrième année du règne de Séthi, et marquées par le symbole d'Anubis, maître du désert. Les diplomates s'étonnèrent de l'abondance et de la qualité des mets, apprécièrent la beauté de la vaisselle de pierre et finirent par s'abandonner à la joie collective, en chantant en égyptien les louanges de Ramsès.

Oui, c'était bien la paix.

La capitale s'était enfin endormie.

Malgré l'heure tardive, Néfertari écrivit de sa main une longue lettre à sa sœur Poutouhépa pour la remercier de ses efforts et lui parler des heures merveilleuses que vivaient le Hatti et l'Égypte. Lorsque la reine eut apposé son sceau, Ramsès posa doucement ses mains sur ses épaules.

– Le temps du travail n'est-il pas terminé ?

– La journée comporte plus de tâches que d'heures, il ne saurait en être autrement, et il est bon qu'il en soit ainsi : ne le répètes-tu pas à tes hauts fonctionnaires ? La grande épouse royale ne peut se soustraire à la Règle.

Le parfum de fête de Néfertari envoûtait Ramsès. Le maître parfumeur du temple n'avait pas utilisé moins de seize ingrédients, dont du roseau odorant, du genièvre, des fleurs de genêt, de la résine de térébenthine, de la myrrhe et des aromates. Un fard vert soulignait l'élégance des paupières, une perruque ointe d'huile de Libye mettait en valeur la beauté sublime du visage.

Ramsès ôta la perruque et déploya la longue et ondulante chevelure de Néfertari.

– Je suis heureuse... N'avons-nous pas œuvré pour le bonheur de notre peuple ?

– Ton nom restera à jamais associé à ce traité ; cette paix, c'est toi qui l'as construite.

– Qu'importe notre gloire, au regard de la juste suite des jours et des rites ?

Le roi fit glisser les bretelles de la robe de Néfertari le long de ses épaules, et l'embrassa dans le cou.

– Comment te dire mon amour ?

Elle se retourna et posa ses lèvres sur les siennes.

– L'heure est-elle encore aux discours ?

La première lettre officielle en provenance du Hatti, à la suite de l'acceptation du traité de paix, provoqua une forte poussée de curiosité à la cour de Pi-Ramsès. Hattousil désirait-il revenir sur un point essentiel de l'accord ?

Le roi brisa le sceau apposé sur l'étoffe qui recouvrait la tablette de bois précieux et parcourut le texte écrit en caractères cunéiformes.

Il se rendit aussitôt chez la reine. Néfertari achevait la relecture du rituel pour les fêtes du printemps.

– Étrange courrier, en vérité !

– Un incident grave ? s'inquiéta la reine.

– Non, une sorte d'appel au secours. Une princesse hittite, au nom impossible, est souffrante. D'après Hattousil, elle semble possédée par un démon que les médecins du Hatti ne parviennent pas à expulser de son corps. Connaissant les talents de nos thérapeutes, notre nouvel allié me supplie de lui envoyer un guérisseur de la Maison de Vie pour rétablir la santé de la princesse et lui permettre d'avoir enfin l'enfant qu'elle désire.

– C'est une excellente nouvelle ; les liens entre nos deux pays ne vont cesser de se renforcer.

Le roi fit venir Âcha auquel il communiqua le contenu de la missive d'Hattousil.

Le chef de la diplomatie égyptienne éclata de rire.

– Cette supplique apparaît-elle si saugrenue ? s'étonna la reine.

– J'ai le sentiment que l'empereur hittite éprouve une confiance vraiment illimitée en notre médecine ! Il ne réclame pas moins qu'un miracle.

– Sous-estimerais-tu notre science ?

– Certes, pas, mais comment donnerait-elle la possibilité d'avoir un enfant à une femme, fût-elle princesse hittite, qui a dépassé la soixantaine ?

Après un franc moment d'hilarité, Ramsès dicta à Améni une réponse pour son frère Hattousil.

Quant à la princesse qui souffre – surtout de son âge – nous la connaissons. Personne ne peut fabriquer des médicaments qui la rendront enceinte. Mais si le dieu de l'orage et celui du soleil le décident... J'enverrai donc un excellent magicien et un médecin compétent.

Ramsès fit aussitôt partir pour Hattousa une statue magique du dieu guérisseur Khonsou, le traverseur de l'espace, incarné dans un croissant de lune. Qui d'autre qu'une divinité, en effet, réussirait à modifier les lois de la physiologie ?

Quand le message de Nébou, le grand prêtre de Karnak, parvint à Pi-Ramsès, le roi décida le transfert de la cour à Thèbes. Avec son efficacité habituelle, Améni affréta les bateaux nécessaires et distribua des consignes afin que le voyage s'effectuât dans les meilleures conditions possibles.

Sur le navire royal avaient pris place tous les êtres chers à Ramsès : son épouse Néfertari, resplendissante ; sa mère Touya, qui affichait sa joie d'avoir vécu assez longtemps pour voir s'instaurer la paix entre l'Égypte et le Hatti ; Iset la belle, très émue d'être associée à la grande fête qui se préparait ; ses trois enfants, Khâ le grand prêtre de Memphis, Méritamon la musicienne et le jeune Mérenptah, à l'impressionnante stature ; ses fidèles amis, Améni et Âcha, grâce auxquels Ramsès avait pu bâtir un royaume heureux ; le ministre Nedjem et Serramanna, loyaux serviteurs. Seuls manquaient Sétaou et Lotus qui, obligés de venir d'Abou Simbel, ne rejoindraient le cortège qu'à Thèbes. Et Moïse... Moïse qui avait renié l'Égypte.

Au débarcadère, le grand prêtre de Karnak en personne accueillit le couple royal. Cette fois, Nébou était vraiment vieux. Voûté, se déplaçant avec difficulté, la main crispée sur sa canne, la voix hésitante, il souffrait de rhumatismes déformants ; mais l'œil demeurait vif et le sens de l'autorité n'avait pas faibli.

Le roi et le grand prêtre se donnèrent l'accolade.

– J'ai tenu ma promesse, Majesté ; grâce au travail de Bakhen et de ses équipes d'artisans, votre temple des millions d'années est achevé. Les divinités m'ont accordé le bonheur de contempler cet immense chef-d'œuvre où elles résideront.

– Je tiendrai la mienne, Nébou ; nous monterons ensemble sur le toit du temple, et nous contemplerons le sanctuaire, ses dépendances et le palais.

L'énorme pylône, dont la face interne était décorée des scènes de la victoire de Kadesh, la vaste première cour aux piliers représentant le roi en Osiris, le colosse haut de dix-sept mètres représentant le roi assis, un second pylône dévoilant le rituel de la moisson, la salle à colonnes profonde de trente et un mètres et large de quarante et un, le sanctuaire dont les reliefs révélaient les mystères du culte quotidien, le grand arbre sculpté qui symbolisait la pérennité de l'institution pharaonique... Tant de merveilles, qu'admira le couple royal, au comble de la félicité.

Les fêtes de l'inauguration du temple des millions d'années durèrent plusieurs semaines. Pour Ramsès, leur sommet devait être la naissance rituelle de la chapelle consacrée à son père et à sa mère ; Néfertari et le monarque prononceraient les paroles d'animation à jamais gravées dans les colonnes de hiéroglyphes.

Alors que Pharaon achevait de se vêtir dans la

« demeure du matin », Améni se présenta devant lui, le visage décomposé.

– Ta mère... ta mère t'appelle.

Ramsès courut jusqu'aux appartements de Touya.

La veuve de Séthi était allongée sur le dos, les bras le long du corps, les yeux mi-clos. Le roi s'agenouilla et embrassa ses mains.

– Es-tu trop lasse pour participer à l'inauguration de ta chapelle ?

– Ce n'est plus la fatigue qui m'accable, mais la mort qui vient.

– Repoussons-la ensemble.

– Je n'en ai plus la force, Ramsès... Mais pourquoi me révolterais-je ? L'heure est venue de rejoindre Séthi, et cette heure est un moment heureux.

– As-tu la cruauté d'abandonner l'Égypte ?

– Le couple royal règne, il suit la voie droite... Je sais que la prochaine crue sera excellente et la justice respectée. Je peux partir sereine, mon fils, grâce à la paix que Néfertari et toi avez su construire et que vous rendrez durable. C'est si beau, un pays paisible où les enfants jouent, où les troupeaux rentrent des champs pendant que les bouviers fredonnent une chanson sur un air de flûte, où les êtres se respectent en sachant que Pharaon les protège... Préserve ce bonheur, Ramsès, préserve ces bonheurs, et transmets cette Règle à ton successeur.

Face à l'épreuve suprême, Touya ne tremblait pas. Elle demeurait altière et souveraine, son regard impassible fixait l'éternité.

– Aime l'Égypte de tout ton être, Ramsès, qu'aucun sentiment humain ne prenne le pas sur cet amour-là, qu'aucune épreuve, si cruelle fût-elle, ne te détourne de tes devoirs de pharaon.

La main de Touya serra très fort celle de son fils.

– Souhaite-moi, roi d'Égypte, de rejoindre le champ des

offrandes, la campagne des félicités, souhaite-moi de m'établir à jamais dans ce pays merveilleux d'eau et de lumière, d'y rayonner en compagnie de nos ancêtres et de Séthi...

La voix de Touya s'éteignit, dans un souffle profond comme l'au-delà.

59

Dans la Vallée des Reines, place de beauté et de perfection, la demeure d'éternité de Touya était toute proche de celle prévue pour Néfertari. La grande épouse royale et le pharaon dirigèrent les funérailles de la veuve de Séthi, dont la momie reposerait désormais dans la chambre de l'or. Transformée en Osiris et en Hathor, Touya survivrait à travers son corps de lumière que réanimerait chaque jour l'énergie invisible, provenant des profondeurs du ciel. Dans la tombe furent déposés le mobilier rituel, les vases canopes contenant les viscères, les étoffes précieuses, les jarres à vin, les vases d'huiles et d'onguents, les aliments momifiés, les robes de prêtresses, les sceptres, les parures, colliers et bijoux, les sandales d'or et d'argent, et autres trésors qui faisaient de Touya une voyageuse équipée pour parcourir les belles routes de l'Occident et les paysages de l'autre monde.

Ramsès tentait d'accueillir le malheur et le bonheur avec la même force d'âme. D'un côté, la paix tant désirée avec les Hittites et l'achèvement du Ramesseum, son temple des millions d'années ; de l'autre, la disparition de Touya. Le fils et l'homme étaient effondrés, mais le pharaon n'avait pas le droit de trahir la reine mère, si inébranlable que la mort elle-même ne semblait avoir eu sur elle aucune prise. Il devait respecter le message qu'elle lui avait laissé : l'Égypte passait avant ses sentiments, avant sa joie et sa peine.

Et Ramsès se soumit aux exigences de sa fonction, assisté de Néfertari ; il continua à tenir le gouvernail du navire de l'État, comme si Touya était toujours présente. Désormais, il devrait apprendre à se passer de ses conseils et de ses interventions. C'est à Néfertari qu'il appartenait maintenant d'assumer les tâches que remplissait Touya ; en dépit du courage de son épouse, Ramsès sentit que le poids devenait écrasant.

Chaque jour, après la célébration des rites de l'aube, le couple royal méditait de longs moments dans la chapelle du Ramesseum dédiée à Touya et à Séthi ; le roi avait besoin de s'imprégner de la réalité invisible que créaient les pierres vivantes et les hiéroglyphes animés par le verbe. En communiant avec l'âme de leurs prédécesseurs, Ramsès et Néfertari s'emplissaient de cette lumière secrète qui nourrissait leur pensée.

Au terme des soixante-dix jours de deuil, Améni jugea indispensable de soumettre à Ramsès les affaires urgentes. Installé dans les bureaux du Ramesseum avec son équipe de scribes réduite mais efficace, le secrétaire particulier de Pharaon était en contact permanent avec Pi-Ramsès et n'avait pas perdu un seul instant dans l'étude des dossiers.

– La crue est excellente, révéla-t-il à Ramsès, le trésor du royaume n'a jamais été aussi considérable, la gestion de nos réserves alimentaires ne présente aucune faille, et les corporations d'artisans travaillent sans relâche. Quant aux prix, ils sont stables et nulle inflation ne menace.

– L'or de Nubie ?

– L'extraction et l'approvisionnement sont satisfaisants.

– Me décrirais-tu un paradis ?

– Certes pas... Mais nous nous efforçons d'être dignes de Touya et de Séthi.

– Pourquoi cette ombre de contrariété dans ta voix ?

– Eh bien... Âcha aimerait te parler, mais il ne sait pas si le moment...

– Il t'a inculqué le sens de la diplomatie, dirait-on ; qu'il me rejoigne à la bibliothèque.

La bibliothèque du Ramesseum serait digne de celle de la Maison de Vie d'Héliopolis ; jour après jour y parvenaient papyrus et tablettes inscrites dont le monarque surveillait lui-même le classement. Sans la connaissance des rites, des textes philosophiques et des archives, il était impossible de bien gouverner l'Égypte.

Élégant, vêtu d'une robe de lin d'une qualité exceptionnelle ornée de franges colorées, Âcha s'extasia.

– Travailler ici sera une bénédiction, Majesté.

– Le Ramesseum sera l'un des centres vitaux du royaume. Souhaitais-tu me parler d'un livre de sagesse ?

– Je souhaitais te voir, tout simplement.

– Je vais bien, Âcha. Rien n'effacera la mort de Touya, jamais je n'oublierai Séthi, mais l'un et l'autre ont tracé un chemin dont je ne dévierai pas. Les Hittites nous causeraient-ils des ennuis ?

– Aucun, Majesté ; Hattousil est d'autant plus enchanté de notre traité qu'il a fait rentrer l'Assyrie dans sa coquille. L'accord d'assistance mutuelle entre l'Égypte et le Hatti a fait comprendre aux militaires assyriens que toute agression entraînerait une riposte massive et immédiate. De nombreux contacts commerciaux avec le Hatti sont en cours, et je peux affirmer que la paix régnera dans la région pendant de nombreuses années. La parole donnée n'est-elle pas aussi solide que le granit ?

– En ce cas, pourquoi te tourmentes-tu ?

– C'est à cause de Moïse... Acceptes-tu d'en entendre parler ?

– Je t'écoute.

– Mes espions ne perdent pas de vue les Hébreux.

– Où se trouvent-ils ?

– Ils continuent à errer dans le désert, malgré les protestations de plus en plus nombreuses ; mais Moïse gouverne son peuple avec une poigne de fer. « Yahvé est un feu dévorant et un dieu jaloux », se plaît-il à répéter.

– Connais-tu sa destination ?

– Il est probable que la terre promise est Canaan, mais s'en emparer sera difficile. Les Hébreux ont déjà livré bataille aux gens de Madiân et aux Amorrites, et ils occupent actuellement le territoire de Moab. Les peuples de la région redoutent les nomades hébreux qu'ils considèrent comme de redoutables pillards.

– Moïse ne se découragera pas ; s'il faut mener cent batailles, il les mènera. Je suis certain qu'il a observé Canaan du haut du mont Négeb et qu'il a vu une contrée ruisselant de miel et d'huile de fête.

– Les Hébreux sèment le trouble, Majesté.

– Que suggères-tu, Âcha ?

– Éliminons Moïse. Privés de leur chef, ils rentreront en Égypte, à condition que tu leur promettes de ne pas les châtier.

– Chasse ce projet de ton esprit. Moïse suivra sa destinée.

– L'ami se réjouit de ta décision, mais le diplomate la déplore. Comme moi, tu es persuadé que Moïse parviendra à ses fins et que l'arrivée dans leur Terre Promise modifiera l'équilibre du Proche-Orient.

– À condition que Moïse n'exporte pas sa doctrine, pourquoi ne parviendrions-nous pas à nous entendre ? La paix entre nos deux peuples sera un facteur d'équilibre.

– Tu me donnes une belle leçon de politique étrangère et de diplomatie.

– Non, Âcha ; je tente simplement de tracer un chemin d'espérance.

Dans le cœur d'Iset la belle, la tendresse avait remplacé la passion. Elle qui avait donné deux fils à Ramsès éprouvait toujours la même admiration pour le roi, mais avait renoncé à le conquérir. Comment lutter contre Néfertari qui, les années passant, devenait de plus en plus belle et lumineuse ? La maturité aidant, Iset la belle s'était apaisée et avait appris à savourer les bonheurs que la vie lui offrait. Parler avec Khâ des mystères de la création, écouter Mérenptah lui décrire le fonctionnement de la société égyptienne qu'il étudiait avec le sérieux d'un futur dirigeant, deviser avec Néfertari dans les jardins du palais, côtoyer Ramsès aussi souvent que possible... Iset la belle ne bénéficiait-elle pas de trésors inestimables ?

– Viens, lui proposa la grande épouse royale, allons nous promener en barque sur le fleuve.

C'était l'été, l'inondation avait transformé l'Égypte en un lac immense, on voguait d'un village à l'autre. Un soleil ardent faisait briller les eaux fécondatrices, des centaines d'oiseaux dansaient dans le ciel.

Les deux femmes, se tenant sous un dais blanc, avaient enduit leur peau d'huile parfumée ; à leur disposition, des jarres de terre gardaient l'eau fraîche.

– Khâ est reparti pour Memphis, précisa Iset la belle.

– Le déplores-tu ?

– Le fils aîné du roi ne s'intéresse qu'aux monuments anciens, aux symboles et aux rituels. Lorsque son père l'appellera auprès de lui pour s'occuper des affaires de l'État, comment réagira-t-il ?

– Son intelligence est si vaste qu'il saura s'adapter.

– Que pensez-vous de Mérenptah ?

– Il est très différent de son frère, mais l'être d'exception perce déjà sous le jeune homme.

– Votre fille, Méritamon, est devenue une femme merveilleuse.

– Elle réalise mon rêve d'enfant : vivre dans un temple et y jouer de la musique pour les divinités.

– Le peuple entier vous vénère, Néfertari ; son amour est à la mesure de celui que vous lui donnez.

– Comme tu as changé, Iset !

– J'ai lâché prise, les démons de la convoitise sont sortis de mon âme. Je me sens en paix avec moi-même. Et si vous saviez combien je vous admire, pour ce que vous êtes, pour l'œuvre que vous accomplissez...

– Grâce à ton aide, l'absence de Touya sera moins lourde à porter. Puisque tu es libérée des soucis d'éducation, acceptes-tu de travailler à mes côtés ?

– Je ne suis pas digne...

– Laisse-m'en juge.

– Majesté...

Néfertari embrassa Iset la belle sur le front. C'était l'été, et l'Égypte festoyait.

Le palais du Ramesseum était déjà aussi animé que celui de Pi-Ramsès ; comme le souhaitait le roi, les annexes de son temple des millions d'années s'imposaient comme le centre économique majeur de Haute-Égypte, travaillant en symbiose avec Karnak. Sur la rive ouest de Thèbes, le Ramesseum proclamerait à jamais la magnificence du règne de Ramsès le grand, dont l'ampleur frappait déjà les esprits.

Ce fut Améni qui reçut le message signé par Sétaou. Toutes affaires cessantes, ému à en perdre le souffle, le scribe partit à la recherche de Ramsès qu'il trouva dans le grand bassin proche du palais ; comme chaque jour, pendant la belle saison, le roi nageait au moins une demi-heure.

– Majesté, une lettre en provenance de Nubie !

Le monarque gagna le bord du bassin. S'agenouillant, Améni lui tendit le papyrus.

Il ne comportait que quelques mots, ceux que Ramsès espérait.

60

À la proue du bateau du couple royal, une tête de la déesse Hathor en bois doré, portant le disque solaire entre ses cornes. La souveraine des étoiles était aussi la maîtresse de la navigation ; sa présence vigilante garantissait un voyage paisible en direction d'Abou Simbel.

Abou Simbel, dont les deux temples célébrant l'union de Ramsès et de Néfertari étaient achevés. Le message de Sétaou ne présentait aucune ambiguïté, et le charmeur de serpents n'avait pas l'habitude de se vanter. Au centre du bateau, une cabine au toit bombé reposant sur deux colonnettes à chapiteau en forme de papyrus à l'arrière, et de lotus à l'avant ; des ouvertures permettaient à l'air de circuler. La reine, rêveuse, savourait ce voyage comme une friandise.

Néfertari masquait une lourde fatigue pour ne pas inquiéter le roi ; elle se leva et le rejoignit sous le voile blanc tendu à la poupe, entre quatre piquets. Couché sur le flanc, l'énorme lion somnolait, le vieux chien jaune calé contre son dos ; plongé dans un sommeil réparateur, Veilleur se savait protégé par Massacreur.

– Abou Simbel... Un roi fit-il jamais semblable offrande à une reine ?

– Un roi eut-il jamais la chance d'épouser Néfertari ?

– Trop de bonheur, Ramsès... J'éprouve parfois une certaine crainte.

– Ce bonheur-là, nous devons le partager avec notre peuple, l'Égypte entière et les générations qui nous succéderont ; c'est pourquoi j'ai voulu que le couple royal fût à jamais présent dans la pierre d'Abou Simbel. Ni toi ni moi, Néfertari, mais Pharaon et la grande épouse royale dont nous ne sommes que des incarnations terrestres et passagères.

Néfertari se lova contre Ramsès et contempla la Nubie, sauvage et splendide.

Apparut la falaise de grès, domaine de la déesse Hathor, encadrant à l'ouest une courbe du Nil. Naguère, une coulée de sable fauve séparait deux promontoires qui appelaient la main de l'architecte et du sculpteur ; et cette main avait agi, transformant la roche amoureuse en deux temples creusés en son cœur et annoncés par des façades dont la puissance et la grâce stupéfièrent la reine. Devant le sanctuaire du sud, quatre colosses de Ramsès assis, hauts de vingt mètres ; devant celui du nord, des colosses du pharaon debout, et en marche, encadraient une Néfertari haute de dix mètres.

Abou Simbel ne serait plus un simple point de repère pour les marins, mais un lieu transfiguré où le feu de l'esprit brillerait, immobile et immuable, dans l'or du désert nubien.

Sur la berge, Sétaou et Lotus firent des signes d'accueil, imités par tous les artisans qui les entouraient. Il y eut bien un mouvement de recul lorsque Massacreur emprunta la passerelle pour descendre à terre, mais la haute stature du roi dissipa les craintes. Le fauve se tint à sa droite, le vieux chien jaune à sa gauche.

Ramsès n'avait jamais vu une telle expression de contentement sur le visage de Sétaou.

– Tu peux être fier de toi, dit le roi en donnant l'accolade à son ami.

– Ce sont les architectes et les sculpteurs qu'il faut féliciter, pas moi ; je n'ai fait que les encourager afin qu'ils créent une œuvre digne de toi.

– Digne des puissances mystérieuses qui résident en ce temple, Sétaou.

Au bas de la passerelle, Néfertari fit un faux pas ; Lotus la soutint et s'aperçut que la reine était victime d'un malaise.

– Avançons, exigea Néfertari. Je vais bien.

– Mais, Majesté...

– Ne gâchons pas la fête d'inauguration, Lotus.

– Je dispose d'un remède qui effacera peut-être votre fatigue.

Le rugueux Sétaou ne savait comment se comporter devant Néfertari dont la beauté le fascinait ; ému, il s'inclina.

– Majesté... je voulais dire...

– Célébrons la naissance d'Abou Simbel, Sétaou ; je veux qu'elle soit inoubliable.

Tous les chefs des tribus nubiennes avaient été conviés à Abou Simbel pour fêter la création des deux temples ; portant leurs plus beaux colliers et des pagnes neufs, ils avaient baisé les pieds de Ramsès et de Néfertari, puis entonné un chant de victoire qui était monté jusqu'au ciel étoilé.

Cette nuit-là, il y eut davantage de nourritures délicieuses que de grains de sable sur le rivage, plus de pièces de bœuf rôti que de fleurs dans les jardins royaux, une quantité innombrable de pains et de gâteaux. Le vin coula comme une crue abondante, de l'oliban et de l'encens brûlèrent sur les autels érigés en plein air. De même que la paix avait été instaurée loin vers le nord, avec les Hittites, de même elle régnerait pour longtemps dans le Grand Sud.

– Abou Simbel est désormais le centre spirituel de la Nubie et l'expression symbolique de l'amour qui unit Pharaon à la grande épouse royale, confia Ramsès à Sétaou. Toi, mon ami, tu convoqueras ici, à des dates régulières, les chefs de tribus, et les feras participer aux rites qui sacralisent cette terre.

– Autrement dit, tu me permets de demeurer en Nubie... Lotus restera donc amoureuse de moi.

La douce nuit de septembre fut suivie d'une semaine de fêtes et de rituels au cours desquels les participants découvrirent, émerveillés, l'intérieur du grand temple. Dans la salle aux trois nefs et aux huit piliers auxquels s'adossait le roi statufié en Osiris, haut de dix mètres, ils admirèrent les scènes de la bataille de Kadesh et la rencontre du monarque avec les divinités qui l'enlaçaient pour mieux lui communiquer leur énergie.

Le jour de l'équinoxe d'automne, seuls Ramsès et Néfertari pénétrèrent dans le saint des saints. Lors du lever du soleil, la lumière emprunta l'axe du temple et vint éclairer le fond du sanctuaire où, assis sur une banquette de pierre, siégeaient quatre dieux ; Râ-Horus de la contrée lumineuse, le *ka* de Ramsès, Amon le dieu caché et Ptah le bâtisseur. Ce dernier demeurait dans les ténèbres, sauf aux deux équinoxes ; ces deux matins-là, la clarté du levant effleurait la statue de Ptah dont Ramsès entendit les paroles montant du tréfonds de la roche : « Je fraternise avec toi, je te donne la durée, la stabilité et la puissance ; nous sommes unis dans la joie du cœur, je fais en sorte que ta pensée soit en harmonie avec celle des dieux, je t'ai choisi et je rends tes paroles efficaces. Je te nourris de vie, afin que tu fasses vivre autrui. »

Quand le couple royal sortit du grand temple, Égyptiens et Nubiens poussèrent des cris d'allégresse. Le moment était venu d'inaugurer le second sanctuaire dédié à la reine et portant le nom de « Néfertari pour laquelle le soleil se lève ».

La grande épouse royale offrit des fleurs à la déesse Hathor, afin que s'illumine le visage de la souveraine des étoiles ; s'identifiant à Séchat, la patronne de la Maison de Vie, Néfertari s'adressa à Ramsès :

– Tu as redonné vigueur et courage à l'Égypte, tu es son maître ; en tant que faucon céleste, tu as étendu tes ailes au-dessus de ton peuple. Pour lui, tu es semblable à une muraille de métal céleste qu'aucune force hostile ne saurait franchir.

– Pour Néfertari, répondit le roi, j'ai bâti un temple, creusé dans la montagne pure de Nubie, en belle pierre de grès, à jamais.

La reine portait une longue robe jaune, un collier de turquoises et des sandales dorées ; sur sa perruque bleue, une couronne composée de deux longues et fines cornes de vache enserrant un soleil que surmontaient deux hautes plumes. Dans la main droite, elle tenait la clé de vie ; dans la gauche, un sceptre flexible évoquant le lotus surgi des eaux au premier matin du monde.

Surmontant les piliers du temple de la reine, des visages souriants de la déesse Hathor ; sur les parois, des scènes rituelles unissant Ramsès, Néfertari et les divinités.

La reine s'appuya sur le bras du monarque.

– Que se passe-t-il, Néfertari ?

– Un peu de lassitude...

– Désires-tu que nous interrompions ce rituel ?

– Non, je désire découvrir chaque scène de ce temple avec toi, lire chacun de ces textes, participer à chaque offrande... N'est-ce pas la demeure que tu as construite pour moi ?

Le sourire de son épouse rassura le roi. Il agit conformément à son souhait, et ils animèrent chaque parcelle du temple jusqu'au naos où apparaissait la vache céleste, incarnation d'Hathor, sortant de la roche.

Néfertari demeura longtemps dans la pénombre du sanctuaire, comme si la douceur de la déesse pouvait dissiper le froid qui s'insinuait dans ses veines.

– Je voudrais revoir la scène du couronnement, demanda-t-elle au roi.

De part et d'autre de la représentation de la reine, à la silhouette d'une finesse presque irréelle, Isis et Hathor magnétisaient sa couronne. Le sculpteur avait magnifié cet instant au cours duquel une femme de ce monde entrait vivante dans l'univers divin pour témoigner, sur terre, de sa réalité.

– Prends-moi dans tes bras, Ramsès.

Néfertari était glacée.

– Je meurs, Ramsès, je meurs épuisée, mais ici, dans mon temple, avec toi, si près de toi que nous ne formons qu'un seul être, pour toujours.

Le roi la serra si fort contre lui qu'il crut pouvoir retenir sa vie, cette vie qu'elle avait donnée sans retenue à ses proches et à l'Égypte entière pour leur permettre d'échapper aux maléfices.

Ramsès vit le visage calme et pur de la reine se figer et sa tête lentement s'incliner. Sans révolte et sans crainte, le souffle de Néfertari venait de s'éteindre.

Ramsès porta la grande épouse royale dans ses bras, comme une fiancée à laquelle le futur époux allait faire franchir le seuil de sa demeure, afin de sceller le mariage. Il savait que Néfertari deviendrait une étoile impérissable, que sa mère le ciel lui redonnerait naissance et qu'elle monterait dans la barque du perpétuel voyage, mais comment cette science-là aurait-elle pu apaiser la douleur insupportable qui lui déchirait le cœur ?

Ramsès marcha vers la porte du temple ; l'âme vide et le regard perdu, il sortit du sanctuaire.

Veilleur, le vieux chien jaune or, venait de rendre l'âme entre les pattes du lion qui léchait doucement la tête de son compagnon, pour le guérir de la mort.

Ramsès souffrait trop pour pleurer. En cet instant, sa puissance et sa grandeur ne lui étaient d'aucun secours.

Le pharaon éleva vers le soleil le corps sublime de celle qu'il aimerait pour l'éternité, la dame d'Abou Simbel, Néfertari, pour laquelle rayonnait la lumière.

Cet ouvrage a été réalisé par la
SOCIÉTÉ NOUVELLE FIRMIN-DIDOT
Mesnil-sur-l'Estrée
pour le compte des Éditions Robert Laffont
24, avenue Marceau, 75008 Paris
en octobre 1996

Imprimé en France
Dépôt légal : septembre 1996
N° d'édition : 37415 - N° d'impression : 36093